Anne Buscha ◇ Susanne Raven ◇ Mathias Toscher

Erkundungen

Deutsch als Fremdsprache

Integriertes Kurs- und Arbeitsbuch

Sprachniveau C2

SCHUBERT-Verlag
Leipzig

Bitte beachten Sie unser Internet-Angebot mit zusätzlichen
Aufgaben und Übungen zum Lehrwerk unter:

www.aufgaben.schubert-verlag.de

Das vorliegende Lehrbuch beinhaltet ein herausnehmbares
Lösungsheft sowie eine CD zur Hörverstehensschulung.

 Hörtext auf CD (z. B. Nr. 2)

Zeichnungen: Jean-Marc Deltorn
Verlagsredaktion: Isabel Buchwald-Wargenau
Layout und Satz: Diana Becker

Die Hörmaterialien auf der CD wurden gesprochen von:
Burkhard Behnke, Claudia Gräf, Judith Kretzschmar, Axel Thielmann

© SCHUBERT-Verlag, Leipzig
1. Auflage 2014
Alle Rechte vorbehalten
Printed in Germany
ISBN: 978-3-941323-22-3

Vorwort

Erkundungen C2 ist ein modernes und kommunikatives Lehrwerk für fortgeschrittene erwachsene Lernerinnen und Lerner, die das Niveau C1 des Gemeinsamen Europäischen Referenzrahmens abgeschlossen haben.
Es orientiert sich an den Anforderungen und Aufgabenformaten der Prüfung *Goethe-Zertifikat C2: Großes Deutsches Sprachdiplom* und trainiert alle sprachlichen Fertigkeiten.

Erkundungen C2 ist sowohl für die Arbeit im Kurs als auch für Selbstlerner geeignet.
Das im Buch enthaltene Material ist als ein Angebot zu verstehen, aus dem entsprechend den Interessen der Lernenden und ihren jeweiligen Lernzielen ausgewählt werden sollte.

Erkundungen C2 besteht aus acht Kapiteln, die in jeweils drei Teile untergliedert sind:

- **Teil A** umfasst Lese- und Hörtexte, Aufgaben zum Wortschatztraining, Übungen zur mündlichen und schriftlichen Kommunikation sowie zu relevanten Strukturen.
  Die Themen der verwendeten Texte sind breit gefächert; die Texte bieten interessanten Wortschatz zu verschiedenen Bereichen aus Alltag, Beruf und Wissenschaft. Es handelt sich zumeist um Originaltexte aus Zeitungs-, Zeitschriften- und Internetveröffentlichungen, die zum Teil gekürzt und bearbeitet wurden.
  Mit Blick auf den Einsatz des Buches im Sprachkurs wurde das Material so konzipiert, dass auch längere Texte in einer Unterrichtseinheit bearbeitet werden können.

- **Teil B** enthält zusätzliches Trainingsmaterial für die Vorbereitung auf die Prüfungsteile Lesen, Schreiben und Sprechen des Goethe-Zertifikats C2, verbunden mit zahlreichen Tipps. Er stellt eine Erweiterung von Teil A dar, in dem Aufgaben zur Prüfungsvorbereitung für alle Fertigkeiten angeboten werden.
  Dieser Teil ist nicht nur für Lernerinnen und Lerner relevant, die beabsichtigen, das Goethe-Zertifikat C2 abzulegen, sondern auch für diejenigen, die z. B. Redemittel für bestimmte Fertigkeiten wie *diskutieren*, *präsentieren* oder *einen Vortrag halten* benötigen.

- **Teil C** stellt den Lernerinnen und Lernern ein vielfältiges Übungsangebot zur Verbesserung und Vertiefung ihrer Ausdrucksfähigkeit zur Verfügung. Allgemeine grammatische Erläuterungen sind knapp gehalten, ausführlichere Informationen gibt es zu prüfungsrelevanten Umformungsaufgaben.
  Lernende, die sich darüber hinaus mit grammatischen Strukturen beschäftigen möchten, finden in der C-Grammatik (ISBN: 978-3-941323-11-7) umfangreiche Erklärungen, Übersichten und Aufgaben.

Entsprechend der *Kann-Beschreibung* des Gemeinsamen Europäischen Referenzrahmens für Sprachniveau C2 enthält das vorliegende Buch anspruchsvolle, komplexe Texte und Aufgaben. Bedingt durch diese Komplexität und das hohe Ausgangsniveau der Lernerinnen und Lerner wurde auf die Formulierung von Lernzielen sowie auf die Auflistung von Wortschatz verzichtet.
Wir empfehlen, individuelle Lernblätter mit relevantem Wortschatz, wichtigen Tipps und Strategien auf Papier oder in digitaler Form zu erstellen, basierend auf den jeweiligen Lernzielen und -schwerpunkten.

Zum Lehrwerk gehören ein herausnehmbares Lösungheft sowie eine Audio-CD zur Schulung des Hörverstehens. Außerdem stehen Zusatzmaterialien im Internet auf der Seite *www.schubert-verlag.de* bereit.

Wir wünschen Ihnen viel Erfolg und Freude bei der Arbeit mit **Erkundungen C2**.

Anne Buscha, Susanne Raven und Mathias Toscher

Kapitel 1

Sprache und Kommunikation

Wort und Schrift

Deutsch im Kontext anderer Sprachen

A1 Was fällt Ihnen spontan ein, wenn Sie an die deutsche Sprache denken? Sammeln Sie Ideen.

....

....

....

....

....

A2 Berichten Sie kurz, warum Sie Deutsch lernen.

A3 Interview
Stellen Sie zwei Gesprächspartnerinnen/Gesprächspartnern die folgenden Fragen.
Fassen Sie dann die Antworten zusammen.

Name ....   **Name** ....

Welche Sprachen sprechen Sie?
Welche Sprachen nutzen Sie im
Alltag, im Beruf oder Studium
und auf Reisen?

Welche Sprache gefällt Ihnen
neben Ihrer Muttersprache am
besten bzw. sprechen Sie am
liebsten? Warum?

Wenn Sie Deutsch mit Ihrer
Muttersprache vergleichen:
Welche Gemeinsamkeiten und
Unterschiede stellen Sie fest?

Lesen Sie einige Zitate aus dem Essay *Die schreckliche deutsche Sprache* des amerikanischen Schriftstellers Mark Twain (1835–1910), in dem er seine Erfahrungen beim Deutschlernen beschreibt.

1

Wer nie Deutsch gelernt hat, macht sich keinen Begriff, wie verwirrend diese Sprache ist. Es gibt ganz gewiss keine andere Sprache, die so unordentlich und systemlos daherkommt und dermaßen jedem Zugriff entschlüpft.

2

Jedes Mal, wenn ich glaube, ich hätte einen dieser vier verwirrenden Fälle endlich da, wo ich ihn beherrsche, schleicht sich, mit furchtbarer und unvermuteter Macht ausgestattet, eine scheinbar unbedeutende Präposition in meinen Satz und zieht mir den Boden unter den Füßen weg.

3

Es gibt zehn Wortarten, und alle zehn machen Ärger. Ein durchschnittlicher Satz in einer deutschen Zeitung ist eine erhabene, eindrucksvolle Kuriosität; er nimmt ein Viertel einer Spalte ein; er enthält sämtliche zehn Wortarten – nicht in ordentlicher Reihenfolge, sondern durcheinander; er besteht hauptsächlich aus zusammengesetzten Wörtern […].

4

Manche deutschen Wörter sind so lang, dass man sie nur aus der Ferne ganz sehen kann. Man betrachte die folgenden Beispiele: *Freundschaftsbezeigungen, Dilettantenaufdringlichkeiten, Stadtverordnetenversammlungen.* Dies sind keine Wörter, es sind Umzüge sämtlicher Buchstaben des Alphabets. Und sie kommen nicht etwa selten vor. Wo man auch immer eine deutsche Zeitung aufschlägt, kann man sie majestätisch über die Seite marschieren sehen – und, wer die nötige Fantasie besitzt, sieht auch die Fahnen und hört die Musik.

5

Personalpronomen und Adjektive sind eine ewige Plage in dieser Sprache, und man hätte sie besser weggelassen. Das Wort *sie* zum Beispiel bedeutet sowohl *you* als auch *she* als auch *her* als auch *it* als auch *they* als auch *them*. Man stelle sich die bittere Armut einer Sprache vor, in der ein einziges Wort die Arbeit von sechs tun muss – noch dazu ein so armes, kleines, schwaches Ding von nur drei Buchstaben. Vor allem aber stelle man sich die Verzweiflung vor, nie zu wissen, welche dieser Bedeutungen der Sprecher gerade meint.

6

Im Deutschen beginnen alle Substantive mit einem großen Buchstaben. Das ist nun wahrhaftig mal eine gute Idee, und eine gute Idee fällt in dieser Sprache durch ihr Alleinstehen notwendigerweise auf.

7

Ich habe dargelegt, dass die deutsche Sprache reformbedürftig ist. Nun denn, ich bin bereit, sie zu reformieren. […] Zunächst einmal würde ich den Dativ weglassen. […] Sodann würde ich das Verb weiter nach vorne holen. […] Drittens würde ich ein paar starke Ausdrücke aus dem Englischen importieren. […] Viertens würde ich die Geschlechterzugehörigkeit neu regeln und die Verteilung gemäß dem Willen des Schöpfers vornehmen. […] Fünftens würde ich diese großen, langen, zusammengesetzten Wörter abschaffen oder zumindest vom Sprecher verlangen, sie abschnittweise vorzutragen mit Erfrischungspausen dazwischen.

 Beantworten Sie die folgenden Fragen. Arbeiten Sie in Gruppen und präsentieren Sie anschließend Ihre Ergebnisse im Plenum.

1. Können Sie die Meinung von Mark Twain nachvollziehen? Mit welchem Zitat sind Sie einverstanden, mit welchem nicht? Was finden Sie positiv an der deutschen Sprache?

2. Was bereitet Ihnen beim Sprechen, Schreiben, Lesen oder Hören noch Schwierigkeiten? Was können Sie gut?

3. Welche Erfahrungen haben Sie selbst bisher beim Erlernen der deutschen Sprache gemacht? Was hat sich Ihrer Meinung nach beim Lernen bewährt? Welche Tipps können Sie geben?

A6

■ Eine Herausforderung namens *Deutsch*

Schon Mark Twain glaubte es im 19. Jahrhundert zu wissen: Deutsch ist eine Zumutung. Die Sprache, so klagte der amerika-
5 nische Autor in seinem Essay *Die schreckliche deutsche Sprache*, sei unsystematisch und voller Fallen, entbehre jeglicher Logik und sei aus all diesen Gründen wäh-
10 rend eines normalen Menschenlebens kaum zu erlernen. Umso erstaunlicher, möchte man da meinen, dass sich trotzdem jedes Jahr Millionen von Menschen auf der
15 ganzen Welt der Herausforderung stellen, Deutsch zu lernen. Und dabei sogar Erfolg haben! Hat sich Mark Twain womöglich geirrt? Ist am Ende die Schwierig-
20 keit der deutschen Sprache nur ein Mythos?

Auch wenn der Schriftsteller seine Ausführungen natürlich ironisch überhöht hat: Im Allge-
25 meinen gilt Deutsch auch heute noch als kompliziert. Zu viele Regeln, noch mehr Ausnahmen, dazu drei Geschlechter und vier Fälle – wer soll da noch den Über-
30 blick behalten? Und als würde das noch nicht reichen, hat man es zudem noch mit einer als schwierig empfundenen Aussprache voller phonetischer Hürden zu tun, von
35 der Orthografie ganz zu schweigen. Viele lässt das zögern, sich für Deutsch als Fremdsprache zu entscheiden, und wer die Sprache

nicht unbedingt braucht, etwa aus
40 beruflichen Gründen, der lehnt dankend ab.

Andere dagegen sehen gerade in der Komplexität der Sprache den besonderen Reiz. Moti-
45 viert und voller Ehrgeiz schreiten sie zur Tat, die *Sprachkurs* heißt, um sich und der Welt zu beweisen: Ich werde es schaffen! Ich gebe mich nicht mit einfachen Din-
50 gen zufrieden, ich will und kann mehr! Ich will nicht nur Thomas Mann im Original lesen können, sondern auch die Bedienungsanleitung meines Autos.
55 Ja, wer Deutsch spricht, hat tatsächlich eine ganze Reihe von Vorteilen auf seiner Seite.

Oft wird es nicht vermutet, aber Deutsch ist innerhalb der Europä-
60 ischen Union die Sprache mit den meisten Muttersprachlern, und mit entsprechenden Kenntnissen kann man an einem Sprach- und Kulturraum teilhaben, der meh-
65 rere Länder und mehr als hundert Millionen Menschen umfasst.

Wer sich ein wenig länger und intensiver mit der deutschen Sprache auseinandersetzt,
70 wird durchaus Logik und Struktur in ihr entdecken und außerdem die stilistischen Varianten und Möglichkeiten schätzen lernen, die Satzbau und Wortbildung
75 erlauben. Und er wird der Auffassung entgegentreten können, Deutsch klinge hart und aggressiv. Der Kundige weiß vielmehr, dass die Sprache durchaus wohl-
80 tönend weich dahinfließen und Eleganz entfalten kann. Wenn ihr Sprecher dies möchte. Nicht ohne Grund ist Deutsch eine der wichtigsten Sprachen des Liedguts der
85 Romantik und anderer klassischer Musik.

Das alles wird sicher auch Mark Twain bewusst gewesen sein. Die deutsche Sprache ließ
90 ihn ein Leben lang nicht los. Betrachten wir daher seine Auslassungen als das, was sie in Wirklichkeit sind: eine Liebeserklärung an die Sprache aus der Mitte
95 Europas.

a) Fassen Sie den Inhalt des Textes mit eigenen Worten zusammen.
Welche Vorurteile und Klischees gegenüber Deutsch und welche Vorzüge der deutschen Sprache werden im Text genannt?

b) Finden Sie zu den Ausdrücken Synonyme im Text.

1. etwas <u>überspitzen</u> ....
2. mit vielen <u>Schwierigkeiten</u> ....
3. <u>gar nicht erst von etwas reden</u> ....
4. <u>der Kitzel</u> ....
5. aus vielen Ländern <u>bestehen</u> ....
6. sich mit der Sprache <u>beschäftigen</u> ....
7. <u>sich</u> der Meinung <u>widersetzen</u> ....
8. Anmut <u>hervorbringen</u> ....
9. <u>die Äußerungen</u> ....

c) Halten Sie einen kurzen Vortrag zum Thema *Sprachen und Vorurteile*. Sprechen Sie ungefähr drei Minuten.

A7 Ergänzen Sie passende Verben in der richtigen Form.

■ Gute Gründe für Deutsch

Bei der Frage, warum man Deutsch lernen .... (1), wird als Antwort oft die Tatsache .... (2), dass Deutsch in Europa eine der meistgesprochenen Muttersprachen ist und dass man
5 mit ihr Zugang zu einem Sprach- und Kulturraum .... (3), der mehr als hundert Millionen Menschen .... (4). Auch weltweit gesehen .... (5) Deutsch immerhin noch einen Platz unter den ersten zehn aller modernen Sprachen.
10 Und wer eine Karriere in der Wirtschaft oder im Tourismus anstrebt, sollte Deutsch ohnehin in Betracht .... (6). Trotzdem entscheiden sich vor allem Schüler, wenn sie eine Wahl zwischen Deutsch und einer anderen Spra-
15 che .... (7) müssen, gegen die Sprache aus

der Mitte Europas. Die Grammatik wird als kompliziert .... (8), und damit einher geht die Annahme, dass es sich bei Deutsch um eine schwere Sprache .... (9).
20 Anstoß wird schnell auch am Klang der Sprache .... (10): zu hart und zu wenig charmant – so .... (11) das oft gehörte Vorurteil. Doch wer ein wenig genauer hinsieht (oder besser hinhört), dem wird sich schnell die Schönheit dieser
25 Sprache .... (12). In der Musikwelt etwa .... (13) schon lange außer Zweifel, dass Deutsch auch poetisch und gefühlsbetont ist. Der vielleicht schönste Grund aber, sich für Deutsch zu .... (14), kann die Liebe sein. Kann man seine
30 Zuneigung besser unter Beweis .... (15), als die Sprache der oder des Herzallerliebsten zu lernen?

A8 Einige Fakten zur Geschichte der deutschen Sprache
Bilden Sie aus den vorgegebenen Wörtern Sätze im Präteritum.

◇ Vortrag – berühmter Sprachwissenschaftler – letzten Mittwoch – Geschichte der deutschen Sprache – halten
Letzten Mittwoch hielt ein berühmter Sprachwissenschaftler einen Vortrag zur Geschichte der deutschen Sprache.

1. Schreibkundige – Sprache des eigenen Volkes – etwa – beginnen – deutscher Boden – um das Jahr 750 – Niederschrift von Texten

   ....

2. schreiben – Latein – hauptsächlich – zuvor – jahrhundertelang

   ....

3. sprechen – obwohl – einzelne Germanenstämme – unterschiedliche Dialekte – untereinander – sich verstehen

   ....

4. nicht die Rede sein – trotzdem – um 750 – können – einheitliche deutsche Sprache – noch

   ....

5. Entstehung – wichtiger Beitrag – gemeinsame Sprache – Politik Karls des Großen – leisten

   ....

6. erleben – um 1200 – erste Blütezeit – deutsche Sprache

   ....

7. deutschsprachige Gebiete – sich herausbilden – damals – einheitliche Schriftsprache – fast

   ....

8. schwächen – Entwicklung – politische Instabilität – jedoch – Folgejahre – und – rückgängig machen – teilweise

   ....

9. Martin Luther (1483–1546) – Entfaltung – ausüben – großer Einfluss – deutsche Sprache – anschließend

   ....

10. schaffen – seine Bibelübersetzung – neue Grundlage – einheitliche deutsche Sprache

    ....

11. seine Wortschöpfungen – viel – deutscher Sprachschatz – Einzug finden – zudem

    ....

12. durchmachen – Lauf der Jahrhunderte – Deutsch – große Veränderungen – Entwicklung

    ....

13. letztlich – Althochdeutsche – entstehen – Neuhochdeutsche – somit

....

14. 19. Jahrhundert – wissenschaftliche Disziplin – werden – Deutsch – schließlich

....

15. begründen – deutsche Sprachwissenschaft   Jacob Grimm (1785–1863)

....

Zusatzübungen zu den Zeitformen der Verben ⇨ Teil C Seite 25

A9   Die Zukunft der deutschen Sprache   2

a) Sie hören einen Auszug aus einem Interview zum Thema *Hat die deutsche Sprache eine Zukunft?*
   Was wird im Interview gesagt? Markieren Sie während des Hörens oder danach die richtige Lösung.
   Es gibt nur eine richtige Lösung.

1. Immer mehr Menschen
   a) ☐ befürchten, dass in vielen   b) ☐ sehen den Kampf gegen   c) ☐ betrachten englische Wör-
      Jahren niemand mehr die   das Englische unweigerlich   ter in der deutschen Spra-
      deutsche Sprache spricht.   als verloren an.   che als Verunreinigung.

2. Professor Albrecht ist der Meinung, dass
   a) ☐ die Dialekte eine Stärke   b) ☐ die zukünftige Stellung des   c) ☐ Deutsch nur im privaten
      der deutschen Sprache   Deutschen diskussions-   Bereich überleben wird.
      darstellen.   würdig ist.

3. Untergangsszenarien für die deutsche Sprache
   a) ☐ entstehen, weil Deutsch   b) ☐ hält Professor Albrecht   c) ☐ sind für Professor Albrecht
      im internationalen Ver-   für übertrieben.   nur bedingt zu verstehen.
      gleich von Platz 8 auf
      Platz 10 abgerutscht ist.

4. Deutsch wird
   a) ☐ von etwa einem Drittel   b) ☐ von 121 Millionen Menschen c) ☐ von 14 % der europäischen
      der Bürger der Europä-   als Fremdsprache beherrscht.   Schüler als erste Fremd-
      ischen Union gesprochen.   sprache gelernt.

5. Die Überlegenheit des Englischen
   a) ☐ wird dazu führen, dass   b) ☐ hat große Auswirkungen   c) ☐ birgt mehr Möglichkeiten
      Englisch andere Mutter-   auf die deutsche Sprache.   als Gefahren.
      sprachen ablösen wird.

6. Historisch gesehen
   a) ☐ haben sich auch schon im b) ☐ hat Englisch heute eine   c) ☐ fühlten sich bereits im
      Mittelalter viele Menschen   ähnliche Funktion wie   Mittelalter Menschen von
      in einer anderen Sprache   Latein im Mittelalter.   einer fremden Sprache
      unterhalten.   bedroht: dem Lateinischen.

7. Sprachenvielfalt ist
   a) ☐ aufgrund der aktuellen   b) ☐ ein erhaltenswertes Gut.   c) ☐ durch die Bedeutung des
      Entwicklungen nicht   Englischen zum Scheitern
      mehr zeitgemäß.   verurteilt.

8. Mehrsprachigkeit sieht Professor Albrecht
   a) ☐ durch die Globali-   b) ☐ als notwendige   c) ☐ traditionell in der deutschen
      sierung gefährdet.   Perspektive an.   Kultur begründet.

b) Fassen Sie die wesentlichen Punkte des Interviews zusammen.

A10 Wie optimistisch oder pessimistisch sehen Sie die Zukunft Ihrer Muttersprache? Begründen Sie Ihre Haltung.

A11 Anglizismen

a) Beantworten Sie die folgenden Fragen.

1
Welche aus anderen Sprachen übernommenen Wörter gibt es in Ihrer Muttersprache? Nennen Sie Beispiele.

2
Inwieweit wird Ihre Muttersprache (wenn sie nicht Englisch ist) vom Englischen beeinflusst? Berichten Sie darüber anhand von Beispielen.

3
Gibt es in Ihrem Heimatland Gesetze, die Ihre Sprache vor fremden Einflüssen schützen sollen? Halten Sie solche Maßnahmen überhaupt für sinnvoll? Begründen Sie Ihre Meinung.

b) Diskussion: Anglizismen

Sie sind zu einer Diskussionsrunde zum Thema *Anglizismen* eingeladen. Entscheiden Sie sich für einen der beiden Standpunkte und beginnen Sie die Diskussion.

1

Pro

Die Übernahme von Wörtern aus dem Englischen macht die eigene Sprache reicher und präziser.

2

Kontra

Zu viele Anglizismen schwächen die eigene Sprache und machen sie beliebig.

Zum Ablauf der Diskussion

◇ Diskutieren Sie zu zweit: Eine Person vertritt Aussage 1, die andere Aussage 2.

◇ Verteidigen Sie Ihre Position. Versuchen Sie, Ihre Gesprächspartnerin/Ihren Gesprächspartner von Ihren Argumenten zu überzeugen. Nennen Sie auch Beispiele.

◇ Gehen Sie auf die Argumente Ihrer Gesprächspartnerin/Ihres Gesprächspartners ein.

A12 Schöne Wörter

a) Werden Sie sprachlich kreativ und finden Sie originelle, schöne und sinnvolle deutsche Bezeichnungen.

Software	....	Skyline	....
zappen	....	Daily Soap	....
Event	....	surfen (im Internet)	....
Fastfood	....	Laptop	....
Disko	....	Lifestyle	....
Jackpot	....	Sale	....

b) Haben Sie ein deutsches Lieblingswort? Welches? Und warum? Berichten Sie.

c) Der deutsche Radiosender *Klassik-Radio* hat seine Zuhörerinnen und Zuhörer aufgefordert, das schönste deutsche Wort zu wählen. Hier finden Sie einige Vorschläge, unter denen auch die fünf Gewinnerwörter sind. Wählen Sie fünf Wörter, die Ihnen am besten gefallen. Begründen Sie Ihre Auswahl.

Augenweide	Geborgenheit	Herzensdieb	Mitgefühl
Blütenzauber	gemütlich	irdisch	Nächstenliebe
Buschwindröschen	Heimweh	jauchzen	Offenheit

Zufriedenheit	Kuddelmuddel	Kaffeekränzchen	Morgenröte
Erquickung	Lebensfreude	kuschelig	mucksmäuschenstill
Frühlingserwachen	Zuhause	Leckerbissen	Firlefanz
Freibier	mutterseelenallein	Meeresrauschen	Zweisamkeit

(Die Gewinnerwörter der Radio-Aktion finden Sie im Lösungsheft.)

Kommunikation

(A13) Was ist *Kommunikation*?

a) Welche der folgenden Situationen stellt für Sie *Kommunikation* dar? Begründen und diskutieren Sie.

1. Ein Dirigent leitet ein Orchester.
2. Ein Ehepaar isst schweigend zu Abend, während der Fernseher läuft.
3. Ein Professor hält eine Vorlesung. Die Studenten schreiben mit.
4. Sie schauen auf die Uhr, weil Sie wissen möchten, wie spät es ist.
5. Ein Rettungswagen fährt mit Blaulicht und Sirene durch die Stadt.
6. Ein Mensch betrachtet sich im Spiegel.
7. Zwei Verliebte küssen sich.
8. Ein Baby weint. Die Mutter singt ein Schlaflied.
9. Der Mitarbeiter einer Firma geht schweigend an seinem Vorgesetzten vorbei.
10. Ihr Smartphone meldet, dass der Akku leer ist.

b) Formulieren Sie (allein oder in der Gruppe) eine Definition für *Kommunikation*. Vergleichen Sie anschließend Ihre Definition mit denen der anderen. Wählen Sie gemeinsam die beste Definition aus. Begründen Sie Ihre Wahl.

(A14)

■ Störfall Kommunikation

Kommunikation ist ein Grundbedürfnis des Menschen. Und zwar ein relativ elementares: Nichts geht ohne Kommunikation. Kommunikation hilft, Entscheidungen zu fällen, Konflikte zu lösen, Probleme darzustellen, beschafft Informationen, sorgt für Entspannung, macht Wissen verfügbar, baut Überzeugungen auf. Und: Kommunikation bildet Gesellschaften und hält sie zusammen.

„Man kann nicht nicht kommunizieren." Dieser Satz von Paul Watzlawick gehört wahrscheinlich zu den am häufigsten zitierten und berühmtesten Lehrsätzen der Kommunikationswissenschaft. Der Grund: Er beschreibt in einem Satz die zentrale Bedeutung von Kommunikation. Ob mündlich oder schriftlich, symbolisch, nonverbal, absichtlich, spontan, unbewusst oder passiv: Kommunikation bestimmt unser Leben. Selbst wenn wir „nichts tun", kommunizieren wir, sei es durch einen Gesichtsausdruck oder eine Körperhaltung. Auf die Uhr zu schauen ist daher ebenso Kommunikation, wie schweigend an seinem Vorgesetzten vorbeizugehen.

Zudem ist korrekte Sprachanwendung keineswegs ein Garant für erfolgreiche Kommunikation. Sprachliche Zeichen verweisen nicht eindeutig auf Bedeutungen oder Vorstellungen. Auch der Beziehungsaspekt zwischen Sender und Empfänger spielt in der Kommunikation eine wichtige Rolle, sowohl in hierarchischer als auch in emotionaler Hinsicht. ⇨

Wenn Kommunikation nicht eine Hürde unzähliger Voraussetzungen überspringt, können daraus Missverständnisse, Fehlinterpretationen, Streit und Spannungen resultieren. In Betrieben zum Beispiel sind Expertenschätzungen zufolge 70 Prozent aller Fehler am Arbeitsplatz auf mangelnde Kommunikation zurückzuführen. Offenbar wird zwar fleißig in die Verbesserung der Kommunikationstechnik investiert, wie rentabel und erfolgreich diese Investitionen jedoch sind, das scheint wegen eines fehlenden Bewusstseins für die Schwierigkeiten effektiver Kommunikation in den Hintergrund zu treten.

Die Gesprächspartner müssen (neben der Sprachbeherrschung) lernen:

• Gesprächsbereitschaft und Aufrichtigkeit mitzubringen,
• die in einer bestimmten Situation von bestimmten Personen erwartete Kommunikation richtig einzuschätzen,
• die Sozialstruktur von Situationen berücksichtigen zu können, d. h. Anrede und Höflichkeitsformen zu handhaben,
• ein zutreffendes Bild von dem jeweiligen Gesprächspartner anzufertigen, um sein Wissen, seine Interessen, seine Gefühlslagen und Motive abschätzen zu können.

Das setzt die Bereitschaft voraus, über Kommunikation nachzudenken, seine eigenen Fehler zu erkennen und zu versuchen, sie zu reduzieren oder gar abzustellen.

a) „Man kann nicht nicht kommunizieren." Stimmen Sie dieser Behauptung zu? Begründen Sie Ihre Meinung.

b) Sind Ihrer Meinung nach alle für eine erfolgreiche Kommunikation zu beachtenden Voraussetzungen im Text genannt worden? Wenn nicht, welche fehlen? Belegen Sie Ihre Ergänzungen mit Beispielen.

c) Rekonstruieren Sie den Text, indem Sie die fehlenden Präpositionen ergänzen.

■ Kurz und knapp könnte man sagen: Wird .... (1) Kommunikation verzichtet, hat man schon verloren, denn Kommunikation ist ein Grundbedürfnis des Menschen. Sie hilft unter anderem, sich .... (2) oder .... (3) etwas zu entscheiden, ... (4) Lösungen zu suchen, ... (5) denen man Konflikte lösen kann, und sie spielt .... (6) die Informationsbeschaffung eine wichtige Rolle. Zudem gehört sie .... (7) Fundament, ... (8) dem Gesellschaften ruhen. Einem berühmten Lehrsatz des Kommunikationswissenschaftlers Paul Watzlawik zufolge ist ein Leben .... (9) Kommunikation nicht denkbar. Denn .... (10) allem, was wir tun, kommunizieren wir, bewusst oder unbewusst, verbal oder nonverbal. .... (11) so mancher Erwartung trägt übrigens auch eine korrekte Sprachanwendung nicht zwangsläufig .... (12) Erfolg des Kommunikationsvorhabens bei, da sprachliche Zeichen nicht immer einen eindeutigen Hinweis .... (13) Bedeutungen oder Vorstellungen liefern. Auch der Beziehungsaspekt .... (14) den Kommunikationspartnern ist .... (15) großer Relevanz. .... (16) der Voraussetzung, dass Kommunikation erfolgreich die bestehenden Klippen und Untiefen umschifft, können Missverständnisse und Spannungen jedoch vermieden werden. Wie schwer dies allerdings ist, kann man .... (17) folgender Zahl ablesen: .... (18) Schätzungen .... (19) Experten liegen 70 Prozent aller Fehler .... (20) Arbeitsplatz .... (21) mangelnder Kommunikation begründet. Soll Kommunikation gelingen, muss sich erst gründlich .... (22) ihr auseinandergesetzt werden, zum Beispiel .... (23) Reflexion der eigenen Schwächen und Fehler.

d) Berichten Sie über Ihre eigenen Erfahrungen mit missglückter Kommunikation. Welche Gründe könnte das Scheitern gehabt haben?

A15 Warum Kommunikation missglückt

a) Hier sind einige Gründe, die Kommunikation misslingen lassen:

1
Der Gesprächspartner ist unaufmerksam, unkonzentriert und durch Lärm, Stress o. ä. abgelenkt.

2
Der Gesprächspartner hat eine vorgefasste Meinung, denkt in Stereotypen und hegt Vorurteile.

3
Man ist dem Gesprächspartner gleichgültig und das, was man sagt, interessiert ihn nicht.

4
Man findet keine „gemeinsame" Sprache, da Alters-, Geschlechts- und Mentalitätsunterschiede, unterschiedliche soziale wie geografische Herkunft, Bildung, Persönlichkeit, Wertvorstellungen und ein anderer Lebensstil eine Annäherung unwahrscheinlich machen und ein gegenseitiges Aufeinandereingehen verhindern.

5
Dem Gesprächspartner fehlen Einfühlungsvermögen und die Fähigkeit zum aktiven Zuhören.

b) Entwickeln Sie aus den „Kommunikationsfallen" Tipps zur erfolgreichen Kommunikation. Denken Sie dabei daran: Nicht immer liegt es an der Gesprächspartnerin/am Gesprächspartner, wenn Kommunikation missglückt! Ergänzen Sie die Tipps durch eigene weitere Empfehlungen.

A16 Überlegen Sie zu zweit oder in kleinen Gruppen. Berichten Sie anschließend.

1. Welchen Einfluss haben Internet und soziale Medien Ihrer Meinung nach auf das menschliche Kommunikationsverhalten? Geben Sie auch konkrete Beispiele.

2. Wenn Sie an Ihre eigenen Erfahrungen denken: Inwieweit verändern sich Sprache oder sprachliches Verhalten durch den Gebrauch sozialer Medien?

3. Welche Vor- und Nachteile, Chancen und Gefahren sehen Sie in der Kommunikation über Internet und soziale Medien?

4. Glauben Sie, dass die Bedeutung des Internets als Kommunikationsmedium in der Zukunft wieder abnehmen könnte?

A17 Suchen Sie sich eine Lesepartnerin/einen Lesepartner. Eine Person liest Teil A des Textes, die andere Teil B.

■ Teil A   Internetkommunikation ist äußerst kreativ

Alle haben allen etwas mitzuteilen, ständig, dauernd, überall. Über WhatsApp werden stündlich 41 Millionen Mitteilungen verschickt. 100 Millionen Menschen sind weltweit bei Twitter angemeldet, Facebook hat mittlerweile die Milliardenmarke geknackt. Und selbst die SMS ist beliebt wie nie: 55 Milliarden Botschaften verschicken allein deutsche Nutzer jedes Jahr. Es ist, als habe die Menschheit das Schreiben neu entdeckt. Und als hätte sie dabei vor lauter Begeisterung die genormte Schriftsprache über Bord geworfen.

Kleinschreibung, Abkürzungen, fehlende Artikel und verkürzte Syntax zeichnen die schriftlichen Unterhaltungen aus, geschmückt sind die Dialoge dafür mit grinsenden Gesichtern oder auf der Seite liegenden Gefühlsbekundungen. Ich schenk dir mein Herz? Das schreibt man jetzt so: <3. Müssen Lehrer, Ausbilder, Bildungsbürger sich Sorgen machen?

Bislang gibt es keine einzige Studie, die den oft vermuteten Sprachverfall beweisen würde. Dabei ist die Internetkommunikation gut erforscht. Ende der 1990er-Jahre begannen erste Sprachwissenschaftler, sich für das komische Geschreibsel in den anonymen Chatforen zu interessieren.

Unter die Lupe haben die Linguisten so ziemlich alles genommen: Was passiert mit der Satzstellung, was mit den Zeitformen, was mit der Rechtschreibung? Welche Rolle spielen Inflektive, also endungslose Verben wie *heul* oder *tröst*? Wann und wozu werden lachende, zwinkernde oder weinende Smileys – die sogenannten Emoticons eingesetzt? „Eine Zeit lang ging man davon aus, dass in der Chatkommunikation im Gegensatz zum mündlichen Gespräch etwas fehlt", erklärt Georg Albert von der Universität Landau, „und dass diese fehlende Verständigungsebene von den Nutzern unter anderem mit Emoticons aufgefüllt werden müsse." Aber ganz so eindeutig, meint der Wissenschaftler, sei die Sache nicht. Smileys und Konsorten führen längst ein ästhetisches Eigenleben.   ⇨

70 Eine andere gängige Forschungsmeinung lautete: Es ist alles der Geschwindigkeit geschuldet. Typische Merkmale wie Kleinschreibung, Wortabkür75zungen oder unvollständige Sätze entstünden vor allem aus Platzmangel. Oder weil die Schnelligkeit der Dialoge keine Zeit lässt für korrekte Schreibweisen. Al80bert, der seit Jahren Internetunterhaltungen analysiert, glaubt das nicht. „Viele Stilmerkmale sprechen gegen die Geschwindigkeitsthese." Die Nutzer lieben es zum 85Beispiel, ellenlang Ausrufezeichen oder Buchstabenwiederholungen aneinanderzureihen. „Andere schreiben absichtlich im Dialekt, obwohl es länger dauert, die 90Worte zu tippen. Und obwohl sie auch für das Gegenüber schwerer lesbar sind." Schwerer zu entziffern – aber möglicherweise unterhaltsamer. Und darum scheint es 95zu gehen.

Vielen Nutzern macht das Experimentieren mit den Buchstaben und Zeichen schlicht Spaß. „Da wird Kreativität mit der 100Tastatur ausgelebt", sagt Albert. Von wilder Regellosigkeit kann trotzdem keine Rede sein. „Ihre jeweiligen Konventionen handeln die verschiedenen sozialen 105Gruppen permanent neu aus." Jeder Ort im Netz hat andere Gepflogenheiten, jede Gruppe ihre eigenen Codes und Vorlieben. Und diese Moden kommen und 110gehen, was alle benutzen, wird langweilig.

Manche Trends allerdings sind langlebig. In E-Mails hat sich die Kleinschreibung aus115gebreitet, bei Twitter weist man sich gerne mit Hashtags („Stichworten") wie #omg („Oh mein Gott") oder #hach („Hach") als erfahrener Internetnutzer aus. Im 120Facebook-Chat unter Schülern sind Smileys auch Jahrzehnte nach der Erfindung des Zeichens sehr beliebt. „Die Schreibenden setzen Markierungen, wie sie ei125nen Text verstanden wissen wollen", so Albert. Wo bin ich, mit wem und wozu, das alles spielt bei der jeweiligen sprachlichen Performance eine Rolle.

■ Teil B   Chats belegen das Gegenteil von Sprachverfall

„Die Schriftsprache differenziert sich zunehmend aus", erklärt Beate Henn-Memmesheimer, Linguistikprofessorin an 5der Universität Mannheim. Die meisten Nutzer wechseln mühelos zwischen unterschiedlichen Stilen und Schreibweisen hin und her. Morgens im Büro kor10rektes Hochdeutsch, nachmittags auf Twitter kurzsilbige Pointen, abends im Chat schluderiger Redeschwall. „Man könnte deshalb sogar von einer gestiegenen 15Schriftkompetenz sprechen", so Henn-Memmesheimer. Mal wird mehr, mal weniger regelkonform geschrieben, je nachdem, was die Nutzer in der jeweiligen Situation 20als angemessen empfinden.

Von den Schreibenden erfordert das viel Fingerspitzengefühl und eine hohe soziale und sprachliche Kompetenz. „Natür25lich beherrschen nicht alle Nutzer diesen souveränen Umgang mit Sprache", sagt die Linguistin. Bestimmte gesellschaftliche Gruppen sind für die Standard30sprache, wie sie in der Schule vermittelt wird, wenig empfänglich, in den jeweiligen Peergroups wird anders kommuniziert. „Wenn Jugendliche sehr 35von solchen Gruppen beeinflusst sind, verweigern sie es, die Standardsprache zu lernen, weil sie sich bei ihren Freunden damit lächerlich machen würden." Im 40Internet sei diese Nutzergruppe aber deutlich in der Minderheit. Zumal dort der Trend ohnehin wieder zu einer „größeren Standardnähe" gehe: „Das hat 45mit dem Wunsch nach vorteilhafter Selbstdarstellung im Netz zu tun."

Und dieser Wunsch treibt fast alle Nutzer um. Denn je mehr 50Menschen mit ihrem realen Namen im Netz unterwegs sind, desto wichtiger wird auch die nachhaltige sprachliche Inszenierung. Auf seriösen Partner55vermittlungsbörsen wird sogar besonders eloquent formuliert, weil sich die Kundschaft betont bildungsnah zeigen möchte. Aber auch Facebook hat die 60Art des Schreibens verändert. „Seit das soziale Netzwerk vielen Nutzern als privates und berufliches Aushängeschild dient, wird dort in vielen Kreisen wie65der mehr Wert auf ‚ordentliches' Deutsch gelegt", so die Linguistin.

Ganz folgenlos bleiben die Spielarten der 70Internetsprache trotzdem nicht. Manche Begriffe wie „dissen" schaffen es bis in den Duden. Syntaktische Kurzformen wie 75der veränderte Einsatz von Modalverben schwappen ins Fernsehen und Feuilleton über („Ich kann Kanzler"). Aber wird das die deutsche Standardsprache 80langfristig wirklich verändern? Henn-Memmesheimer bezweifelt es. „Es gibt sehr starke Regulative, die dagegenwirken." Bei offiziellen schriftlichen Text85erzeugnissen werden Abweichungen von der Rechtschreibung nach wie vor nicht geduldet, weder in der Schule noch an den Universitäten oder im Be90rufsalltag.

Abgesehen davon erledigen sich manche antikonventionellen Sprachmoden von selbst. „In den 1970er-Jahren haben Schüler mit 95Vorliebe comicsprachliche Ausdrücke wie *ächz, würg, stöhn* benutzt", sagt Henn-Memmesheimer. Sie selbst konnte sich nicht mehr so recht daran erinnern, erst Kollegen hätten sie darauf aufmerksam gemacht. Damals waren sie selbst Jugendliche. Heute sind sie Professoren für deutsche Sprache.

a) Fassen Sie Ihren Teil des Textes für Ihre Lesepartnerin/Ihren Lesepartner zusammen.

b) Welche der folgenden Aussagen entsprechen dem Inhalt des Textes? Bearbeiten Sie diese Aufgabe zu zweit. Es gibt nur eine richtige Lösung.

1. Der besondere Sprach- und Schreibstil in Internetunterhaltungen
   a) ☐ kompensiert mangelnde Ausdrucksmöglichkeiten.
   b) ☐ hat komplexe Ursachen.
   c) ☐ ist ein Zeichen für Effizienz.

2. Internetunterhaltungen
   a) ☐ spielen sich ausschließlich innerhalb bestimmter sozialer Gruppen ab.
   b) ☐ unterliegen nicht selten formalen Prinzipien.
   c) ☐ sollen in erster Linie unterhaltsam sein.

3. Die unterschiedlichen Ausdrucksformen
   a) ☐ geben Aufschluss über die Persönlichkeit des Absenders.
   b) ☐ sollen für Abgrenzung sorgen.
   c) ☐ sind grundsätzlich nur vorübergehend in Gebrauch.

4. Durch den Einfluss des Internets wird die Sprache
   a) ☐ beliebiger.
   b) ☐ anspruchsvoller.
   c) ☐ variantenreicher.

5. Die Verwendung von Standardsprache
   a) ☐ spielt bei der Kommunikation im Internet kaum noch eine Rolle.
   b) ☐ nimmt in den sozialen Medien wieder zu.
   c) ☐ wird bei Facebook-Nutzern nicht akzeptiert.

c) Wie beurteilen Sie die im Text erwähnten sprachlichen Experimente? Sind sie eher ein Gewinn oder eher eine Gefahr für die Sprache? Begründen Sie Ihre Meinung. Berichten Sie auch über Beispiele in Ihrer Muttersprache.

d) Ersetzen Sie die unterstrichenen Satzteile durch Synonyme. Nehmen Sie eventuell notwendige Umformungen vor.

1. Facebook hat bereits die Milliardenmarke geknackt.

   ....

2. Es scheint, als wäre die genormte Schriftsprache über Bord geworfen worden.

   ....

3. Die schriftlichen Unterhaltungen zeichnet zum Beispiel eine verkürzte Syntax aus.

   ....

4. Die Linguisten haben so ziemlich alles unter die Lupe genommen.

   ....

5. Es ist alles der Geschwindigkeit geschuldet.

   ....

6. Auch im Internet existieren unterschiedliche Gepflogenheiten.

   ....

7. Man weist sich als erfahrener Internetnutzer aus.

   ....

8. Im Chat ist der Redeschwall oft schluderig.

   ....

9. Facebook dient oft als privates oder berufliches Aushängeschild.

   ....

e) Ergänzen Sie die passenden Nomen.

1. Die Kommunikation über soziale Medien nimmt immer größere .... an.

2. Dabei erfreut sich sogar die fast schon altmodische SMS noch immer großer ....

3. Weil in den Chats zuweilen sehr kreativ mit Sprache umgegangen wird, befürchten einige Kritiker schon den .... der deutschen Schriftsprache.

4. Einen .... für diese .... konnte die Forschung bisher noch nicht liefern.

5. Linguisten haben fast die gesamte Internetkommunikation einer genaueren .... unterzogen.

6. Das ...., das sie gezogen haben: Zur Sorge besteht kein ....

7. Einige Forscher vertreten auch die ...., dass die .... von Abkürzungen und unvollständigen Sätzen nicht an Platz- und Zeitmangel liegt.

8. Den Schreibenden selbst wird übrigens von den Wissenschaftlern vielfach ein besonderes sprachliches .... attestiert.

9. Auch sind die jeweiligen sprachlichen Codes nicht starr, sondern unterliegen einer ständigen ....

10. Was heute noch als zeitgemäß gilt, kann schon morgen aus der .... gekommen sein.

11. Manchmal aber sind die .... der Internetsprache so nachhaltig, dass sie sogar .... in den Duden finden.

 A18 Feste Nomen-Verb-Verbindungen
Ergänzen Sie die passenden Verben.

Sprechen kann man auf unterschiedlichste Art und Weise.
Man kann z. B.

1.	miteinander sprechen	→	ein Gespräch ....
2.	etwas fragen	→	eine Frage ....
3.	jmdm. antworten	→	eine Antwort ....
4.	etwas behaupten	→	eine Behauptung ....
5.	etwas/jmdn. kritisieren	→	Kritik ....
6.	etwas versprechen	→	ein Versprechen ....
7.	etwas vorschlagen	→	einen Vorschlag ....
8.	jmdn. um etwas bitten	→	eine Bitte ....
9.	etwas erklären	→	eine Erklärung ....
10.	etwas befehlen	→	einen Befehl ....
11.	etwas absprechen	→	eine Absprache ....
12.	etwas diskutieren	→	eine Diskussion ....
13.	jmdm. etwas raten	→	einen Rat ....

Buchtipp • Buchtipp • Buchtipp

Ruhm
Ein Roman in neun Geschichten
Von *Daniel Kehlmann*

Tiefgründig und unterhaltsam verwebt Daniel Kehlmann die Erlebnisse unterschiedlichster Protagonisten miteinander und zeigt, welchen Einfluss moderne Kommunikationsmedien auf uns haben können. (Rowohlt Verlag)

A19 Kommunikation in Redewendungen
Ordnen Sie jeder Redewendung die passende Erklärung zu.

1. etwas zur Sprache bringen   a) durchgreifen
2. Jemandem verschlägt es die Sprache.   b) mit einem Thema beginnen
3. jemandem aus der Seele sprechen   c) überrascht/sprachlos sein
4. mit der Sprache herausrücken   d) zu Zugeständnissen bereit sein
5. ein Machtwort sprechen   e) genau das aussprechen, was jemand empfindet
6. mit sich reden lassen   f) eine vielsagende Mimik haben
7. mit Händen und Füßen reden   g) beim Sprechen stark gestikulieren
8. leicht/gut reden haben   h) jemanden/etwas sehr loben
9. hochgestochen sprechen   i) endlich sagen, was los ist
10. ohne Punkt und Komma reden   j) verärgert über jemanden sein
11. frei von der Leber weg sprechen   k) schnell/ohne Pause reden
12. von jemandem/etwas in den höchsten Tönen sprechen   l) ein Problem verharmlosen, weil man davon nicht betroffen ist
13. Das Gesicht von jemandem spricht Bände.   m) eine (übertrieben) vornehme Ausdrucksweise haben
14. auf jemanden nicht gut zu sprechen sein   n) ganz offen sprechen

Die Macht der Medien

A20 Interview
Stellen Sie zwei Gesprächspartnerinnen/Gesprächspartnern die folgenden Fragen zum Thema *Mediengebrauch*. Fassen Sie dann die Antworten zusammen.

1 Welche Medien nutzen Sie, um sich eine Meinung (z. B. über ein politisches Ereignis, eine technische Neuheit, ein Forschungsergebnis o. ä.) zu bilden?

2 Welche Medien nutzen Sie
– zur Information über das aktuelle Tagesgeschehen,
– auf Reisen/unterwegs,
– fürs Studium/für die Arbeit,
– zum Entspannen?

Geben Sie auch Gründe an.

3 Welche Medien haben Ihrer Meinung nach den größten Einfluss auf die Meinungsbildung in der Gesellschaft?

A21 Meinungsmacht in Deutschland

■ Das Fernsehen ist nach wie vor das wichtigste Medium, <u>wenn es um die Meinungsbildung in Deutschland geht</u>. Dies <u>hat eine aktuelle Studie ergeben</u>, die den Blick auf einige interessante Fakten lenkt. Untersucht wurde, <u>welches Gewicht Tageszeitungen, Zeitschriften, Radio, TV und</u>
5 <u>Internet für die Meinungsbildung der Deutschen haben</u>, wenn sie sich über das Zeitgeschehen in Politik, Wirtschaft und Kultur informieren. Mit 37 Prozent liegt das Fernsehen deutlich vorne. <u>Obwohl</u> die Bedeutung des Internets stetig steigt, ist dessen Einfluss auf die Haltung der Bürger hinsichtlich aktueller Ereignisse <u>kleiner</u>, als mancher wahrscheinlich ver-
10 mutet hätte. Es belegt mit knapp 18 Prozent lediglich den vierten Platz. Ob es jemals die Führungsposition erklimmen wird, ist fraglich. <u>Zu stark ist Fernsehen im Alltag der Bürger verankert</u>, außerdem sorgen ständige technische Neuerungen dafür, dass es auch in der Zukunft einen wichtigen Platz im Leben der Menschen behalten wird.
15 Ein anderes überraschendes Ergebnis <u>lieferte</u> die Untersuchung in Bezug auf die Relevanz von Tageszeitungen. Seit Jahren schon beklagt man ihren Niedergang und prophezeit ihr nahes Ende. Ihre Bedeutung für die Meinungsbildung scheinen sie allerdings nicht verloren zu haben, im Gegenteil. Die Forscher fanden heraus, dass Tageszeitungen für die
20 Deutschen von zunehmender Wichtigkeit sind, <u>wenn es darum geht, eigene Positionen zu festigen oder zu hinterfragen</u>. Damit sind sie nach dem Fernsehen mit 23 Prozent die zweitwichtigste Mediengattung für die Meinungsbildung. Ob es sich dabei um die klassische Zeitung in ihrer gedruckten Form oder deren digitale Version handelt, <u>machte die Studie</u>
25 <u>nicht bekannt</u>. Das Radio belegt den dritten Platz (19 Prozent). Weit abgeschlagen rangiert am Schluss der Zeitschriftensektor (vier Prozent).

bezüglich
Ergebnis

auswirken

trotz

Größe

Rolle

zutage

Stärkung oder
Hinterfragung

veröffentlicht

a) Geben Sie den Inhalt des Textes mit eigenen Worten wieder.

b) Wie würde eine ähnliche Untersuchung in Ihrem Heimatland Ihrer Meinung nach ausfallen? Berichten Sie.

c) Formen Sie den Text um, indem Sie die auf der rechten Seite angegebenen Wörter unverändert in den Text einarbeiten. Nehmen Sie alle notwendigen Umformungen vor.

A22 Diskutieren Sie in Kleingruppen die folgenden Aussagen zu Einfluss und Macht von Medien. Geben Sie an, ob Sie mit den angegebenen Behauptungen einverstanden sind oder nicht. Begründen Sie Ihre Meinung. Fassen Sie danach Ihre Diskussionsergebnisse und Begründungen im Plenum zusammen.

	Sie stimmen zu.	Sie stimmen nicht zu.	Sie stimmen teil-weise zu.
1. Medien sind als Kontrollinstanz unverzichtbar und schaffen ein notwendiges Gegengewicht zu Staat und Politik.			
2. Die meisten Medien arbeiten unabhängig und neutral.			
3. Medien können die Welt verändern.			
4. Die Macht der Medien wird (vor allem von den Journalisten selbst) überschätzt.			
5. Vor allem Printmedien sind „zahnlose" Tiger. Sie können die Politik genauso wenig beeinflussen wie die Qualität des Fernsehprogramms.			
6. Die meisten Menschen nutzen die Medien selektiv und suchen nur nach einer Bestätigung ihrer bereits bestehenden Meinung.			
7. Der Einfluss der Medien sinkt, weil guter Journalismus immer seltener wird. Viele Beiträge sind nicht gut recherchiert und/oder schlecht geschrieben/gemacht.			
8. Die neuen sozialen Medien spielen eine immer größere politische Rolle.			
9. Wenn ein Politiker keine Fehler macht, kann er von keinem Medium gestürzt werden.			

 A23 Leserbrief an eine Zeitung
Sie haben in einer Zeitung eine Artikelserie zur Rolle der Medien in der Gesellschaft gelesen.
Schreiben Sie einen ausführlichen Leserbrief (ca. 350 Wörter) an die Redaktion. Nehmen Sie zu drei Aussagen in A22 Stellung und begründen Sie Ihre Ansichten.

 A24 Die ideale Nachrichtensendung
Erarbeiten Sie in Gruppen eine ideale Nachrichtensendung und erfinden Sie dazu passende Meldungen als Beispiel. Präsentieren Sie am Ende Ihre Arbeitsergebnisse im Plenum. Beziehen Sie die folgenden Punkte in Ihre Überlegungen ein:

◊ Anzahl und Rolle der Moderatorinnen/Moderatoren
◊ Verhältnis gute – schlechte Nachrichten
◊ Liveberichte
◊ Kommentare
◊ Länge
◊ Themen (Weltpolitik, Inlandspolitik, Alltagsleben, Prominente, Kunst und Kultur, Wirtschaft und Börse, Sport, Kriminalität o. ä.)
◊ Interviews
◊ Wetter

A25 Nachrichten

a) Lesen Sie die folgenden Nachrichten und ergänzen Sie die passenden Verben in der richtigen Form. Verwenden Sie jedes Verb zweimal.

> umfahren ◊ unterstellen ◊ übertreten ◊ unterziehen ◊ durchbrechen

1

Im letzten Jahr haben so viele deutsche Firmen das Gesetz .... wie nie zuvor. Das gab jetzt das Wirtschaftsministerium bekannt. Die häufigsten Delikte seien Steuervergehen und das illegale Beschäftigen von Mitarbeitern. Der Minister plane, mit gesonderten Maßnahmen gegen diese Entwicklung vorzugehen.

2

Der Mann, der gestern eine Bushaltestelle und mehrere Verkehrsschilder .... hat, stand vermutlich unter Drogeneinfluss. Wie eine Zeitung heute berichtet, seien in seinem Blut verschiedene verbotene Substanzen nachgewiesen worden.

3

Die gegen den Innenminister erhobenen Vorwürfe haben sich als haltlos erwiesen. Das ist das Ergebnis des heute zu Ende gegangenen Untersuchungsverfahrens gegen den Politiker. In einer ersten Stellungnahme sagte der Minister, er habe sich der Untersuchung sehr gerne ...., um endlich seine Unschuld beweisen zu können.

4

Bei einem Autorennen hat sich heute ein folgenschwerer Unfall ereignet. Einer der Rennwagen hatte die Sicherheitsabsperrungen .... und war in die Zuschauermenge gerast. Fünf Menschen kamen dabei ums Leben, 13 wurden zum Teil schwer verletzt. Der Fahrer gab an, er wisse nicht, was passiert sei, er habe plötzlich die Kontrolle über das Auto verloren.

5

Nach monatelangen Auseinandersetzungen mit Parteimitgliedern aus den eigenen Reihen ist der beliebte Kommunalpolitiker Thomas Müller nun zu einer konkurrierenden Partei .... Diese Entscheidung sei ihm nicht leichtgefallen, aber sie sei notwendig gewesen, erklärte Müller.

6

Die seit dem starken Unwetter vermisste Wandergruppe konnte gerettet werden. Wie ein Sprecher der Bergwacht mitteilte, sei es der Gruppe gelungen, sich bei einem massiven Felsvorsprung .... und das Ende des Unwetters ohne Schaden abzuwarten. Den Wanderern gehe es den Umständen entsprechend gut.

7

Im Kreise ihrer Familie feierte heute die älteste Bürgerin der Gemeinde ihren 108. Geburtstag. Zum Gratulieren kam auch der Landrat. Nach dem Geheimnis ihres langen Lebens befragt, antwortete die Jubilarin, sie trinke jeden Tag ein Glas Sekt zum Frühstück und habe zudem immer warme Wäsche ....

8

Eine Frau hat bei einem Karatewettkampf mit einem einzigen Schlag eine 20 cm dicke Steinplatte .... und dadurch gesiegt. Sie habe das nicht für möglich gehalten und sei sehr stolz, erklärte sie bei der Siegerehrung.

9

Die Gefahrenstelle auf der Autobahn, die bis heute Morgen noch .... werden musste, ist beseitigt. Die Strecke könne nun wieder ohne Behinderung passiert werden, teilte die Autobahnpolizei mit.

10

Die Firma ISO hat ihren Mitarbeitern jahrelang ...., während der Arbeitszeit privaten Tätigkeiten nachzugehen, und sie deshalb am Arbeitsplatz heimlich mit Kameras beobachten lassen. Dies wurde jetzt bekannt. Das Unternehmen hat sich inzwischen bei der Belegschaft entschuldigt. Man bedauere die Bespitzelung sehr, hieß es. Sie sei ein Fehler gewesen.

Zusatzübungen zu trennbaren und nicht trennbaren Verben ⇨ Teil C Seite 29

b) Welche grammatische Struktur ist charakteristisch für die Textsorte *Nachricht*? Markieren Sie in den Nachrichtentexten der Aufgabe 25a Beispiele dafür.

A26 Sie arbeiten in der Nachrichtenredaktion eines Fernsehsenders und besprechen die Themen der heutigen Nachrichtensendung. Wählen Sie in kleinen Gruppen drei Beiträge aus und ergänzen Sie diese durch (erfundene) Fakten, Gründe und weitere Informationen. Präsentieren Sie im Anschluss Ihre Nachrichten und verwenden Sie für die Zitate die grammatischen Mittel der indirekten Rede.

Ministerrücktritt

Der Minister: „Ich bin davon überzeugt, dass ich politisch wie rechtlich richtig gehandelt habe. Ich bin mir keiner Schuld bewusst. Um Schaden von der Regierung und dem Amt abzuwenden, stelle ich aber mein Amt zur Verfügung."

Hitzewelle im Süden

Experten: „Die extremen Temperaturen können mit dem Klimawandel zusammenhängen. Manche Regionen der Erde leiden schon seit Jahren unter starken Temperaturschwankungen. Auch die Anzahl der Naturkatastrophen nimmt zu. Die Politiker müssen endlich aufwachen und effektivere Maßnahmen gegen den CO_2-Ausstoß ergreifen."

Handys von Politikern abgehört

Der Vorsitzende des Sicherheitsausschusses des Bundestages: „Wer früher vor systematischer Überwachung warnte, kam schnell in den Ruf eines Verschwörungstheoretikers. Die neusten Enthüllungen zeigen aber, dass ausländische Geheimdienste nicht nur gezielt Daten von Einzelpersonen erhoben, sondern flächendeckend Daten gespeichert haben. Es wurden sogar hochrangige Politiker bespitzelt. Dies ist nicht hinnehmbar. Es müssen jetzt internationale Regelungen getroffen werden, die diese Geheimdienstpraktiken einschränken."

Stiftung Lesen beklagt den Verfall der Lesekultur

Der Vorsitzende der Stiftung Lesen: „Deutsche Schüler schneiden bei Tests zur Lesekompetenz im europäischen Vergleich nur mittelmäßig ab. Die Aufgabe von Lehrkräften und Eltern muss es in Zukunft sein, den Spaß am Lesen wieder zu wecken. Wer Schwierigkeiten beim Lesen hat, wird auch im Berufsleben Probleme bekommen."

Auslosung Viertelfinale der Fußball-Champions-League – FC Bayern gegen Real Madrid

Der Bayernkapitän: „Real Madrid ist eine starke Mannschaft, vor der alle Spieler großen Respekt haben. Unsere Mannschaft muss jetzt all ihre Kräfte bündeln, wenn sie erfolgreich sein will. Die Chancen, eine Runde weiterzukommen, stehen aber nicht schlecht."

Streik bei der Bahn – Kampf um Lohnerhöhung

Die Lokführer: „Wir haben eine verantwortungsvolle Tätigkeit. Wir befördern Menschen und keine Kartoffeln. Deshalb ist eine Lohnerhöhung um zehn Prozent angemessen."

Zusatzübungen zum Konjunktiv I ⇨ Teil C Seite 31

 A27 Nachträgliche Kritik
Bei der Nachrichtensendung ist leider vieles schiefgegangen.
Formulieren Sie die Kritik des verantwortlichen Redakteurs wie im Beispiel.

◇ Der Studiohintergrund ist blau. Die Moderatorin trug eine blaue Bluse.

Die Moderatorin hätte keine blaue Bluse tragen dürfen.

oder: *Die Moderatorin hätte eine andersfarbige Bluse tragen müssen.*

oder: *Die Moderatorin hätte die Farbe der Bluse besser auf den Hintergrund abstimmen sollen.*

1. Der Ton ist zweimal ausgefallen.
2. Der Interviewpartner war betrunken.
3. Ein Fußballergebnis war nicht korrekt.
4. Ein Praktikant lief durch das Bild.
5. Die Wetterkarte zeigte Sonne statt des angekündigten Regens.
6. Die Moderatorin hat sich mehrmals versprochen.

Zusatzübungen zum Konjunktiv II ⇨ Teil C Seite 30

Zusatzübungen und Tipps zur Prüfungsvorbereitung

 B1 Überblick über die Aufgaben des Moduls Lesen

Allgemeine Tipps

Das Modul Lesen besteht aus vier Aufgaben, in denen Sie relativ viel Text in einem begrenzten Zeitrahmen (80 Minuten) bewältigen müssen. Hilfsmittel wie z. B. Wörterbücher dürfen Sie dabei nicht verwenden.

◇ Als grundlegende Vorbereitung sollten Sie regelmäßig längere Texte in deutschsprachigen Zeitungen und Zeitschriften lesen, aber auch Annoncen, Sachbücher und Artikel im Internet.

◇ Steigern Sie nach und nach Ihre Lesegeschwindigkeit, wenden Sie dabei unterschiedliche Lesestile an und untersuchen Sie die Texte hinsichtlich folgender Fragen: Was sind die Hauptaussagen des Textes? Welche Detailinformationen enthält der Text? Welche Meinung vertritt der Autor? (etc.)

◇ Untersuchen Sie alle Texte nach Schlüsselbegriffen sowie zentralen Aussagen, Gedanken und Ideen und überlegen Sie, wie man diese Textstellen alternativ (z. B. mit synonymen Wendungen) formulieren kann.

◇ Eine gute Allgemeinbildung ist hilfreich, lesen Sie daher Texte aus den unterschiedlichsten Themengebieten.

◇ Halten Sie sich bei den einzelnen Aufgaben nicht zu lange auf. Im Zweifel kann es für das Ergebnis besser sein, eine Aussage oder einen Textabschnitt nicht zuordnen zu können, als wertvolle Zeit zu verlieren.

Tipps zu Aufgabe 1

Sie lesen einen **Text zu einem aktuellen Thema**. Dazu werden Ihnen **Aussagen** angeboten, aus denen Sie jeweils diejenige **auswählen** sollen, die dem Inhalt des Textes entspricht. (25 Minuten Zeit)

◇ Lesen Sie zur Vorbereitung aktuelle Texte in Zeitungen und Zeitschriften.

◇ Bearbeiten Sie in der Prüfung den Text schrittweise und von Abschnitt zu Abschnitt; die Reihenfolge der Aufgaben entspricht dem Verlauf des Textes.

◇ Lesen Sie die vier Aussageoptionen genau durch und markieren Sie die Stellen im Text, die Hinweise auf die richtige Aussage geben.

◇ Markieren Sie relevante Textstellen: Was sind die Hauptaussagen? Welche Schlüsselwörter enthält der Text? Überlegen Sie alternative Formulierungen.

◇ Achten Sie auf die Meinung des Autors, besonders auch darauf, was er implizit meint.

◇ Lesen Sie den Text ein weiteres Mal und achten Sie dabei verstärkt auf Detailinformationen.

Beispiel: Kap. 4, B2

Tipps zu Aufgabe 2

Aufgabe 2 besteht aus einem **Sachtext**, zu dem es acht Aussagen gibt. Sie sollen die **Aussagen** den Textabschnitten **zuordnen**, wobei zwei Aussagen nicht passen. (20 Minuten Zeit)

◇ Lesen Sie zur Vorbereitung Sachtexte und populärwissenschaftliche Aufsätze in Zeitungen und Zeitschriften und fassen Sie diese thesenartig und mit eigenen Worten zusammen.

◇ Markieren Sie relevante Textstellen: Was sind die Hauptaussagen? Welche Schlüsselwörter enthält der Text? Überlegen Sie alternative Formulierungen.

◇ Reduzieren Sie jeden Textabschnitt auf seine ein bis zwei Hauptaussagen und vergleichen Sie diese mit den Aussagen, die zugeordnet werden müssen.

Ein Beispiel für die Aufgabe 2 des Moduls Lesen finden Sie in diesem Kapitel in Aufgabe B2.

Tipps zu Aufgabe 3

Sie sollen eine **Zeitungsreportage**, der sechs Textabschnitte fehlen, rekonstruieren. Dazu werden Ihnen sieben **Textabschnitte** vorgelegt, die Sie in die jeweils richtige Lücke **einfügen** müssen. Ein Textabschnitt passt nicht. (25 Minuten Zeit)

◇ Lesen Sie zur Vorbereitung längere Reportagen in Zeitungen und Zeitschriften und achten Sie dabei besonders auf sprachliche Verbindungselemente und Verweisstrukturen.

◇ Trainieren oder wiederholen Sie rück- bzw. vorverweisende Strukturen, wie etwa Pronomen oder Konnektoren.

◇ Achten Sie in der Prüfung sowohl im Text als auch in den einzelnen Fragmenten auf inhaltliche Rück- oder Vorverweise, z. B. zentrale Aussagen, Thematik etc.

◇ Achten Sie besonders darauf, ob das eingefügte Textfragment sowohl zur vorangegangenen als auch zur nachfolgenden Passage passt.

Beispiel: Kap. 3, B2

Beispiel: Kap. 3, B1

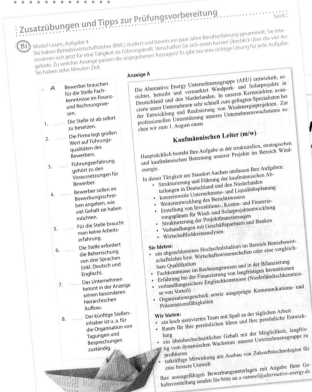

Tipps zu Aufgabe 4

Sie lesen **vier kurze Anzeigen- oder Informationstexte**. Dazu gibt es acht **Aussagen**, die Sie den Texten **zuordnen** müssen. (10 Minuten Zeit)

◇ Achten Sie zur Vorbereitung verstärkt auf Anzeigentexte und überlegen Sie, zu welchen Punkten diese Texte Informationen enthalten. Lesen Sie die Anzeigen anschließend gezielt nach diesen Informationen durch.

◇ In dieser Aufgabe wird schnelles und zielgerichtetes Lesen verlangt. Lesen Sie die Anzeigen daher nicht ausführlich, sondern überfliegen Sie sie nur auf der Suche nach den gefragten Informationen.

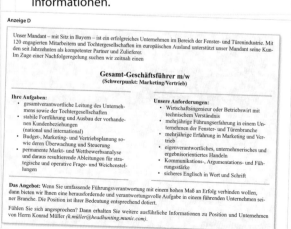

Sieben der folgenden Aussagen entsprechen dem Inhalt des Artikels *Die Entstehung der Sprache*.
Ordnen Sie die Aussagen den jeweiligen Textabschnitten zu.
Eine Aussage ist bereits als Beispiel markiert und zugeordnet. Zwei Aussagen passen nicht.

◇ *Spracherwerb erfolgt beim Menschen nicht zwangsläufig automatisch.*

A Bei der Erforschung bestimmt eine ganzheitliche Betrachtungsweise die moderne Wissenschaft.

B Alle modernen Sprachen liegen in der Menschheitsgeschichte begründet.

C Die Vermutungen in Bezug auf die Herkunft der Sprache konnten nicht nachgewiesen werden.

D Bereits aus der frühen Sprachform der Neandertaler haben sich unterschiedliche Sprachen weiterentwickelt.

E Verständigung ist von existenzieller Bedeutung.

F Einigen Anschauungen zufolge ist Sprache durch Imitation entstanden.

G Das Entstehen der Sprache erfolgte unter anderem durch anatomische Veränderungen beim Menschen.

H Einige Forscher sehen Sprache als Zufallsprodukt der menschlichen Evolution an.

■ Die Entstehung der Sprache

Sprache bestimmt unser Wahrnehmen, unser Handeln, und sie begleitet uns das ganze Leben. Mit ihr können wir uns anderen Menschen mitteilen, uns mit ihnen austauschen und unserem grundlegenden menschlichen Bedürfnis nach Gemeinsamkeit und Zugehörigkeit Ausdruck verleihen. Sprache beflügelt außerdem unseren Geist, unser Denken und unsere Fantasie. Sie gibt uns Begriffe, um unsere Eindrücke und Wahrnehmungen in Worte zu fassen, sie in gedankliche Bahnen zu lenken, um Ideen zu entwerfen, Wunschträume zu leben, Meinungen zu formulieren und Wissen zu erweitern. Kurz und gut: Sprache ist Teil unserer Identität und sie ist ein Schlüssel zu unserer inneren und äußeren Welt.

Spracherwerb erfolgt beim Menschen nicht zwangsläufig automatisch.

Wie aber kam der Mensch zur Sprache? Was waren seine ersten Worte? Der Wunsch, Sprache auf ihre Wurzeln zurückzuführen, hat die Menschheit stets bewogen, Nachforschungen anzustellen. Kaiser Friedrich II. (1194–1250) etwa ordnete an, Neugeborene nicht anzureden und nur mit dem Lebensnotwendigsten zu versorgen. Herausfinden wollte er, in welcher Sprache sie denn sprechen würden, das sei dann wohl die Ursprungssprache. Ohne sprachliche, vor allem aber emotionale Zuwendung fehlten den Babys allerdings sprichwörtlich die Worte, sie starben früh. Der Regent des Heiligen Römischen Reiches war nicht der Einzige, der solch grausame Experimente, teils aus anderen Gründen, mit Kindern durchführte. Seit Hunderten von Jahren wird immer wieder von Mädchen oder Jungen berichtet, die isoliert von jeglichem sozialen Kontakt oder in der Wildnis aufwuchsen. Eine wie auch immer geartete Ursprungssprache konnte man an ihnen freilich nicht ausfindig machen.

1

Die frühe Sprachwissenschaft konzentrierte sich stattdessen auf Theorien, für die der wissenschaftliche Beleg jedoch ausblieb. Zumal von ihren Kritikern mit Spitznamen versehen, muten die Überlegungen einstiger Gelehrter durchaus drollig an. Die „Wauwau"-Theorie vertritt die Auffassung, die Menschen hätten die Geräusche ihrer Umgebung, vor allem Tierlaute, als Lautmalereien nachgeahmt, um die mit ihnen verbundenen Sachverhalte und Objekte zu bezeichnen. Sprache ginge doch eher aus instinktiven Lauten des Schmerzes, der Freude, der Wut hervor, das behauptet die „Puh-Puh"- (oder „Aua"-)Theorie, während die „Hauruck"-Theorie der festen Überzeugung ist, Sprache sei aus rhythmischen Lautierungen entstanden, die sich zunächst als Gesänge und später dann als Sprache äußerten. Der Beweis: die prosodischen Merkmale aller heutigen Sprachen, also Sprachmelodie und -rhythmus.

2

Keine dieser Annahmen kann die Wissenschaftsgemeinde wirklich überzeugen. Zwar gehören Lautmalereien wie „Wauwau" oder „Kikeriki" zu unserem Sprachrepertoire, doch besitzt jede Sprache davon nur sehr wenige, sodass sich daraus nicht die Entwicklung eines komplexen Wortschatzes und Regelsystems erklären lässt. Ähnliche Kritik gilt den anderen Theorien, zumal auch sie sich darüber ausschweigen, wie es zu der Entwicklung von etwa 6 000 Sprachen und Zigtausend Dialekten kam, die derzeit die Menschheit spricht, und das, obwohl der Hund in China sicher nicht anders bellt als in Brasilien. Die christliche Legende vom Turmbau zu Babel, der zufolge der erzürnte Schöpfer die Sprache der Menschen verwirrte und die Völker in alle Welt versprengte, mag da dem Forschergeist ebenfalls keine befriedigende Antwort sein.

3

Ob sich die Sprache des Menschen von Naturtönen inspirieren ließ, sie ihm aus Freuden- oder Schmerzensschreien oder gar aus der Kombination von Lauten und Gesten erwuchs, das wird keine Wissenschaft je herausbringen, es fehlt ihr dazu, das wurde schon gesagt, schlicht die Methode. Ohnehin möchte man von einer Ursprungssprache heute nichts mehr wissen. Den Voraussetzungen, Gründen und Folgen von Sprechfähigkeit und Sprachentwicklung für die biologische und kulturelle Entwicklung des Menschen nachzuspüren, das treibt nun die Forschung an. Natur- und Geisteswissenschaften arbeiten dazu Hand in Hand: Paläoanthropologie, Anthropologie, Archäologie, Neurologie, Genetik und Anatomie, auch die Linguistik sitzt, heute klüger, mit im Forscherboot.

4

Sprache, davon gehen neuere Ansätze aus, entwickelte sich nicht zufällig, sondern in einem komplexen Zusammenspiel gegenseitiger Abhängigkeiten. Äußere Einflüsse wie Klimawandel, veränderte Ökosysteme und die für den Menschen daraufhin notwendigen Anpassungsleistungen spielten ebenso eine Rolle wie seine Entwicklung vom „aufrecht gehenden" Lebewesen bis hin zum modernen Menschentypen, der Feuer machen konnte, Werkzeug und Waffen herstellte, auf die Jagd ging, ein geselliges Leben in der Gruppe führte und vom afrikanischen Kontinent aus bis in den hintersten Winkel der Welt zog, um sie zu erobern. Geistig und sozial war der Mensch in seinem Werden stets aufs Neue gefordert. Seine biologische Evolution legte die Grundlagen zur Sprechfähigkeit, dazu gehörten die Entwicklung des Rachenraums infolge der Absenkung von Kehlkopf und Gaumensegel, der Ausbau eines fein abgestimmten Stimmtrakts, die neuronale Kontrolle der Sprechmotorik und ein Gehirn, das all das zu regulieren und zu steuern vermochte. Die kulturelle Evolution des Menschen dagegen trieb seine Sprache in ihrer Bedeutungsentwicklung voran, erweiterte und wandelte sie und ließ sie wiederum Spuren im Gehirn oder besser im Bewusstsein des werdenden Menschen hinterlassen.

5

Sprache im heutigen Sinn spricht der Mensch seit höchstens 125 000 Jahren, mindestens aber seit 40 000 Jahren. Eine Art Vorsprache dürfte es aber schon früher gegeben haben, davon zeugen fossile Funde und Rekonstruktionen steinzeitlichen Alltags. Nötige Absprachen zur Feindesabwehr oder Nahrungssuche und die Positionierung innerhalb der Gruppe, all das mag die frühen Vertreter unserer Ahnengalerie dazu bewogen haben, sich lautlich zu äußern und ihre Lautäußerungen als ein Instrument sozialer und geistiger Organisation zu kultivieren, bis hin zu einer differenzierten Sprache, die sich im Kampf ums Überleben bewährte.

6

Als vor etwa 50 000 Jahren eine nur kleine Gruppe aus der Spezies „Homo sapiens" sich aufmachte, Afrika zu verlassen, hatte sie eine komplette Sprache mit Wortschatz und Grammatik im Gepäck. Und vermutlich trug ihr Mitbringsel dazu bei, dass sich der moderne Menschentyp in seiner neuen Lebensumgebung gegenüber den in Asien und Europa schon eingesessenen, sprachlich aber weniger gewandten Artgenossen, den Neandertalern, behaupten und damit seine Sprache zu einer Vielzahl an reich gegliederten Sprachen ausbauen konnte. So tritt das heute spracherwerbende Kind überall auf der Welt ein kulturelles Erbe an, das im Lauf der Menschheitsgeschichte erarbeitet worden ist und das jede Generation mit ihrem Angebot zur Interaktion an die nächste weitergibt. Es ist faszinierend zu beobachten und eine beachtliche Leistung der Kleinen, wie sie sich (jede) Sprache zu eigen machen. Im Gegensatz zu unseren Vorfahren treffen sie aber auf ein bereits bestehendes Sprachsystem, und schon im Mutterleib sind sie für seine Laute empfänglich. Sprache muss sich nicht erst erfinden, sie ist schon da, doch auch in Zukunft wird sie sich mit uns Menschen verändern.

Der Turmbau zu Babel wurde mehrfach von berühmten Malern dargestellt. Das hier abgebildete Gemälde *Turmbau zu Babel* stammt von Lucas van Valckenborch und ist um das Jahr 1600 entstanden.

Strukturen zum Üben und Festigen

Zeitformen der Verben

Präsens:	Otto *sitzt* in der Bibliothek und *lernt*.
Präteritum:	Otto *saß* in der Bibliothek und *lernte*.
Perfekt:	Otto *hat* in der Bibliothek *gesessen* und *gelernt*.
Plusquamperfekt:	Otto *hatte* in der Bibliothek *gesessen* und *gelernt*.
Futur I:	Otto *wird* in der Bibliothek *sitzen* und *lernen*.
Futur II:	Otto *wird* in der Bibliothek *gesessen* und *gelernt haben*.

▶ **Hinweise**

→ Die Tempusformen dienen nicht nur zur Beschreibung von Vorgängen und Zuständen in der Gegenwart, Vergangenheit und Zukunft oder zur Schilderung zeitlicher Abläufe. Sie können auch modale oder stilistische Funktionen übernehmen. Die grammatischen Tempusformen entsprechen im Deutschen nicht immer der Aktionszeit!

▸ Das **Präsens** dient nicht nur zum Berichten gegenwärtiger Ereignisse und Zustände, sondern auch zum Beschreiben zukünftigen Geschehens, zur Dramatisierung vergangener Ereignisse und zur Wiedergabe von literarischen Texten, z. B. in Aufsätzen.
Otto **sitzt** in der Bibliothek und **lernt**.
Morgen Nachmittag **sitzt** Otto wieder in der Bibliothek und **lernt**.
Stell dir mal vor: Ich **überhole** gestern mit 200 km/h einen LKW und plötzlich **platzt** mein Reifen!

▸ **Präteritum** und **Perfekt** werden als Erzähltempora für vergangenes Geschehen verwendet, wobei das **Präteritum** eher in der geschriebenen Sprache (z. B. Dokumentationen, Berichten und Meldungen in den Medien) und das **Perfekt** eher in der mündlichen Kommunikation und in der geschriebenen Alltagssprache zu finden ist.
Es **wurde** Nacht. Otto **saß** noch immer in der Bibliothek und **lernte**. Plötzlich **hörte** er einen lauten Knall.
Was **hat** Otto gestern Abend **gemacht**? Er **hat** in der Bibliothek **gesessen** und **gelernt**.

▸ Das **Plusquamperfekt** wird meistens schriftlich verwendet und beschreibt ein vor-vergangenes Geschehen.
Nachdem Otto lange in der Bibliothek **gesessen** und **gelernt hatte**, ging er mit seinen Freunden in die Kneipe.

▸ Das **Futur I** dient zum Beschreiben eines erwarteten, zukünftigen Geschehens oder von Visionen und Prophezeiungen. Es kann auch in modaler Funktion auftreten und eine Absicht oder eine Vermutung ausdrücken.
Otto hat in zwei Wochen Prüfung. Da **wird** er vermutlich in nächster Zeit oft in der Bibliothek **sitzen** und **lernen**.

▸ Das **Futur II** verwenden wir zum Ausdruck einer Absicht, einer Vermutung, einer Prophezeiung, die zu einem zukünftigen Zeitpunkt abgeschlossen ist.
Wenn Otto in drei Jahren sein Studium erfolgreich abschließt, **wird** er viele Stunden in der Bibliothek **gesessen** und **gelernt haben**.

C1 Nonverbale Kommunikation
Ergänzen Sie die passenden Verben im Präsens.

> verschaffen ◇ erschweren ◇ einsetzen ◇ zurücknehmen ◇ treiben ◇ wirken ◇ kommunizieren ◇ ausstrahlen ◇ achten ◇ auftreten

Manche Menschen .... (1) mithilfe ihres Körpers sehr erfolgreich, ... (2) ohne Worte Stärke und Selbstbewusstsein .... (2), ... (3) allein mit ihrem Gang, Blick oder Händedruck machtvoll .... (3) und .... (4) sich durch ihre Körpersprache in Verhandlungen Vorteile.

Aber Vorsicht: Zu viel Machtdemonstration .... (5) schüchterne Menschen in die Enge, ... (6) zu aggressiv und .... (7) in Konfliktsituationen Lösungen.

Es ist nur derjenige im Vorteil, der Gesten situationsgerecht .... (8), sich in bestimmten Situationen einfach mal .... (9) und auf kulturelle Unterschiede .... (10).

C2   Ergänzen Sie die Verben im Präsens.

> auskommen ◇ ahnden ◇ gehen ◇ vorgehen ◇ leisten ◇ ansehen ◇ vorsehen ◇ schlagen ◇ schärfen ◇ sticheln ◇
> gebrauchen ◇ gehören ◇ verwenden ◇ werten ◇ betragen ◇ klingen ◇ aufblasen ◇ verbannen ◇ sich gehören ◇
> bestehen ◇ reizen ◇ feststehen ◇ meinen ◇ entfachen ◇ schinden ◇ betonen ◇ werfen

■ **Die Anti-Anglizismen-WG**

„Kompaktschallplattenspieler", „Lichtabtaster" oder „Herrenunterhose mit kurzem Beinteil": Diese deutschen Übersetzungen der englischen Begriffe „CD-Player", „Scanner" oder „Boxer-Shorts" .... (1)

5 eigentlich niemand. Und doch .... (2) sie zum täglichen Vokabular dreier Freunde. Die Studenten leben zusammen in einer Wohngemeinschaft in Berlin und haben sich der Pflege der deutschen Sprache verschrieben. Konsequent .... (3) die

10 jungen Leute gegen Anglizismen .... (3) und .... (4) sie aus ihrem Sprachgebrauch. Wer sich dennoch verbale Ausrutscher .... (5), muss bezahlen. So .... (6) es der selbst auferlegte Strafenkatalog .... (6).

15 Dabei .... (7) das studentische Trio die Benutzung englischer Vokabeln unterschiedlich, je nach Schwere des sprachlichen Vergehens. Für einen sprachlichen Lapsus wie „Ketchup", „Toast" oder „Laptop" .... (8) die Strafe 20 Cent, ein schwer-

20 wiegenderer Verstoß wie zum Beispiel „gedownloadet" oder „absaven" .... (9) mit 50 Cent zu Buche. Begründung: Denglisch, den kruden Mischmasch aus beiden Sprachen, ... (10) die WG als besonders übel .... (10) und .... (11)

25 entsprechend. Die einzige Funktion vieler Anglizismen .... (12) häufig darin, eine simple Sa-

che künstlich .... (13), zum Beispiel eine Berufsbezeichnung, ... (14) Tim, einer der Studenten. „Natürlich .... (15) abends

30 an der Bar ein Human Resource Manager einen Zacken schärfer als Personalchef", ... (16) er. „Es ist einfach ein Trend, Englisch in die Sprache einfließen zu lassen", sagt Mitbewohner Fabian und .... (17) damit eine Diskussion über das

35 Wörtchen „Trend". Nach kurzer Zeit .... (18): „Trend" ist Englisch und Fabian um 20 Cent ärmer.

Die intensive Beschäftigung mit der eigenen Sprache .... (19) auch den Blick der drei WG-Be-

40 wohner auf ihre Mitmenschen. Wer nur noch mit Anglizismen um sich .... (20) und deutsche Begriffe nur noch als Füllwörter .... (21), ... (22) keinen Eindruck mehr – im Gegenteil. Mit Deutschtümelei hat das Sprachprojekt

45 nichts zu tun, ... (23) die Studenten. Sie .... (24) die Neugierde darauf, ob sie es schaffen, ganz ohne Anglizismen .... (25). Auch wenn der „Beitrag im Kleinen" für die Muttersprache bisweilen ziemlich ins Geld .... (26).

50 Das gesammelte Strafgeld wird dann übrigens nicht in der Disko wieder ausgegeben, sondern – wie es .... (27) – in einer „Tanzwirtschaft".

C3   Der Anfang der Fernsehnachrichten in Deutschland
Bilden Sie Sätze im Präteritum. Achten Sie auch auf fehlende Präpositionen, den richtigen Kasus und die Position der Satzglieder.

◇   schon – Geburtsjahr, Fernsehen – 1952 – die Nachrichten – dabei sein
Schon im Geburtsjahr des Fernsehens 1952 waren die Nachrichten dabei.

1.   Anfänge – Sendung – Hamburg – liegen, – wo – Nordwestdeutscher Rundfunk – eine „Fernsehversuchsanstalt" – betreiben

    ....

2.   aber – nur einige Tausend Menschen, – die – ein Gerät – und – Einzugsbereich – Sendestation – besitzen – wohnen, – Sendungen – empfangen können

    ....

3.   Fernsehanstalt – *Tagesschau* – zunächst dreimal pro Woche – und – sie – Zwischentagen – senden – wiederholen

    ....

4.   1. Oktober 1956 – sie – täglich – Bildschirm – flimmern

    ....

5. Beginn – *Tagesschau*-Redaktion – nur – ein Kameramann – arbeiten, – der – deutsche Staatsmänner – die Welt – bereisen

    ....

6. bis – Einführung der Magnetischen Bildaufzeichnung (MAZ) – Sommer 1959 – Kuriere – belichtetes Filmmaterial – Aufzeichnungsort – Sendestudio – bringen, – dabei – selbst – innerhalb – Deutschland – rund 24 Stunden – vergehen

    ....

    ....

7. Gründung – Zweites Deutsches Fernsehen (ZDF) – Jahr 1963 – und – Start – Nachrichtensendung *heute* – erster Konkurrenzkampf – Tagesnachrichten – entstehen

    ....

8. flottere, weniger steife Moderatoren – und – magazinähnliche Filmbeiträge – Profil – *heute*-Sendung – und – *Tagesschau* – 1970er-Jahre – Quotendruck – ausmachen – bringen

    ....

9. Januar 1984 – private Sender Sat1 und RTL – erstmals – ihr Programm – und – eine Nachrichtensendung – tägliches Programm – ausstrahlen – gehören

    ....

    ....

C4 Aus den Nachrichten
Ersetzen Sie die unterstrichenen Ausdrücke durch Verben mit synonymer Bedeutung im Präteritum und nehmen Sie eventuell notwendige Umformungen vor.

> niederlegen ◇ streiten ◇ aufwerfen ◇ bewegen ◇ schaffen ◇ verwenden ◇ eingestehen ◇ senden ◇ erwerben ◇ verschieben

◇ Der Kunsthändler kaufte die berühmte Skulptur für zwei Millionen Euro.

   Der Kunsthändler erwarb die berühmte Skulptur für zwei Millionen Euro.

1. Der Künstler stellte die *Sitzende Frau* um 1900 her.

    ....

2. Er benutzte für die Skulptur ausschließlich Carrara-Marmor.

    ....

3. Der Minister trat gestern von seinem Amt zurück.

    ....

4. Was ihn zu diesem Schritt veranlasste, ist nicht bekannt.

    ....

5. Die ARD brachte zum Rücktritt um 19.30 Uhr ein Interview mit dem Parteivorsitzenden.

    ....

6. Das Gericht änderte den Termin der Urteilsverkündung im Fall Uwe K. schon zum zweiten Mal.

    ....

7. Der Angeklagte gab gestern die Steuerhinterziehung in Höhe von 5 Millionen Euro zu.

    ....

8. Aber die Geldgeschäfte des Angeklagten ergaben neue Fragen.

    ....

9. Die drei Star-Verteidiger waren sich offensichtlich über die beste Verhandlungsstrategie nicht einig.

    ....

C5 Printmedien: Krisensitzung bei einer Tageszeitung
Bilden Sie Sätze in der angegebenen Zeitform. Achten Sie auf fehlende Präpositionen und den richtigen Kasus.

◊ negative Nachrichten – sich häufen *(Präsens)*
Die negativen Nachrichten häufen sich.

1. Auflage – letztes halbes Jahr – weiter – sinken *(Perfekt)*

   ....

2. Zeitung – schon – drittes Jahr hintereinander – rote Zahlen – schreiben *(Präsens)*

   ....

3. es – nicht – gelingen *(Perfekt)*, – Verlust – minimieren

   ....

4. Ziele, – die – wir – sich setzen *(Plusquamperfekt)*, – wir – nicht – erreichen können *(Präteritum)*

   ....

5. wir – Leser – verlieren *(Perfekt)*, – vor allem – Einzelverkäufe und Abonnements

   ....

6. auch – Werbekunden – abspringen *(Perfekt)*

   ....

7. Internet – Zeitungen – große Marktanteile – Werbebereich – abnehmen *(Perfekt)*

   ....

8. viele junge Leser – ihre Entscheidung – ein bestimmtes Medium – schon – treffen *(Perfekt)*

   ....

9. neueste Umfragen – nur noch jeder Dritte Jugendliche – eine gedruckte Tageszeitung – lesen *(Präsens)*

   ....

10. wir – jetzt – Überleben – kämpfen müssen *(Präsens)*

    ....

11. wie – die Krise – Printmedien – weiterentwickeln *(Futur I)*?

    ....

12. höchstwahrscheinlich – das Zeitungssterben – Deutschland – kleinere Städte – beginnen (Futur I), – denn – Regional- und Lokalblätter – normalerweise – weniger Kapital – verfügen *(Präsens)*

    ....

    ....

13. das Management – Einsparpotenziale – unsere Zeitung – ausschöpfen *(Perfekt)*

    ....

14. wir – neue Wege – suchen müssen *(Futur I)*

    ....

15. es – sicher sinnvoll sein, – wenn – wir – besondere Inhalte – genau definierte Zielgruppen – sich besinnen *(Präsens)*

    ....

16. Geschäft – aktuelle Meldungen – wir – Internet – überlassen – und – Analysen und Hintergrundberichte – sich konzentrieren *(Futur I)*

    ....

17. ca. 20 Jahre – der Markt – sich selbst bereinigen *(Futur II)*

    ....

18. nur diejenigen, – die – jetzt – richtige Entscheidungen – treffen *(Präsens)*, – später – ihre Existenz – sichern *(Futur II)*

    ....

19. und ob – Qualitätsjournalismus – dann – überleben *(Futur II)*, – sich zeigen *(Futur I)*

    ....

    ....

Verben mit Präfixen, die trennbar oder nicht trennbar sein können

Der Text ist nicht gut. Martin schreibt ihn um.
Manchmal fallen Martin bestimmte Wörter nicht ein.
Dann umschreibt er sie.

▶ **Hinweise**

→ Verben, die als Präfix ein Wort haben, das auch allein stehen kann, sind meist **trennbar**.

Das Präfix ist in der Regel eine **Präposition** oder ein **Adverb** und wird betont.

abholen, **ein**kaufen, **fern**sehen, **nach**denken, **vor**schlagen, **zurück**kommen

→ Verben mit den Präfixen *durch-, hinter-, über-, um-, unter-, voll-, wider-* und *wieder-* können **trennbar** oder **nicht trennbar** sein.

▸ Trennbare Präfixe haben oft wörtliche, nicht trennbare Präfixe übertragene Bedeutung.

▸ Die meisten Verben mit den Präfixen *durch-, um-* und *wieder-* sind **trennbar**.

▸ Die meisten Verben mit den Präfixen *hinter-, über-, unter-, voll-* und *wider-* sind **nicht trennbar**.

→ Einige Verben können je nach Bedeutung **trennbar** oder **nicht trennbar** sein:

Martin **schreibt** den Text **um**. Er **umschreibt** Wörter, die ihm nicht einfallen.

C6 Trennbar oder nicht? Bilden Sie Sätze im Perfekt. Achten Sie auf fehlende Präpositionen und den richtigen Kasus.

a) über-
◇ überweisen – ich – Betrag – schon   *Ich habe den Betrag schon überwiesen.*
1. Projektleiter – überprüfen – Ergebnisse – genau   ....
2. Paul – sein Konto – schon wieder – überziehen   ....
3. Otto – wegen der Kälte – eine Jacke – sich überziehen   ....

b) unter-
1. Verhandlungspartner – Vertrag – unterschreiben   ....
2. wir – der Ehrengast – unterbringen – Präsidentensuite   ....
3. fünfmal – unterbrechen – Werbeblocks – Film   ....

c) durch-
1. im Urlaub – Peter – Deutschland – durchqueren   ....
2. Redakteur – Manuskript – noch nicht – durchlesen   ....
3. sie – Formular – alle falschen Angaben – durchstreichen   ....

d) um-
1. Staatssekretär – seine Mitarbeiter – immer höflich – umgehen   ....
2. Frau Koch – geschickt – Auseinandersetzung – Chef – umgehen   ....
3. neuer Besitzer – Haus – 200 000 Euro – umbauen   ....

e) wieder-
1. Pia – nicht – wiederfinden – Autoschlüssel   ....
2. Klaus – wiederholen – Prüfung   ....
3. Martina – Textinhalt – exakt – wiedergeben   ....

f) wider-
1. Angeklagter – widerrufen – Geständnis   ....
2. Politiker – Pressedarstellungen – widersprechen   ....
3. Bürger – Beschluss des Gemeinderates – sich widersetzen   ....

g) hinter-
1. Fußballmanager – hinterziehen – Steuern   ....
2. Verstorbene – hinterlassen – ihr ganzes Vermögen – ihr Hund   ....
3. Wissenschaftler – Forschungsresultate – hinterfragen   ....

Konjunktiv II

Der Abgeordnete wäre *so gern Minister.*

Wenn seine Partei die Wahlen gewonnen hätte,
wäre *er vielleicht Minister* geworden.

▶ **Gebrauch des Konjunktivs II**

→ Der **Konjunktiv II** wird hauptsächlich zum Ausdruck von irrealen Sachverhalten (z. B. irrealen Wünschen), besonderer Höflichkeit, Ratschlägen oder zur Meinungsäußerung verwendet.

  ▸ Der Abgeordnete **wäre** so gern Minister. *(Gegenwart)*
    Wenn seine Partei die Wahlen gewonnen **hätte**, **wäre** er vielleicht Minister geworden. *(Vergangenheit)*

  ▸ Im Wahlkampf **sollte** man über Themen sprechen, die die Menschen interessieren. *(Gegenwart)*
    Die Partei **hätte** im Wahlkampf über Themen sprechen sollen, die die Menschen interessieren. *(Vergangenheit)*

C7 Was wäre, wenn …
Bilden Sie irreale Bedingungssätze. Achten Sie auf die Zeitform (V = Vergangenheit, G = Gegenwart).

◇ Elektrizität – nicht – geben *(G)* · Internet – nicht – erfunden werden *(V)*
   Wenn es Elektrizität nicht geben würde, wäre das Internet niemals erfunden worden.

1. Internet – nicht – entwickelt werden *(V)* · wir – heute – ärmer – um viele Kommunikationsformen *(G)*

....

2. soziale Medien – so oft – nicht – wir – nutzen *(G)* · Kontakt haben – weniger – zu anderen Menschen *(G)*

....

3. die E-Mail – nicht – eingeführt werden *(V)* · der herkömmliche Brief – bedroht – nicht – vom Aussterben – heute *(G)*

....

4. die E-Mail – erfolgreich – werden – nicht so – in den letzten Jahren *(V)* · wir – mehr telefonieren – wahrscheinlich – miteinander *(V)*

....

5. das Telefon – nicht – vor über 100 Jahren – sein Siegeszug um die Welt – antreten *(V)* · Smartphones – niemals – wahrscheinlich – geben *(V)*

....

6. Gutenberg – Buchdruck – erfunden werden – nicht *(V)* · die komplette Medienentwicklung – verlaufen – anders *(V)*

....

7. heute – überhaupt keine – technische Kommunikationsmöglichkeiten *(G)* – geben · wie – aussehen – unser Leben? *(G)*

....

C8 Das hätte man anders machen müssen! Fehler und Pannen in der Zeitungsredaktion

a) Formulieren Sie nachträgliche Kritik im Aktiv und Passiv.

◇ Der Artikel wurde ohne Korrektur abgedruckt.
  Man hätte den Artikel Korrektur lesen/korrigieren müssen.
  Der Artikel hätte nicht ohne Korrektur abgedruckt werden dürfen.

1. Das Interview mit dem Politiker wurde erfunden.

....

....

2. Die Preise für Abonnements wurden erhöht.

....

....

3. Die Sonderzulagen für Redakteure wurden gestrichen.

....

....

4. Der Umfang des Kulturteils wurde reduziert.

....

....

5. Dem Starreporter wurde gekündigt.

....

....

b) Formen Sie die unterstrichenen Präpositionalgruppen in irreale Konditionalsätze um.

◇ Mit einer Korrektur des Artikels wäre es für die Zeitung weniger peinlich geworden.

Wenn der Artikel korrigiert worden wäre, wäre es für die Zeitung weniger peinlich geworden.

1. Mit einem echten Interview hätte die Glaubwürdigkeit der Zeitung nicht gelitten.

....

2. Ohne die Erhöhung der Abonnementspreise hätte die Zeitung nicht so viele Leser verloren.

....

3. Bei Beibehaltung der Sonderzulagen für die Redakteure wäre die Motivation höher.

....

4. Ohne die Reduzierung des Kulturteils wären die Leser zufriedener.

....

5. Bei Weiterbeschäftigung des Starreporters hätte sich die Auflage bestimmt erhöht.

....

Konjunktiv I

Der Minister gab heute Vormittag eine Pressekonferenz.

Er sagte, er sei erschüttert über die tragischen Ereignisse.
Die Verantwortlichen müssten Konsequenzen ziehen.

▶ **Gebrauch des Konjunktivs I**

→ Der Konjunktiv I wird hauptsächlich in der **indirekten Rede** verwendet. Dabei werden Aussagen von anderen Personen oder allgemeine Aussagen in wissenschaftlichen Untersuchungen im **offiziellen Sprachgebrauch**, z. B. in den Nachrichten oder anderen offiziellen Berichten, im Konjunktiv I wiedergegeben.

→ Die Wiedergabe von Meinungen und Äußerungen wird in der Regel ergänzt von
  ▸ Verben wie: Frau X meinte/sagte/antwortete/fragte/erwiderte/betonte/teilte mit …
  ▸ Wendungen wie: Frau X war der Meinung/Ansicht/Auffassung, dass …
      Wissenschaftlichen Untersuchungen zufolge … /Nach neuesten Erkenntnissen …

→ Die am häufigsten verwendeten Formen sind die 3. Person Singular und die 3. Person Plural.
  Der Abgeordnete sagte, der Verantwortliche **müsse** zurücktreten.

→ Wenn der Konjunktiv I mit dem Indikativ identisch ist, ersetzt man ihn durch den Konjunktiv II.
  Der Abgeordnete sagte, die Verantwortlichen **müssten** zurücktreten.

C9 Was Menschen so alles sagen
Geben Sie die Aussagen der Personen in der indirekten Rede wieder. Benutzen Sie dafür den Konjunktiv I.
Gebrauchen Sie möglichst viele unterschiedliche Synonyme für das Verb *sagen*.

Die Politikerin:

◇ „Über die Ergebnisse der Beratungen kann ich noch keine Auskunft geben."

Die Politikerin betonte, über die Ergebnisse der Beratungen könne sie noch keine Auskunft geben.

1. „Meine Partei betreibt die beste Politik für Deutschland."
2. „Ich gebe der Bevölkerung mein Ehrenwort, dass ich von diesen Vorgängen nichts gewusst habe."
3. „Ein Rücktritt steht außer Frage."
4. „Wir setzen uns intensiv mit den Herausforderungen dieser Zeit auseinander."
5. „Die guten Umfragewerte geben mir und meiner Politik recht."

Der Filmstar:

1. „Ich danke allen meinen Fans und ganz besonders meinen Eltern."
2. „Für diese Rolle musste ich 30 Kilo zunehmen und reiten lernen."
3. „Das war der bisher wichtigste Film meines Lebens."
4. „Mein Talent wurde mir nicht in die Wiege gelegt."
5. „Für das gute Aussehen gibt es Gott sei Dank den Chirurgen."

Der Nobelpreisträger:

1. „Dieser Preis ist die Anerkennung für 25 Jahre Forschung."
2. „Ich begreife diese Auszeichnung auch als Auftrag und Verpflichtung."
3. „Ich widme den Preis allen Menschen, die mich bei meiner Arbeit unterstützt haben."
4. „Ich nehme diese Auszeichnung zum Anlass, um für mehr finanzielle Unterstützung für die Wissenschaft zu werben."
5. „Wissen ist die wichtigste Ressource der Menschheit."

Der Sportler:

1. „Ich konzentriere mich jetzt ausschließlich auf die nächste Weltmeisterschaft."
2. „Vieles ist nicht so gelaufen, wie ich mir das vorgestellt habe."
3. „Politiker und Journalisten setzen die Sportler zu sehr unter Druck."
4. „Manche Sportler greifen deshalb zu leistungssteigernden Mitteln."
5. „Wir brauchen bessere Trainingsbedingungen und finanzielle Unterstützung."

Das Management:

1. „Die Nachfrage nach unseren Produkten ist gesunken, die Firma hat hohe Verluste zu verzeichnen."
2. „Das konnte keiner vorhersehen."
3. „Ein Expertenteam forscht jetzt nach den Ursachen."
4. „Es steht schon jetzt fest, dass auch personelle Konsequenzen gezogen werden müssen."
5. „Die personellen Maßnahmen betreffen alle Produktionsstandorte."

Vergangenheit und Gegenwart

Die Geschichte lehrt dauernd,
aber sie findet keine Schüler.
Ingeborg Bachmann

Burg Querfurt

: Geschichte

 A1 Interview
Stellen Sie zwei Gesprächspartnerinnen/Gesprächspartnern die folgenden Fragen zum Thema *Geschichte*.
Fassen Sie dann die Antworten zusammen.

Name .... **Name** ....

Interessieren Sie sich für
Geschichte?

Lesen Sie Bücher oder sehen Sie
Dokumentationen, in denen es
um geschichtliche Ereignisse
oder Epochen geht?

In welcher geschichtlichen Epo-
che/In welcher Zeit würden Sie
gern leben? Warum?

Bei welchem geschichtlichen
Ereignis wären Sie gern dabei
gewesen?

A2 Berichten Sie über ein geschichtliches Ereignis Ihres Heimatlandes oder stellen Sie eine bedeutende historische
Persönlichkeit vor. Sprechen Sie ungefähr drei Minuten.

A3 Was verbinden Sie mit dem Wort *Mittelalter*? Sammeln Sie Assoziationen.

....

....

....

....

....

....

....

■ Wie riecht das Mittelalter?

Strenge Gerüche strömen durch Häuser und Gassen, über Burghöfe und aus den Kammern. Das Mittelalter stinkt. Begeben wir uns in eine deutsche Stadt um 1400: Wer keine schweren Überschuhe aus Holz trägt, versinkt an manchen Stellen knöcheltief im Dreck. Die wenigsten Wege sind gepflastert. Da es trotz städtischer Vorschriften üblich ist, alles Überflüssige aus dem Fenster zu werfen, stapft man durch eine Brühe aus Essensresten, Unrat, Resten menschlicher Verdauung und Tierkadavern.

Eine öffentliche Reinigung oder Müllabfuhr gibt es kaum. Manche Städte beschäftigen zwar Straßenreiniger, aber es sind viel zu wenige, um des Drecks einigermaßen Herr zu werden. Nur in Zeiten von Seuchen, wenn schlechte Luft als ansteckend gefürchtet ist, bemühen sich die lokalen Machthaber ernsthaft um Sauberkeit. Und wenn politisch hoher Besuch ansteht, dann werden hastig die Gassen gereinigt.

Um vier Uhr morgens, im Winter etwa eine Stunde später, erwacht die Stadt. Bis nachmittags gegen drei Uhr verstopfen die Händler mit ihren mobilen Buden die verwinkelten Straßen. Zu den Ausdünstungen des Unrats kommen nun neue Gerüche hinzu: Duftwolken von fettigheißen Kuchen, bratenden Würsten und geräuchertem Fleisch vermengen sich mit dem Rauch, den die offenen Feuer der unterschiedlichen Werkstätten erzeugen. Vor allem der Gestank der Seifensieder und Kürschner belästigt die Umgebung. Auch Färber verätzen die Luft mit dem, was sie zum Beispiel zum Beizen ihrer Stoffe brauchen. Die schlimmsten Werkstätten aber sind die der Gerber. Wer hier vorbeigeht, atmet einen üblen Geruch von Fäulnis und Verwesung ein, den die noch nicht entfetteten und enthaarten Tierhäute verströmen. Die Ratsherren vieler mittelalterlicher Städte beschließen daher, die Gerber an den Stadtrand zu drängen – obwohl deren Gewerbe eigentlich hoch geachtet ist.

Auch in den Häusern ist man schutzlos. Es gibt kein Fensterglas, manche Öffnungen sind mit Lumpen oder ölgetränktem Papier verkleidet, andere gar nicht. Wie es in den Wohnhäusern selbst riecht, ist eine Frage des Standes und der Pflege. In den Randgebieten stinkt es ärger als in der Innenstadt, weil am Rande die ärmsten Leute wohnen. Ihre Häuser sind oft modrig und feucht; Menschen und Tiere leben in denselben Räumen.

Selbst bei einem mittelalterlichen Mittagessen wären heutige Nasen überfordert. Da es keine Kühlschränke gibt, sind verderbliche Lebensmittel häufig an der Grenze der Genießbarkeit. Einen besseren Magen als wir haben die Menschen aber nicht. Deshalb müssen sie sich vor wirklich verdorbenem Fisch oder Fleisch hüten. Die Ärmeren können ihre Gerichte nur mit Kräutern verfeinern. Wer es sich aber leisten kann, schüttet teure Gewürze auf die Teller, ohne Rücksicht auf den Geschmack zu nehmen. Pfeffer, Zimt, Gewürznelken, Muskat, Ingwer, Kalmus, Zucker, Safran – die Mischung der Zutaten scheint beliebig, solange es nur reich-

lich von jedem ist. Selbst als Zwischenmahlzeit gibt es „Gewürzpulver", eine Mischung aus Pfeffer und Zucker, geröstet mit Brot.

Angesichts der vielen intensiven Gerüche spielt der eigene Körpergeruch keine besondere Rolle mehr. Es gibt zwar im Mittelalter Badehäuser, aber nicht jeder besucht sie. Gegen Ende des Mittelalters gerät Wasser sogar in Verdacht, durch die Poren der Haut in den Körper zu dringen und ihm dadurch zu schaden. Jetzt badet praktisch niemand mehr. Ansonsten gilt derjenige als sauber, der saubere Kleidung trägt. Man glaubt, sie überdecke nicht nur den Geruch, sondern befreie auch den Körper von jeglichem Schmutz.

Manche Wohnhäuser riechen zumindest im Sommer erträglich, wenn es frische Blumen gibt und keine rußigen Feuer oder Talgkerzen brennen. Die Wohlhabenden besprenkeln ihre Zimmer mit Rosenwasser, bestreuen die Böden mit Thymian, Basilikum und Kamille oder sie verbrennen Wacholder, Dornstrauch und anderes aromatisches Holz. Sämtliche Vorhänge und Bettbezüge sind sorgfältig parfümiert, Kissen und Polster mit getrockneten Kräutern wie Waldmeister gefüllt. Besonders reiche Hausbesitzer leisten sich sogar professionelle Bedufter.

Die meisten künstlichen Gerüche wabern[1] in jenen Zeiten, in denen es fast allerorten nach Verderben riecht: während der Pestjahre. Dann lassen die Menschen in ihren Häusern Weihrauch, Wacholder, Rosmarin und Lorbeer duften, auch Essig und Schießpulver. Manche verbrennen sogar alte Schuhe, um den todbringenden Odem[2] der Seuche fernzuhalten. Andere halten zum selben Zweck eine stinkende Ziege im Haus. Man glaubt, die Nase führe direkt ins Gehirn. Deswegen gelten bestimmte Geruchsstoffe in der mittelalterlichen Medizin als besonders starke Heilmittel – stärker als alles, was man schlucken muss.

---

[1] wabern: sich hin und her bewegen　　　[2] Odem: Atem

a) Was machten diese Handwerker im Mittelalter? Beschreiben Sie die Tätigkeiten.

1. Seifensieder ....
2. Kürschner ....
3. Färber ....
4. Gerber ....

b) Erklären Sie die unterstrichenen Teile und nehmen Sie eventuell notwendige Umformungen vor.

1. Es sind viel zu wenige Stadtreiniger, um des Drecks einigermaßen <u>Herr zu werden</u>.

   ....

2. Wenn politisch hoher Besuch <u>ansteht</u> …

   ....

3. … obwohl deren Gewerbe eigentlich <u>hoch geachtet ist</u>.

   ....

4. Selbst bei einem mittelalterlichen Mittagessen <u>wären heutige Nasen überfordert</u>.

   ....

5. Deshalb müssen sie <u>sich</u> vor wirklich verdorbenem Fisch oder Fleisch <u>hüten</u>.

   ....

6. Angesichts der Gerüche <u>spielt</u> der eigene Körpergeruch <u>keine besondere Rolle</u> mehr.

   ....

7. Gegen Ende des Mittelalters <u>gerät</u> Wasser sogar <u>in Verdacht</u> …

   ....

c) Beantworten Sie die Fragen zum Text kurz mit eigenen Worten.

1. Was verursacht im Mittelalter den Gestank?
2. Welche Maßnahmen ergreift die Stadt dagegen und was sind die Anlässe dafür?
3. Wie riecht es in den Häusern?
4. Welche Rolle spielen Kräuter und Gewürze?
5. Was verstand man im Mittelalter unter Körperhygiene?

d) Ergänzen Sie die fehlenden Adjektive und Partizipien in der richtigen Form.

> öffentlich ◊ streng ◊ deutsch ◊ reich ◊ menschlich ◊ schmutzig ◊ isolierend ◊ genießbar ◊ tödlich ◊ funktionierend ◊ ölgetränkt ◊ gesellschaftlich ◊ arm ◊ aromatisch ◊ professionell ◊ hoch ◊ lokal ◊ getrocknet

■ Im Mittelalter ziehen *strenge* (0) Gerüche durch Häuser und Gassen. Nehmen wir das Beispiel einer .... (1) Stadt um das Jahr 1400: Es gibt weder eine .... (2) Reinigung noch eine
5 .... (3) Müllabfuhr. Die Menschen kippen ihren Unrat, meist bestehend aus Resten .... (4) Verdauung, Resten von Tieren und nicht mehr .... (5) Essen, einfach so auf die Straße. Nur in Zeiten von .... (6) Seu-
10 chen oder wenn politisch .... (7) Besuch ansteht, bemühen sich die .... (8) Machthaber um Sauberkeit und lassen die .... (9) Gassen reinigen.

Auch in den Häusern stinkt es gewaltig. Die Fenster ha-
15 ben kein .... (10) Glas, sondern sind mit .... (11) Papier oder gar nicht verkleidet. Die Intensität des Gestanks in den Wohnräumen hängt vom .... (12) Stand ab. In den Randgebieten ist der Geruch stärker als in der Innenstadt. Dort
20 wohnen die .... (13) Leute, die mit ihren Tieren im selben Raum hausen. Bei den Wohlhabenden werden die Gerüche durch das Bestreuen der Böden mit allerlei .... (14) Kräutern oder durch das Verbrennen von .... (15) Holz be-
25 kämpft. Besonders .... (16) Hausbesitzer leisten sich sogar einen .... (17) Bedufter.

Zusatzübungen zur Adjektivdeklination ⇨ Kapitel 7, Teil C Seite 193

A5 Sie hören einen Ausschnitt aus einer Radiosendung zum Thema *Faszination Mittelalter.* ③

a) Entscheiden Sie, ob die angegebenen Aussagen mit dem Inhalt der Sendung übereinstimmen oder nicht. Hören Sie das Gespräch zweimal.

		ja	nein
1.	Die Französische Revolution läutete das Ende des Mittelalters ein.	☐	☐
2.	Die Gothic-Bewegung kann als eine Art Kostümfest mit einem romantisch verzerrten Mittelalterblick bezeichnet werden.	☐	☐
3.	Der niederländische Historiker Johan Huizinga beschrieb das Mittelalter als Zeitalter mit intensiven und extremen Erfahrungen und Gefühlen.	☐	☐
4.	Die klare Rollenverteilung, die das Mittelalter prägte, hat sich heute aufgelöst.	☐	☐
5.	Viele Leute wünschen sich, dass sie im Mittelalter gelebt hätten.	☐	☐
6.	Die meisten Menschen, die sich für das Mittelalter interessieren, verfügen über fundierte geschichtliche Kenntnisse.	☐	☐

b) Schreiben Sie eine kurze Zusammenfassung des gehörten Textes.

A6 Formen Sie die Sätze um, indem Sie die in Klammern angegebenen Wörter und Hinweise in der passenden Form einarbeiten.

◇   Menschen <u>ziehen sich Ritter- und Hexenkostüme an</u>. *(verkleiden – Ritter – Hexen)*

Menschen verkleiden sich als Ritter und Hexen.

1. Sie <u>hören gern</u> mittelalterliche Musik. *(begeistern)*

    ....

2. Sie <u>schlüpfen</u> beim Online-Rollenspiel *World of Warcraft* <u>in Rollen</u> wie Hexenmeister oder Todesritter. *(ein Leben führen)*

    ....

3. <u>Warum interessieren sich</u> junge Menschen für eine stinkende Epoche, die wesentlich von Hunger, Pest, Angst und Unfreiheit geprägt wurde? *(was – attraktiv finden)*

    ....

4. <u>Ganz egal</u>, aus welcher Quelle man sein Mittelalterbild bezieht, das Mittelalter <u>war</u> eine Welt mit großen Unterschieden. *(unabhängig – beschreiben, Passiv)*

    ....

5. Bei den heutigen Soldaten und Landwirten <u>ist</u> das Leben nicht so sehr durch den sozialen Stand <u>definiert</u>, wie es für Krieger und Bauern im Mittelalter <u>der Fall war</u>. *(beeinflussen, Passiv – zutreffen)*

    ....

6. Viele junge Leute <u>erkennen</u> den Unterschied zu früher. *(klar sein)*

    ....

7. Sie wollen der Wirklichkeit <u>entfliehen</u>, <u>indem sie</u> virtuelle Möglichkeiten <u>nutzen</u>. *(entziehen – Nutzung)*

    ....

8. Bei den mittelalterlichen Rollenspielen <u>muss man nicht allzu viel Ahnung von Geschichte haben</u>. *(Geschichtswissen – nicht unbedingt – erforderlich sein)*

    ....

9. Die Popularität des Mittelalters <u>ist</u> zu einem guten Teil dadurch <u>begründet</u>, dass es weniger nach Schule schmeckt als beispielsweise die Antike. *(ihre Ursache – haben)*

    ....

10. Gerade die vage Vorstellung, die die meisten Menschen vom Mittelalter haben, <u>macht</u> es <u>so attraktiv</u>. *(Attraktivität – gewinnen)*

    ....

A7 Warum ist das Mittelalter heute bei vielen Menschen so beliebt?
Bilden Sie aus den folgenden Angaben Sätze. Benutzen Sie verschiedene grammatische Ausdrucksmöglichkeiten für die Angabe von Gründen. Arbeiten Sie in Kleingruppen und vergleichen Sie Ihre Ergebnisse im Plenum.

Sie verkleiden sich gern.

Sie hören gern mittelal-
terliche Musik.

Die Rollenverteilung zwi-
schen den Geschlech-
tern war klarer.

Die gesellschaftlichen
Strukturen waren einfacher
zu durchschauen.

 Viele Menschen sind vom
Mittelalter fasziniert.

Sie können in themenbezogenen
Videospielen in fremde Identitä-
ten schlüpfen.

Sie haben eine romantische
Vorstellung vom Leben in
ritterlichen Burgen.

Sie können sich auf mittelalterlichen Märkten oder bei Ritterspielen in alte Zeiten versetzen.

◇ *Viele Menschen sind vom Mittelalter fasziniert,*
weil sie sich gern verkleiden.

1. ....
   ....
2. ....
   ....
3. ....
   ....
4. ....
   ....
5. ....
   ....
6. ....
   ....

Zusatzübungen zu Kausalangaben ⇨ Teil C Seite 58

Buchtipp • Buchtipp • Buchtipp

Tod und Teufel
Von *Frank Schätzing*

Köln im Jahr 1260: Jacop der Fuchs, ein liebenswerter Dieb und Herumtreiber, wird unfreiwillig
Zeuge eines Mordes. Er sieht, wie eine düstere
Gestalt den Kölner Dombaumeister vom Ge-
rüst in den Tod stößt. Aber er selbst muss auch
gesehen worden sein.
Denn jeder, dem Ja-
cop diese Geschichte
erzählt, ist kurze Zeit
später tot. Dem jun-
gen Mann wird schnell
klar, dass er nur eine
Chance hat, seine Haut
zu retten. Er muss den
Täter entlarven, bevor
auch er zu seinem Op-
fer wird …
(Goldmann Verlag)

A8 Geschichtsunterricht
Fragen Sie Ihre Nachbarin/Ihren Nachbarn und berichten Sie.

1. Fanden Sie den Geschichtsunterricht in der Schule interessant?
   Warum? Warum nicht?

2. Können Sie sich noch an Ihre Geschichtslehrerin/Ihren Geschichtslehrer erinnern?
   Beschreiben Sie sie/ihn.

3. Was müsste Ihrer Meinung nach im Geschichtsunterricht mehr/weniger berücksichtigt werden?

■ Die Geschichtskenntnisse deutscher Schüler

Im Auftrag der Bundesregierung und mit Unterstützung einiger Bundesländer haben Historiker rund 7 000 Schüler im Alter von 15 bis 16 Jahren zur jüngeren deutschen Geschichte befragt. Bei der Untersuchung wurden das Systemverständnis und der Wissensstand der jeweiligen Abschlussklassen zum Nationalsozialismus, zur DDR sowie zur Bundesrepublik vor und nach der Wiedervereinigung überprüft.

Bereits im Jahr 2007 hatten die Wissenschaftler der FU Berlin eine Studie zu den Geschichtskenntnissen deutscher Schüler durchgeführt, damals zum Thema DDR. Das Resultat war verheerend: Die meisten Jugendlichen hielten die DDR für eine Art Fabelland, ein Paradies für Umwelt und Kinder.

Auch in der neuesten Studie können deutsche Schüler in der Regel nicht mit historischer Kompetenz glänzen: Nur knapp jeder zweite befragte Schüler hat laut der Studie keinen Zweifel am Diktaturcharakter des Nationalsozialismus. Jeder dritte glaubt, die Regierung der DDR sei durch demokratische Wahlen legitimiert gewesen. Viele Jugendliche sind sich sogar unsicher, wie die beiden Systeme überhaupt einzuordnen sind – oder bewerten sie ausdrücklich nicht als Diktatur. Und nur die Hälfte der Schüler ist davon überzeugt, dass die Bundesregierung demokratisch gewählt wurde.

Interessanterweise wurde bei einer intensiveren Befragung von ausgewählten Klassen für die Forscher deutlich, dass die Schüler eindeutig eine liberale Staatsform bevorzugen: Individuelle Freiheit ist für die Jugendlichen am wichtigsten und wird als beste Form für alle Menschen gesehen. Einziger Haken: Diese Erkenntnis fand sich nicht in der Beurteilung der realen Systeme wieder. Damit zeigt sich laut Studie, „dass die Schüler nicht einmal in der Lage sind, die von ihnen persönlich für wichtig gehaltenen Werte oder deren Gefährdung in der Realität zu erkennen".

Ein weiterer bedenkenswerter Punkt ist der Einfluss von Gedenkstättenbesuchen auf die jungen Menschen. Der Studie zufolge führt ein „Gedenkstättenhopping" auf Klassenfahrten zu einem „Durcheinander im Kopf". Ein großes Problem seien die fehlenden historischen Grundlagen. Oft würden die Themen, die den historischen Kontext der Gedenkstätten erläutern, erst Monate nach einer Besichtigung im Unterricht behandelt. Dies führe dazu, dass Schüler einen Besuch im Stasi-Museum oder an einem Denkmal für die ermordeten Juden Europas eher als Informationsballast statt als Lerneffekt wahrnehmen.

Als Fazit fordern die Forscher eine konsequentere Lehre der freiheitlich-demokratischen Grundordnung an deutschen Schulen. Grundlegende historische Kenntnisse seien unverzichtbar, sonst würden sich lediglich Vorurteile und Klischees verbreiten.

a) Fassen Sie den Inhalt dieses Zeitungsartikels zusammen.
   Sagen Sie kurz, welche Aussagen Sie überrascht haben und welche nicht.

Redemittel

◇ Im Text/Artikel geht es um …

◇ Der Text/Artikel bezieht sich auf …

◇ Eine Umfrage/Untersuchung ergab/zeigte, dass …

◇ Eine Studie führte zu überraschenden/folgenden Ergebnissen: …

◇ Wissenschaftler konnten beweisen, dass …

◇ Nach Ansicht der Forscher ist/sind … besonders bedenkenswert/problematisch.

◇ Mich hat besonders überrascht/verwundert/erschreckt, dass …

b) Welche Ergebnisse würden ähnliche Umfragen Ihrer Meinung nach in Ihrem Heimatland erzielen?

c) Leserbrief an eine Zeitung
Schreiben Sie als Reaktion auf den Artikel einen ausführlichen Leserbrief an die Zeitung.

Äußern Sie sich darin zu den folgenden Aussagen des Textes:

◊ Deutsche Schüler sind nicht in der Lage, die von ihnen persönlich für wichtig gehaltenen Werte oder deren Gefährdung in der Realität zu erkennen.

◊ „Gedenkstättenhopping" führt zu einem „Durcheinander im Kopf".

◊ Grundlegende historische Kenntnisse sind unverzichtbar, sonst verbreiten sich Vorurteile und Klischees.

Schreiben Sie ca. 350 Wörter. Sie haben 60 Minuten Zeit. Achten Sie auf eine klare Gliederung.

A10 Diskussion: Geschichte im Schulunterricht
Sprechen Sie mit Ihrer Gesprächspartnerin/Ihrem Gesprächspartner über das Thema *Geschichtsunterricht*. Entscheiden Sie sich für einen der beiden Standpunkte und beginnen Sie die Diskussion.

(1)

Pro

Geschichtsunterricht ist für die politische und menschliche Entwicklung von Kindern und Jugendlichen sehr wichtig. Er sollte ausgebaut und mit neuen Ideen interessant gestaltet werden.

Zum Ablauf der Diskussion

◊ Diskutieren Sie zu zweit: Eine Person vertritt Aussage 1, die andere Aussage 2.

◊ Verteidigen Sie Ihre Position. Versuchen Sie, Ihre Gesprächspartnerin/Ihren Gesprächspartner von Ihren Argumenten zu überzeugen.

◊ Gehen Sie auf die Argumente Ihrer Gesprächspartnerin/Ihres Gesprächspartners ein.

(2)

Kontra

Geschichtskenntnisse spielen für das spätere Leben überhaupt keine Rolle. Die Schule sollte sich darauf konzentrieren, Kinder und Jugendliche auf die Anforderungen des Berufslebens vorzubereiten, und den Geschichtsunterricht z. B. durch Fächer ersetzen, die Kenntnisse über neue Technologien oder ökonomische Zusammenhänge vermitteln.

Schatzsuche

Teil A

A11 Sammeln Sie Begriffe zum Thema *Schatzsuche* und präsentieren Sie Ihre Ideen anschließend im Plenum.

Schatzsuche

Interview

Fragen Sie mehrere Kursteilnehmerinnen/Kursteilnehmer und berichten Sie anschließend.

Fragen	**Antworten**
Glauben Sie, dass es noch viele verborgene Schätze gibt? Wenn ja, welcher Art sind diese Schätze?	
Welche Geschichten von Schatzsuchern oder gefundenen Schätzen kennen Sie?	
Könnten Sie sich vorstellen, Zeit und Geld in eine Schatzsuche zu investieren? Warum? Warum nicht?	

 Die spektakulärsten Schatzfunde in Deutschland

■ Das Gold des Tutanchamun, der Schatz des Priamos, versunkene
spanische Silberschiffe: Immer wieder haben spektakuläre Schatzfunde
weltweit Aufsehen <u>erregt</u> und die Fantasie der Zeitgenossen beschäftigt.   gesorgt
Auch Deutschlands Böden haben schon bemerkenswerte Relikte
5 aus vergangenen Zeiten <u>preisgegeben</u> – die berühmte Himmels-   gefunden
scheibe von Nebra <u>zum Beispiel</u>, die Mond und Sterne am Firmament   ein Beispiel
in Gold und Bronze <u>abbildet</u>. Genauso spektakulär ist der erst vor   zu sehen
wenigen Jahren <u>entdeckte</u> *Hort von Gessel* mit seinen mehr   entdeckt
als 100 Schmuckstücken aus purem Gold.
10 Experten verwenden den Begriff *Hort* für Depots, die Menschen
vergangener Zeiten <u>als Versteck ihrer Wertgegenstände vor</u>   um … zu
<u>Feinden</u> angelegt haben. Häufig <u>bestehen sie</u> aus Schmuck,   es handelt sich
Münzen, Waffen und Werkzeugen.
<u>Im Gegensatz</u> zu Funden aus Gräbern und Siedlungen wurden die   Unterschied – besteht
15 meisten Horte zufällig entdeckt. Einige <u>stammen</u> bereits aus der   lassen sich zuordnen
Jungsteinzeit, die in Mitteleuropa vor etwa 7 500 Jahren begann.
Keramikgefäße und Steinbeile <u>sind</u> die häufigsten Funde aus dieser   zählen
Epoche. Horte aus der Bronzezeit, die ca. 4 000 Jahre <u>zurückliegt</u>,   zurückliegenden
enthalten oft Schmuck aus Edelmetallen wie Gold, Kupfer
20 oder Bronze. Münzschätze, wie der Keltenschatz von Manching
mit seinen 450 Goldmünzen, <u>lassen sich</u> in Deutschland frühestens   können
auf die letzten beiden Jahrhunderte vor Christus datieren. <u>Im</u> Krieg ver-   wenn
steckten besonders viele Menschen ihr Geld und Tafelsilber im Erdbo-
den. So <u>verwundert es</u> nicht, dass immer wieder vergrabene Schätze aus   braucht – wundern
25 der Zeit des Dreißigjährigen Krieges <u>entdeckt werden</u> – knapp 300 Sil-   Entdeckungen – kommt
bermünzen in der Nähe des mecklenburgischen Dorfs Weltzin <u>zum</u>
<u>Beispiel</u>. Auch nicht wenige Bewohner Nazideutschlands <u>vergruben</u> am   wie – Fund – zeigt
Ende des Zweiten Weltkriegs ihre Besitztümer tief in der Erde.   in Sicherheit

a) Geben Sie den Inhalt des Textes wieder.

b) Formen Sie den Text um, indem Sie die auf der rechten Seite angegebenen Wörter unverändert in den Text einarbeiten. Nehmen Sie alle notwendigen Umformungen vor.

c) Gibt es solche Schätze auch in Ihrem Heimatland? Informieren Sie sich und berichten Sie darüber.

■ Die Himmelsscheibe von Nebra

Ihr Fund war eine archäologische Sensation: Mit der Himmelsscheibe von Nebra wagten die Menschen bereits vor 3 600 Jahren einen Blick in den Kosmos. Sie wurde als Kultobjekt und als kombinierter Sonnen- und Mondkalender von den prähistorischen Menschen über Jahrhunderte genutzt. Die grünlich schimmernde bronzene Himmelsscheibe mit ihren Goldsymbolen ist die weltweit älteste konkrete Abbildung des Sternenhimmels. Auf der rund zwei Kilogramm schweren, fast kreisrunden Bronzescheibe mit einem Durchmesser von 31 bis 32 Zentimetern sind als Goldauflagen ein Schiff, Sonne, Mond und 32 Sterne zu erkennen.

Wie die Himmelsscheibe gefunden wurde
Ergänzen Sie die fehlenden Verben in der richtigen Form.

■ Ein Archäologenkrimi

Zwei Grabräuber *entdeckten* (0) die Scheibe 1999 bei Nebra (Sachsen-Anhalt). Die Männer ....(1) mit Metallsuchgeräten im Wald auf dem Mittelberg bei Nebra unterwegs, als eines der Geräte mit einem
5 lauten Signal Metall im Boden ....(2). Nach rund vier Stunden ....(3) die Schatzsucher eine verdreckte Scheibe von der Größe einer Schallplatte sowie zwei Schwerter, zwei Beile, einen Meißel und Armreifen, alles aus Bronze, aus dem Waldboden.
10 Was sie an diesem 4. Juli 1999 nicht......................(4): Sie .... (5) einen archäologischen Sensationsfund in den Händen. Die Schatzjäger ....(6) den bronzezeitlichen Fund für etwa 16 000 Euro an einen Hehler aus der Region Köln. Die-
15 ser .... (7) die Stücke anhand von Fotos dem Landesmuseum für Vorgeschichte in Halle und dem Berliner Museum für Ur- und Frühgeschichte illegal für eine halbe Million Euro .... (7). Doch die Einrichtungen .... (8) das Geschäft
20 .... (8). Schließlich .... (9) der Schatz für 115 000 Euro an einen Lehrer und Hobby-Archäologen aus Nordrhein-Westfalen.

Durch die Fotos aufmerksam geworden, ... (10) im Frühsommer 2001 der Lan-
25 desarchäologe von Sachsen-Anhalt, Harald Meller, die Spur der Himmelsscheibe .... (10). Bei einer fingierten Verkaufsaktion in einem Hotel in Basel (Schweiz)......................(11) es Meller und der Polizei am 23. Februar 2002, dem Hobby-Archäologen und ei-
30 ner Komplizin die Scheibe zu......................(12). Das Duo hatte sie für 700 000 Euro .... (13). Später........................(14) ein Gericht die Grabräuber und Hehler zu Bewährungsstrafen.

 Finderglück und Finderpech
Schreiben Sie mithilfe der vorgegeben Wörter zwei kleine Texte.
Suchen Sie selbst passende Verben und weitere Wörter.

Finderglück

Wissenschaftler ◊ Deutschland ◊ noch 32 000 Zentner* ◊ Gold, Silber und Juwelen ◊ Erde oder Höhlen ◊ Oktober 1996 ◊ Pärchen aus Dresden ◊ Wald bei Moritzburg ◊ drei Kisten ◊ wertvolle Stücke aus Gold und Silber ◊ Schatz der Wettiner (des ehemaligen sächsischen Königshauses) ◊ wichtige Werke der europäischen Goldschmiedekunst ◊ 16. Jahrhundert ◊ Gesamtwert: 12 Millionen Euro ◊ rechtmäßige Erben ◊ stattliche Belohnung

* altes Gewichtsmaß (50 kg)

Finderpech

Norddeutschland ◊ Baggerführer ◊ Abbrucharbeiten ◊ altes Haus ◊ haufenweise Gold- und Silbermünzen ◊ Wert 1,8 Millionen Euro ◊ Meldung ◊ zuständige Behörden ◊ Finderlohn: eine Flasche Cognac und 3 000 Euro ◊ zu wenig ◊ Gericht ◊ Klage ◊ Land Schleswig-Holstein ◊ jahrelanger Rechtsstreit ◊ Finderanteil 184 000 Euro ◊ Gerichtskosten ebenso hoch ◊ Ende ◊ nichts übrig

 Das Bernsteinzimmer
Beantworten Sie die Fragen.

1. Was ist Bernstein?
2. Wie stellen Sie sich ein Zimmer aus Bernstein vor?
3. Was wissen Sie über das berühmte Bernsteinzimmer?

A17 Suchen Sie sich eine Lesepartnerin/einen Lesepartner.
Eine Person liest Teil A des Textes, die andere Teil B.

■ Teil A   Die Geschichte des Bernsteinzimmers

Einige nennen es das berühmteste Zimmer der Welt, andere „das achte Weltwunder". Den meisten Touristen, die das Bern-
5 steinzimmer im Katharinenpalast in der Nähe von Sankt Petersburg besuchen, verschlägt es den Atem: 100 Quadratmeter glänzen in gelben, orangen, ro-
10 ten und braunen Tönen vom Boden bis an die Decke. Doch was sie sehen, ist nicht das Original, es ist eine prachtvolle Rekonstruktion.
15 Ursprünglich wurde das Zimmer 1701 vom preußischen König Friedrich I. für Schloss Charlottenburg in Berlin in Auftrag gegeben. Die Preußen waren
20 aufgrund der natürlichen Bernsteinvorkommen auf ihrem Territorium wahre Meister der Bernsteinschnitzerei. Nachdem Preußenkönig Friedrich Wil-
25 helm I., Sohn von Friedrich I., das Bernsteinzimmer 1716 dem russischen Zaren Peter I. zum Geschenk gemacht hatte, wurde es in 18 Kisten nach Sankt
30 Petersburg verschickt und dort zunächst in der Kunstkammer eingelagert. Mit der Thronbe-

steigung der Zarentochter Elisa-
35 beth I. im Jahre 1741 fand das wertvolle Zimmer seinen Weg in das Winterpalais von Sankt Petersburg, wo es mit aufwendigen Spiegelelementen ergänzt wurde.
40 1755 entschloss sich die Zarin, das Bernsteinkabinett in den neu erbauten Sommerpalast (Katharinenpalast) von Zarskoje Selo zu verlegen, um es vor
45 den schädlichen Auswirkungen der feuchten Luft im Winterpalast zu schützen. Die kostbaren Teile des Zimmers mussten von Soldaten in einem sechstägigen
50 Fußmarsch von Sankt Petersburg zur neuen Residenz getragen werden. Da sich der vorgesehene, rund 100 Quadratmeter umfassende Saal für die Bernstein-
55 vertäfelungen als zu groß erwies, wurde das Zimmer nach und nach durch verschiedene Maßnahmen an die Räumlichkeit angepasst. Sein endgültiges Ausse-
60 hen erhielt das Bernsteinzimmer schließlich unter der deutschstämmigen Zarin Katharina II., auch Katharina die Große genannt. Sie ließ 1763 weitere 450
65 Kilogramm Bernstein für Schnit-

zereien an die Decken verarbeiten.
    Nach dem Überfall auf die Sowjetunion am 22. Juni 1941
70 und der Besetzung des Katharinenpalasts durch die deutschen Truppen befassten sich sogenannte deutsche „Kunstschutz-Offiziere", die mit dem deut-
75 schen Heer mitreisten und für den Kunstraub in den eroberten Ostgebieten zuständig waren, mit dem Bernsteinzimmer. Im Herbst 1941 wurde es unter
80 Aufsicht des „Kunstschutz-Offiziers" Ernst-Otto Graf zu Solms-Laubach demontiert und nach Königsberg gebracht, das damals zum Deutschen Reich gehörte.
85 Dr. Alfred Rohde, Direktor des Königsberger Schlosses und der Kunstsammlungen der Stadt Königsberg, stellte im Schloss einen Raum zur Verfügung, in dem das
90 Bernsteinzimmer noch zwei Jahre für die Öffentlichkeit zugänglich war. Im August 1944 wurde das bis dahin verschonte Königsberg in zwei Nächten von briti-
95 schen Bombern in Schutt und Asche gelegt. Auch das Schloss brannte bis auf die Grundmauern nieder. Glücklicherweise hatte Direktor Rohde in weiser Vor-
100 aussicht das Bernsteinzimmer schon Monate vorher abbauen und in ein bombensicheres Kellergewölbe des Schlosses bringen lassen.
105 Nach Kriegsende suchte die Rote Armee gezielt nach geraubten Kunstschätzen und befragte in diesem Zusammenhang auch Alfred Rohde. Rohde, der bereits im
110 Dezember 1945 starb, hat in den Befragungen wohl etliche Hinweise zu im Schloss eingelagerten Kunstschätzen gegeben, zum Verbleib des Bernsteinzimmers
115 jedoch schwieg er. Auf Beschluss der Moskauer Regierung wurden die Überreste des Königsberger Schlosses 1967/68 gesprengt.

■ Teil B   Thesen zum Verbleib des Bernsteinzimmers

Soweit die geschichtlichen Fakten, aus denen sich nun verschiedene Thesen zum Schicksal des kostbaren Zimmers ableiten 5 lassen:

■ *Das Bernsteinzimmer hat Königsberg nie verlassen und wurde dort bei den verheerenden Luftangriffen zerstört.* Von die- 10 ser Theorie geht der Dokumentarfilmproduzent Maurice Philip Remy aus. Remy verweist im Zuge seiner Nachforschungen auf das Tagebuch des sowjetischen Lei- 15 ters der Kunstexpertenkommission, Victor Barsow (hinter diesem Pseudonym verbarg sich Dr. Alexander Jakowlewitsch Brjussow, Professor der Archäologie 20 am Historischen Museum in Moskau). Er will im Keller des Königsberger Schlosses verkohlte Reste mit Scharnieren und weiteren unbrennbaren Überbleib- 25 seln des Bernsteinzimmers ausgemacht haben, so vermerkt in einer Aktennotiz vom 12. Juni 1945. Doch Jahre später, am 25. Dezember 1949, revidierte Brjussow sei- 30 ne Aussage.

■ *Das Bernsteinzimmer hat Königsberg nie verlassen und wurde dort versteckt.* Der Bernsteinzimmersucher Heinz Schön ist der 35 Meinung, dass die Teile des Zimmers noch irgendwo im unterirdischen Gewölbesystem des alten Schlosses lagern. Schön gewann für seine Theorie sogar das Nachrichtenmagazin *Der Spiegel.* Al- 40 lerdings verliefen die im Auftrag des *Spiegel* durchgeführten punktuellen Grabungen auf dem ehemaligen Schlossgelände in Königsberg (heute Kaliningrad) ohne 45 Ergebnis.

■ *Das Bernsteinzimmer hat Königsberg verlassen und wurde auf seiner Odyssee zu Lande oder zu Wasser zerstört.* Einige Forscher 50 gingen davon aus, dass das Bernsteinzimmer zusammen mit dem Schiff „Wilhelm Gustloff" und 5 000 Flüchtlingen an Bord am 30. Januar 1945 in der Ostsee un- 55 terging. Von 1973 bis 1975 untersuchten polnische Taucher das Wrack: vergebens.

■ *Das Bernsteinzimmer hat Königsberg verlassen und wurde au-* 60 *ßerhalb von Königsberg versteckt.* Diese Theorie hat die meisten Anhänger gefunden. Die vermuteten Verstecke reichen von den Katakomben in Weimar über einen 65 Wald im Erzgebirge bis hin zur Halbinsel Wustrow an der Ostsee. Die Dünen der Kurischen Nehrung in Litauen werden ebenfalls als Aufenthaltsort des Bernstein- 70 zimmers diskutiert. Immer wieder „dicht dran" glaubte sich auch die Staatssicherheit der DDR. Ihr berühmtester Bernsteinzimmerfahnder, Oberstleutnant Dr. Paul Enke, 75 suchte und untersuchte über 150 vermeintliche Verstecke auf dem Territorium der ehemaligen DDR, was dem Staat Kosten in Millionenhöhe bescherte.

80   Der niedersächsische Apfelbauer Georg Stein ist die wahrscheinlich tragischste Figur unter den Bernsteinzimmerjägern. Er widmete der Suche sein ganzes 85 Leben und brachte sich und seine Familie an den Rand des Ruins, bis er sich 1987 geistig verwirrt und völlig verzweifelt das Leben nahm.

90   Viele weitere Schatzsucher haben sich auf die Jagd nach dem legendären Zimmer begeben. Noch immer gibt es Familienmitglieder, die auf dem Sterbebett Geheim- 95 nisse in die Ohren der Verwandten flüstern: Erinnerungen an LKWs, die 1944 nachts in kleinen Dörfern hielten und von denen Soldaten große schwere Kisten ent- 100 luden.

    Und manchmal tauchen aus dem Nichts geheime Dokumente auf, die Hinweise auf den Transport des Bernsteinzimmers enthal- 105 ten können. Es scheint also genügend Anlässe zu geben, um weiterzusuchen.

a) Fassen Sie die Informationen Ihres Teils für Ihre Lesepartnerin/Ihren Lesepartner zusammen.

b) Überlegen Sie zu zweit: Welche der vier Thesen über das Schicksal des Bernsteinzimmers halten Sie für die wahrscheinlichste? Geben Sie zunächst den Inhalt der Thesen mit eigenen Worten wieder und führen Sie danach eine Diskussion. Einigen Sie sich auf eine These. Stellen Sie zum Schluss Ihr Ergebnis im Plenum vor und begründen Sie Ihre Wahl.

These 1: ....

....

....

These 2: ....

....

....

These 3: ....

....

....

These 4: ....

....

....

Redemittel

◇ Ich vermute/nehme an, dass …

◇ Die Vermutung/Annahme liegt nahe, dass …

◇ Alle Fakten weisen darauf hin, dass …

◇ Vieles spricht dafür, dass …

◇ Wenn man sich die Fakten ansieht, kann man nur zu dem Schluss kommen, dass …

◇ Aus meiner Sicht/Meines Erachtens/ Meiner Meinung nach …

◇ Die These, die davon ausgeht, dass …, halte ich für die wahrscheinlichste.

c) Erklären Sie die unterstrichenen Teile und nehmen Sie eventuell notwendige Umformungen vor.

1. Den Besuchern verschlägt es den Atem.

    ....

2. Das Zimmer wurde nach und nach durch verschiedene Maßnahmen an die Räumlichkeiten angepasst.

    ....

3. Im August 1944 wurde Königsberg bei einem Bombenangriff in Schutt und Asche gelegt.

    ....

4. Auch das Schloss brannte bis auf die Grundmauern nieder.

    ....

5. Rohde gab etliche Hinweise zu im Schloss eingelagerten Kunstschätzen.

    ....

6. Victor Barsow will im Keller des Schlosses verkohlte Reste des Bernsteinzimmers ausgemacht haben.

    ....

7. Die Bemühungen der polnischen Taucher waren vergebens.

    ....

8. Immer „dicht dran" glaubte sich auch die Staatssicherheit der DDR.

    ....

9. Die Stasi untersuchte über 150 vermeintliche Verstecke.

    ....

10. Die Suche bescherte dem Staat Kosten in Millionenhöhe.

    ....

11. Georg Stein brachte sich und seine Familie an den Rand des Ruins.

    ....

(A18) Temporalangaben
Formen Sie die unterstrichenen Satzteile um, indem Sie einen Nebensatz bilden.

◇   Beim Betrachten des Bernsteinzimmers verschlägt es den Besuchern den Atem.
    Wenn die Besucher das Bernsteinzimmer betrachten, verschlägt es ihnen den Atem.

1. Nach der Schenkung des Bernsteinzimmers von Preußenkönig Friedrich Wilhelm I. an den russischen Zaren
    Peter I. wurde es in 18 Kisten nach Sankt Petersburg verschickt.

    ....

2. Mit der Thronbesteigung der Zarentochter Elisabeth I. im Jahre 1741 fand das wertvolle Zimmer seinen Weg in
    das Winterpalais von Sankt Petersburg.

    ....

3. Unter der Regentschaft von Zarin Katharina der Großen erhielt das Bernsteinzimmer sein endgültiges Aussehen.

    ....

4. Nach dem Überfall auf die Sowjetunion am 22. Juni 1941 befassten sich sogenannte deutsche „Kunstschutz-
    Offiziere" mit dem Bernsteinzimmer.

    ....

5. Noch vor dem Bombenangriff auf Königsberg hat Direktor Rohde das Bernsteinzimmer in ein bombensicheres
    Kellergewölbe des Schlosses bringen lassen.

    ....

6. Nach Kriegsende suchte die Rote Armee gezielt nach geraubten Kunstschätzen.

    ....

7. Menschen flüstern Verwandten kurz vor ihrem Tod Geheimnisse ins Ohr.

    ....

8. Bis zum endgültigen Nachweis seines Verbleibs werden Abenteurer das Bernsteinzimmer suchen.

    ....

Zusatzübungen zu Temporalangaben ⇨ Teil C Seite 58

A19 Verschwundene Kunst

a) Was verstehen Sie unter *Raubkunst* und/oder *Beutekunst*?
Schreiben Sie eine kurze Definition. Arbeiten Sie zu zweit oder in Kleingruppen.

b) Ergänzen Sie in der folgenden Beschreibung die fehlenden Präpositionen.

Egon Schiele, Bildnis Wally Neuzil (1912). Das Bild wurde 1998 in den USA als Raubkunst sichergestellt. 2010 kehrte es nach langjährigem Rechtsstreit und einer Einigung mit einer Erbin der früheren Besitzerin ans Wiener Leopold Museum zurück.

■ Als Raubkunst werden Kunstwerke bezeichnet, die .... (1) der Zeit des Nationalsozialismus geraubt beziehungsweise „NS-verfolgungsbedingt entzogen" wurden.............(2) Beutekunst
5 werden gestohlene Kulturgüter benannt, die sich .... (3) die Beute eines Besatzers .... (4) Krieg beziehen. Da der Begriff der Raubkunst auch den Kunstraub .... (5) Bürgern des eigenen Landes .... (6) Kriegs- und Nichtkriegs-
10 zeiten umfasst, geht er .... (7) den Begriff der Beutekunst hinaus. Opfer waren vor allem Menschen jüdischen Glaubens oder jüdischer Abstammung, deren Eigentum ....(8) NS-Regime beschlagnahmt wurde oder die............(9) der Machtübernahme der
15 Nationalsozialisten .... (10) Zwangslagen gerieten und nicht frei .... (11) ihr Vermögen verfügen konnten. So kann auch der Verkauf............(12) Kunstwerken .... (13) Bestreitung des Lebensunterhaltes oder .... (14) Finanzierung der Emi-
20 gration .... (15) Raubkunst bewertet werden. Dieser Raub geschah sowohl............ (16) des Deutschen Reichs .... (17) 1933 .... (18) 1945 als auch .... (19) allen .... (20) den Deutschen .... (21) des Zweiten Weltkriegs besetz-
25 ten Gebieten und fand .... (22) der Grundlage einer Vielzahl .... (23) gesetzlichen Regelungen und .... (24) Beteiligung eigens dafür einge-

richteter Institutionen statt. 1945 wurde Kunstraub .... (25) Verbrechen.............(26) die Mensch-
30 lichkeit eingestuft. Das Ausmaß des Kunstraubes wird .... (27) 600 000 Kunstwerke geschätzt, die .... (28) 1933 und 1945 .... (29) den Deutschen .... (30) Europa gestohlen wurden: 200 000 .... (31) Deutschland und
35 Österreich, 100 000 .... (32) Westeuropa und 300 000...............(33) Osteuropa. Die Zahl der nicht .... (34) die rechtmäßigen Eigentümer zurückgegebenen Kunstwerke, die weltweit verstreut .... (35) öffentlichen Sammlungen und Pri-
40 vatbesitz vermutet werden, wird .... (36) ca. 10 000 geschätzt. 1988 wurden .... (37) der sogenannten Washingtoner Erklärung internationale Regelungen.............(38) das Auffinden.............(39) Raubkunst und die Restitution .... (40) die Ei-
45 gentümer oder ihre Erben getroffen.

c) Fassen Sie die Beschreibung mündlich zusammen.

d) Welches Verb passt? Ordnen Sie zu.

1. Kunstwerke als Raubkunst
2. Kunstwerke
3. nicht mehr über das Vermögen
4. seinen Lebensunterhalt
5. in eine Zwangslage
6. einen Verdacht
7. die Rechtslage
8. Kunstraub als Verbrechen
9. verschwundene Kunstwerke
10. Werke an die Eigentümer

a) verfügen
b) klären
c) auffinden
d) beschlagnahmen
e) bezeichnen
f) einstufen
g) bestreiten
h) zurückgeben
i) geraten
j) hegen

e) Hier ist einiges durcheinandergeraten. Bilden Sie die richtigen Komposita.

Zoll-	-magazin	....	Privat-	-kunst	....
Kunst-	-verdacht	....	Staats-	-besitz	....
Anfangs-	-fahnder	....	Raub-	-anwalt	....

A20　Kunstschatz in München entdeckt

a)　Arbeiten Sie in Gruppen. Teilen Sie die Aufgaben in der Gruppe auf und bilden Sie aus den Wörtern Sätze. Achten Sie auch auf die in Klammern angegebene Form der Verben, den richtigen Kasus und fehlende Präpositionen. Achtung: Die Sätze stehen nicht in der richtigen Reihenfolge.

1

22. September 2010 – 21.00 Uhr – Schweizer Zollbeamte – ein damals 76-jähriger Mann – Schnellzug – Zürich – München – kontrollieren *(Präteritum)*

Am 22. September 2010 gegen/um 21.00 Uhr kontrollierten Schweizer Zollbeamte einen damals 76-jährigen Mann im Schnellzug von Zürich nach München.

2

die Gurlitts – Mitte – vergangenes Jahrhundert – Deutschland – Händler, Sammler und Gelehrte – Elite – Kunstszene – zählen *(Präteritum)*

....

....

....

3

sie – zunächst – ein Anfangsverdacht – Steuerhinterziehung – hegen *(Präteritum)* – und – beginnen *(Präteritum)*, – der Verdächtige – beobachten *(Infinitiv)*

....

....

....

4

doch – das merkwürdige, nervöse Verhalten – der Mann – die Fahnder – stutzig machen *(Präteritum)*

....

5

ihre Recherchen – die Steuerfahnder – immer neue Rätsel – stoßen: der Mann – offensichtlich – in München – leben, – aber – nicht – dort – gemeldet sein, – er – keine Steuernummer – besitzen, – nicht – krankenversichert sein – und – keine Rente – beziehen *(Präteritum)*

....

....

....

6

der Mann – ein Briefumschlag – 9 000 Euro – dabeihaben *(Präteritum)*, – was – an sich – kein Straftatbestand – sein *(Präsens)*

....

....

....

7

auch – der Nachname des Verdächtigen, Gurlitt – beitragen *(Präteritum)*, – dass – die Untersuchungen – fortführen *(Passiv Präteritum)*

....

....

....

....

....

8

was – die Zollfahnder – die verdunkelte, vermüllte Wohnung – alter Mann – finden, – eine Sensation – sein *(Präteritum)*

....

....

....

9

Dosen mit Fertignahrung, Kleider und Müllbeutel – etwa 1 400 – bisher verschollen geglaubte Gemälde – Meister – klassische Moderne – darunter Werke von Pablo Picasso, Henri Matisse, Marc Chagall, Emil Nolde, Franz Marc, Max Beckmann und Max Liebermann – lagern *(Präteritum)*

....

....

....

....

....

10

1 200 Bilder – davon – Staatsanwaltschaft – beschlagnahmen *(Passiv Präteritum)*

....

11

ein Großteil – die verschollen geglaubten Werke – Hildebrand Gurlitt – Drittes Reich – die Beschlagnahmedepots der „entarteten Kunst" – zusammenraffen – oder – verfolgte jüdische Kunsthändler – lächerliche Beträge – abkaufen *(Plusquamperfekt)*

....

....

12

nachdem – der Anfangsverdacht – sich erhärten *(Plusquamperfekt),* – es – 28. Februar 2012 – Durchsuchung – Wohnung – München-Schwabing – kommen *(Präteritum)*

....

....

13

Hildebrand Gurlitt, – der – 1920er-Jahre – noch – Kämpfer – die Kunst der Moderne – auftreten – die Nazis – sich einspannen lassen – und – Auftrag – Propagandaminister Goebbels – Werke der „entarteten Kunst" – versilbern *(Plusquamperfekt)*

....

....

....

....

14

der inzwischen 80-jährige Cornelius Gurlitt – die Bilder – sein Vater, – der Kunsthändler und Experte Hildebrand Gurlitt, – erben *(Perfekt)*

....

....

....

....

15

ein Teil – die Werke – er selbst – wenig Geld – erwerben *(Präteritum)*

....

....

....

16

es – vermutlich – eine ganze Zeit – dauern *(Futur I),* – bis – die Behörden – die rechtmäßigen Erben – die Kunstschätze – finden *(Perfekt)*

....

....

....

....

17

Tod von Cornelius Gurlitt – Mai 2014 – ein Schweizer Museum – die riesige Kunstsammlung – verwalten *(Präsens)*

....

18

Kriegsende – Hildebrand Gurlitt – angeben *(Präteritum),* – dass – alle Bilder, – die – er – noch – besitzen *(Plusquamperfekt),* – Bombennacht – 13. Februar 1945 – Dresden – verbrennen *(Konjunktiv I, Vergangenheit)*

....

....

....

19

die Behörden, – die – eigene Aussagen – erst – die Rechtefragen – klären wollen, – der Fund – lange – geheim halten *(Präteritum)*

....

20

unzählige weitere Bilder und Skulpturen – Nazibestände – bis heute – verschollen – gelten *(Präsens)*

....

....

21

erst – November 2013 – die Geschichte – ein Zeitungsartikel – Nachrichtenmagazin *Focus* – die Öffentlichkeit – kommen *(Präteritum)*

....

....

....

22

dieser Fund, – dessen Wert   eine Milliarde Euro – schätzen *(Passiv Präsens),* – aber – nur ein Tropfen – heißer Stein – sein *(Präsens)*

....

b) Gestalten Sie aus den Sätzen einen Text, indem Sie sie in die richtige Reihenfolge bringen.

1 *Am 22. September 2010 gegen/um 21.00 Uhr kontrollierten Schweizer Zollbeamte einen damals 76-jährigen Mann im Schnellzug von Zürich nach München.* **6** *Der Mann ...*

Erinnerungen

A21 Klassenspaziergang

Wählen Sie eine Frage aus. Befragen Sie möglichst viele Teilnehmerinnen/Teilnehmer Ihres Kurses.
Berichten Sie dann im Plenum über die interessantesten Informationen.

1 An welches Ereignis in Ihrem Leben erinnern Sie sich besonders gern?

2 Erinnern Sie sich gern an Ihre Kindheit? Wenn ja, woran?

3 Ist Ihnen in der alltäglichen Werbefilm- und Anzeigenflut eine Werbung besonders in Erinnerung geblieben? Wenn ja, welche und warum?

4 Erinnern Sie sich noch an den Inhalt eines Romans oder Films, den Sie im letzten Jahr gelesen bzw. gesehen haben? Erinnern Sie sich noch an den Inhalts eines Romans oder Films aus Ihrer Kindheit?

5 Ist Ihnen etwas, was Sie in der Schule gelernt haben, besonders im Gedächtnis geblieben?

A22

■ Im Netz der Erinnerungen

Eine flüchtige Begegnung. Dieses Gesicht, kennen wir es nicht? Wo haben wir diesen Menschen schon einmal gesehen? Fieberhaft arbeitet unser Gedächtnis, und plötzlich kommt uns ein Weihnachtspäckchen in den Sinn. Weihnachtspäckchen? Natürlich – dieser Mann ist der Postbote!

Eine alltägliche, scheinbar banale Szene. Doch sie offenbart die komplexe Fähigkeit des Gehirns, gespeicherte Informationen abzurufen und miteinander in Beziehung zu setzen.

Unser Gehirn ist ein schier unvorstellbarer Wust von Fakten und Episoden, Bildern, Lauten und Gerüchen, die allesamt im Netz der Nervenzellen hängenbleiben. Erlebnisse unseres ersten Schultages, die Geheimzahl der EC-Karte, Fernsehbilder vom einstürzenden World Trade Center, die Gesichtszüge des Postboten. Und erstaunlicherweise gelingt es dem Gehirn (zwar nicht immer, doch sehr oft), aus dieser Sintflut an Erinnerungen die richtigen Informationen herauszufinden.

Dabei arbeitet es nicht so systematisch wie ein Archivar, der anhand eines Kataloges ermittelt, in welchem Regal die gesuchte Akte steht. Unser Gedächtnis funktioniert dynamischer, chaotischer, zufälliger, in mancher Hinsicht sogar effizienter.

Nach vielen wissenschaftlichen Experimenten gehen Wissenschaftler heute davon aus, dass es nicht *ein* Gedächtnis gibt, sondern mehrere, die unabhängig voneinander funktionieren: Lernen wir motorische Fähigkeiten wie Tanzen oder Autofahren, speichert unser prozedurales Gedächtnis die entsprechenden Handlungsweisen ab. Es ist ausschließlich für Bewegungsabläufe zuständig. Beherrscht man diese Prozeduren einmal, werden sie automatisch abgespult.

Eigene Erlebnisse und damit verbundene Emotionen, Gerüche, Bilder oder Klänge werden im episodischen Gedächtnis abgespeichert, Namen, Daten und Fakten im semantischen Gedächtnis. Diese beiden Gedächtnisformen sind an den sogenannten Hippocampus* gebunden. An die Inhalte des episodischen und semantischen Gedächtnisses erinnern wir uns bewusst. Die Bindung an den Hippocampus ist auch der Grund dafür, dass bei Patienten, bei denen dieser Teil des Gehirns beschädigt wurde, Gedächtnisprobleme im episodischen und semantischen Bereich auftreten, ihre motorischen Fähigkeiten aber nicht beeinträchtigt sind.

Nachdem Biologen den Hippocampus als eine Schlüsselstruktur des Erinnerns ausgemacht haben, standen sie vor der Frage, in welcher Form gespeicherte Informationen im Gedächtnis vorliegen. ⇨

* Teil im Großhirn

85 Hier gilt es zunächst, zwei Speicherformen voneinander zu unterscheiden: die Kurzzeitspeicherung (Kurzzeitgedächtnis) und die Langzeitspeicherung (Langzeit-90 gedächtnis).

Wie der US-Neurowissenschaftler und Nobelpreisträger Eric Kandel herausfand, sind die beiden Gedächtnisformen an un-95 terschiedliche Vorgänge in der Zelle gekoppelt. Bei der Kurzzeitspeicherung erhöht sich vorübergehend die Effektivität, mit der die beteiligten Neurone ihre elek-100 trischen Botenstoffe weiterleiten. Maßgeblich daran beteiligt ist ein Botenstoff namens cAMP, der die Reizweiterleitung befördert. Doch nach wenigen Minuten sinkt der 105 cAMP-Spiegel wieder, die Zelle

bleibt unverändert. Erst wenn der Reiz mehrmals erfolgt, stellt die Zelle neue Eiweißstoffe her und baut die Kontaktstellen zwischen 110 Nervenzellen um. Das bedeutet: Um ins Langzeitgedächtnis zu gelangen, müssen die Reize (Informationen) wiederholt und dem Gehirn in regelmäßigen Abstän-115 den wieder präsentiert werden.

Biologisch gesehen liegt der grundlegende Unterschied zwischen den Speicherformen darin, dass beim Kurzzeitgedächtnis der 120 Kontakt zwischen den Nervenzellen nur für kurze Zeit erleichtert wird, während beim Langzeitgedächtnis die Nervenzellen neu verdrahtet werden. Ein Großteil 125 dieser Vorgänge ist an den Hippocampus gebunden. Vermutlich ar-

beitet diese Hirnstruktur wie eine ordnende Substanz, die – wohl vor allem im Schlaf – Erinnerun-130 gen redigiert, filtert oder mit einer emotionalen Komponente verknüpft, bevor sie ins Langzeitgedächtnis gelangen und in verschiedenen Hirnregionen dauer-135 haft abgespeichert werden.

Wie das im Detail geschieht, wissen Forscher noch nicht. Bekannt ist dagegen schon, wie sich vor allem emotionale Ereignisse 140 tiefer ins Gedächtnis graben: Bei heftigen Gefühlen schüttet das Gehirn vermehrt Botenstoffe wie Serotonin und Dopamin aus. Diese Substanzen sorgen dafür, dass 145 neue Schaltstellen zwischen Nervenzellen entstehen und sich festigen.

a) Sammeln Sie die wichtigsten Informationen, die der Text zum Thema *Erinnerung* beinhaltet, und geben Sie die Aussagen mit eigenen Worten wieder.

Erinnerung

....
....
....
....
....
....
....
....
....
....

b) Welche der folgenden Aussagen treffen zu? Kreuzen Sie an.

1. Die Speicherung der Informationen im Gehirn

   a) ☐ ist mit einem großen Archiv zu vergleichen.

   b) ☐ ist kaum bekannt.

   c) ☐ erfolgt über den Hippocampus.

   d) ☐ findet in verschiedenen Formen statt.

2. Bei Verletzungen des Hippocampus

   a) ☐ müssen Patienten alles neu erlernen.

   b) ☐ sind vor allem Namen und Daten nicht mehr abrufbar.

   c) ☐ funktionieren die motorischen Fähigkeiten trotzdem.

   d) ☐ leidet das Kurzzeitgedächtnis.

3. Kurz- und Langzeitspeicherung

   a) ☐ basieren auf der Verknüpfung neuer Zellkontakte.

   b) ☐ sind mit Vorgängen in den Zellen verbunden.

   c) ☐ sind an Wiederholung und Emotionen gekoppelt.

   d) ☐ sind vom Menschen bewusst beeinflussbar.

c) Gegensätze

Verbinden Sie die Sätze miteinander, indem Sie die in Klammern angegebenen Wörter verwenden.

◇   Ein Archivar arbeitet systematisch. Unser Gedächtnis funktioniert chaotisch und zufällig. *(dagegen)*

Ein Archivar arbeitet systematisch, dagegen funktioniert unser Gedächtnis chaotisch und zufällig.
Ein Archivar arbeitet systematisch. Unser Gedächtnis funktioniert dagegen chaotisch und zufällig.

1. Früher ging man davon aus, dass es nur ein Gedächtnis gibt. Heute weiß man, dass drei verschiedene Gedächt-
    nisformen existieren. *(aber)*

    ....

    ....

    ....

2. Das semantische und das episodische Gedächtnis sind an den Hippocampus gebunden. Das prozedurale Ge-
    dächtnis funktioniert unabhängig von diesem Teil der Großhirnrinde. *(wohingegen)*

    ....

    ....

    ....

3. Patienten können bei einer Gehirnverletzung Probleme mit dem episodischen und semantischen Gedächtnis
    bekommen. Ihre motorischen Fähigkeiten bleiben erhalten. *(während)*

    ....

    ....

    ....

4. Beim Kurzzeitgedächtnis wird der Kontakt zwischen den Nervenzellen nur vorübergehend erleichtert. Beim
    Langzeitgedächtnis werden die Nervenzellen neu verdrahtet. *(wogegen)*

    ....

    ....

    ....

5. Forschern ist der genaue Vorgang der Filterung und Auswahl von Erinnerungen noch nicht bekannt. Sie können
    Geschehnisse bei der Speicherung besonders emotionaler Ereignisse genau beschreiben. *(dagegen)*

    ....

    ....

    ....

Zusatzübungen zu Adversativangaben ⇨ Teil C Seite 62

(A23) Gerüche und Erinnerung
Berichten Sie.

◇   Was riechen Sie gern?
◇   Gibt es einen bestimmten Geruch, der Sie an Ihre Kindheit erinnert?
◇   Welche Gerüche mögen Sie überhaupt nicht?

(A24) Sie hören in einer Radiosendung einen Kurzbericht über neue
Forschungsergebnisse zum Thema *Gerüche und Erinnerungen*.
Welche Informationen gibt der Bericht zu den folgenden Punkten? (4)

1. die mögliche Reaktion auf einen duftenden Lufthauch
2. die Aufgabe der Testpersonen
3. die Reaktionen beim Betrachten der Fotos
4. Erinnerungen, die an einen Geruch gebunden sind
5. das Zusammenspiel zwischen Sinnen und Erinnerungen

 A25 Formen Sie die vorgegebenen Sätze um, indem Sie die in Klammern angegebenen Wörter verwenden.

◇ Schon ein kleiner duftender Lufthauch genügt. Menschen erinnern sich an ihre Kindheit. *(und)*

Schon ein kleiner duftender Lufthauch genügt und Menschen erinnern sich an ihre Kindheit.

1. Erinnerungen sind über das gesamte Gehirn verstreut gespeichert. Sie werden vom Hippocampus zentral gesteuert. *(zwar – aber)*

....

2. Einer der menschlichen Sinne wird stimuliert und aktiviert eine Erinnerung. Auch verwandte Erinnerungen werden aufgerufen, die auf andere Sinne zurückgehen. *(wenn)*

....

....

3. Ein Forscherteam vom University College London zeigte seinen Testpersonen Fotos. Gleichzeitig nahmen die Personen einen bestimmten Geruch wahr. *(als)*

....

4. Die Gerüche hatten mit den Bildern wenig zu tun. Die Probanden sollten das Foto mit dem Duft in Zusammenhang setzen. *(obwohl)*

....

....

5. Das Experiment wurde durchgeführt. Danach sahen die Testpersonen die Bilder erneut, diesmal aber ohne Geruch und im Wechsel mit unbekannten Bildern. *(nachdem)*

....

....

6. Die zweite Testrunde fand statt. Die Aktivität in verschiedenen Bereichen des Gehirns wurde gemessen. *(während)*

....

....

7. Das Betrachten der bekannten Fotos stimulierte zwei Regionen: den Hippocampus und den piriformen Kortex, der Gerüche verarbeitet. Bei den neuen, unbekannten Bildern gab es keine Aktivitäten im Zentrum für Geruchswahrnehmung. *(dagegen)*

....

....

....

8. Nach Meinung der Forscher ist anhand der Resultate bewiesen, dass Gerüche Erinnerungen wecken und Bilder Geruchsempfindungen aktivieren können. *(nicht nur – sondern auch)*

....

....

9. Nach einem Artikel in der Fachzeitschrift *Neuron* werden Erinnerungen, die an einen Geruch gebunden sind, am längsten gespeichert. *(wie)*

....

....

10. Die Erinnerungen bleiben erhalten. Der Hippocampus ist verletzt. *(auch wenn)*

....

....

11. Wissenschaftler haben diese These aufgestellt. Sie wissen nicht genau, wie die Kontakte zwischen Sinnen und Erinnerungen genau funktionieren. *(trotzdem)*

....

....

12. Ein Wissenschaftler findet irgendwann einmal eine Antwort auf die noch bestehenden Fragen. Er bekommt bestimmt den Nobelpreis. *(falls)*

....

....

Ergänzen Sie die fehlenden Präpositionen.

■ **Der menschliche Geruchssinn**
Der Mensch nimmt ungefähr 350 verschiedene Duftmolekü-
le wahr. Für jeden dieser Düfte hat er .... (1) der Nase
Riechzellen mit je einer eigenen Sorte .... (2) Empfän-
gern, genannt Rezeptoren. .... (3) Öffnen einer Kaffee-
5 dose z. B. werden Dutzende .... (4) Rezeptorentypen
gleichzeitig gereizt, weil fast alle Aromen, die .... (5)
der Natur vorkommen, ... (6) vielen Einzeldüften
zusammengesetzt sind. Das Gehirn registriert, welche Sorten
.... (7) Duftmeldern gleichzeitig aktiviert werden, und
10 erzeugt die passende Geruchsvorstellung.
Die meisten Menschen verfügen auf diese Weise .... (8)
durchschnittlich 10 000 Duftmuster und sind mühelos
.... (9) der Lage, ... (10) einem Rotwein eine Note
frisch gemähten Grases herauszuschnuppern.

 Die Macht der Gerüche

■ In fast allen Bereichen unseres Lebens <u>begegnet uns</u>, <u>ohne große Aufmerksamkeit zu erregen</u>, ein gewisser Wohlgeruch. Waschpulver und Putzmittel <u>sind</u> ohne Parfümierung <u>unvorstellbar</u>. <u>Es gibt</u> auch schon ein eigenes Deo für die Mülltonne, die Spülmaschine 5 und den Staubsauger. <u>Seinen Ursprung genommen</u> hat dieser Trend in Frankreich, wo man sogar parfümierte Spülschwämme und Gummihandschuhe mit Fruchtaroma kaufen <u>kann</u>. Doch Deutschland holt auf. In den vergangenen Jahren konnten 10 „Geruchsverbesserer" einen <u>Umsatzanstieg</u> von einem Drittel ver-zeichnen. <u>Das lässt</u> die Duftstoffhersteller immer mutiger werden. Zurzeit laufen beispielsweise Experimente mit Gummischuhsohlen, <u>die beim Auftreten feinen Ledergeruch freisetzen</u>. Duft als Marketinginstrument, diese Idee gewinnt immer mehr 15 <u>Anhänger</u>. Eine Marketingprofessorin der Universität Dresden <u>fand heraus</u>, dass man mit angenehmen Gerüchen in Geschäften <u>nicht nur</u> die Verweildauer der Kunden, <u>sondern auch</u> den Umsatz steigern kann. Diese Erkenntnis <u>nutzen</u> viele Unternehmen. Allein im deutsch- 20 sprachigen Raum sind in 10 000 Hotels und Geschäften Duftsäulen <u>zu finden</u>. Doch eine Welt, in der Plastik nach Leder und Mülltonne nach Limone riecht, <u>ist nicht ohne</u> Gefahren. Eine Studie zeigt, dass rund drei Prozent der Bundesbürger <u>allergisch</u> auf Duftstoffe 25 <u>reagieren</u>.	schleicht ein unbemerkt man – vorstellen selbst – verfügen ursprünglich gibt Umsatz Grund freisetzenden Beliebtheit Untersuchungen sowohl … als auch zunutze ausgestattet lauern auch Allergien – auslösen

a) Geben Sie den Inhalt des Textes wieder.

b) Formen Sie den Text um, indem Sie die auf der rechten Seite angegebenen Wörter unverändert in den Text einarbeiten. Nehmen Sie alle notwendigen Umformungen vor.

c) Welche Rolle spielt der Geruch in unserem heutigen Leben? Berichten Sie mündlich oder schriftlich. Belegen Sie
Ihre Ausführungen mit Beispielen.

Zusatzübungen und Tipps zur Prüfungsvorbereitung

B1 Modul Lesen, Aufgabe 2

Sieben der folgenden Aussagen leiten Abschnitte des Artikels *Wie das Gehirn Geschichte fälscht* ein. Ordnen Sie die Aussagen den jeweiligen Textabschnitten zu. Eine Aussage ist bereits als Beispiel markiert und zugeordnet. Zwei Aussagen passen nicht.

◇ *Während eines Vortrags des Historikers Helmut Schnatz kam es zum Eklat.*

A Den genauen Ablauf der Mechanismen in den Gehirnen von Kriegsopfern und Soldaten beginnen Gedächtnisforscher erst allmählich zu verstehen.

B Erinnerungen an die Kindheit spielen für das Gedächtnis eine große Rolle.

C Das direkte Erleben von Krieg und Gewalt hinterlässt emotionale Spuren.

D Gespräche mit anderen Beteiligten über gemeinsame Ereignisse beeinflussen die persönliche Erinnerung.

E Falsche Erinnerungen lassen sich in Gesprächen mit anderen korrigieren.

F Die Beispiele zeigen die hohe emotionale Bedeutsamkeit von Erinnerungen, selbst wenn sie falsch sind.

G Erinnerungen können eine diffizile Sache sein.

H Die eigene Fantasie ist in der Lage, frei Erfundenes im Gedächtnis abzuspeichern.

■ Wie das Gehirn Geschichte fälscht

Erlebnisse von Bombenkrieg und Vertreibung sitzen tief. Aber nicht alles, was rückblickenden Zeitzeugen vor Augen steht, hat auch so stattgefunden. Autobiografische Erinnerungen sind oft eine Mischung aus tatsächlich Erlebtem und Fiktion.

1

Das zeigte sich auch im amerikanischen Präsidentschaftswahlkampf von 1980. Kandidat Ronald Reagan berichtete bei öffentlichen Veranstaltungen wiederholt und mit Tränen in den Augen von seiner persönlichen Geschichte als Fallschirmjäger im Zweiten Weltkrieg: Sein Bomberpilot habe die Besatzung zum Abspringen aufgefordert, nachdem die Maschine getroffen worden war. Ein junger Schütze war aber so schwer verwundet worden, dass er die Maschine nicht verlassen konnte. Da sagte der heldenhafte Captain: „Macht nichts, Sohn. Dann bringen wir die Kiste eben gemeinsam runter." Doch Reagan erinnerte sich hier keineswegs an eigene Erlebnisse, sondern an eine Szene aus dem Film „Wing and a Prayer" von 1944. Dennoch war er völlig davon überzeugt, die Wahrheit zu sagen.

Während eines Vortrags des Historikers Helmut Schnatz kam es zum Eklat.

Unter den Zuhörern bei der Veranstaltung vor einigen Jahren waren viele ältere Dresdner, die den verheerenden Angriff auf ihre Stadt am 13. und 14. Februar 1945 miterlebt hatten. Erregt berichteten sie, dass nach den Bombardierungen britische Tiefflieger gezielt Jagd auf die Flüchtenden gemacht hätten, als diese auf den Elbwiesen oder im Großen Garten Schutz vor den Flammen suchten. Schnatz erklärte geduldig, die Fakten sprächen gegen diese Erinnerung: Die Bombardements entfachten einen solchen Feuersturm, dass es den Piloten unmöglich war, niedrig genug über die Stadt zu fliegen, um gezielt einzelne Menschen angreifen zu können. Ebenso habe eine Auswertung britischer Flugeinsatzpläne und Logbücher keinerlei Beleg für solche Menschenjagden geliefert. Auch wenn er es vorsichtig ausdrückte: Der Forscher hielt die Tiefflieger für einen Mythos, der sich in der Erinnerung vieler Dresdner bis heute fortsetzt.

2

Sie sind den Personen so wichtig, dass sie sich diese und die damit verbundenen Gefühle nicht nehmen lassen wollen. Es geht schließlich um Ereignisse, die lebensgeschichtlich so einschneidend sind, dass sie diese niemals vergessen wollen.

Paradoxerweise sorgt genau dieser Vorsatz wahrscheinlich dafür, dass das tatsächlich Erlebte vielfältig umgeformt wird. Denn jeder Abruf einer Erinnerung, etwa im Zuge eines Berichts, hat auch ihre erneute Einspeicherung zur Folge. Dabei wird der Kontext der jeweiligen Abrufsituation mit abgelegt – wodurch die ursprüngliche Erinnerung um neue Nuancen angereichert, korrigiert, auf bestimmte Aspekte zentriert oder sogar überschrieben werden kann.

3

....
....

Bei so einschneidenden Erlebnissen, wie sie ein Krieg mit sich bringt, beobachten Sozialforscher regelmäßig das Phänomen, dass diese Erinnerungen standardisiert werden: auf das Format, in dem auch andere sich erinnern. Einwohner einer bombardierten Stadt werden zu Erinnerungsgemeinschaften, die Berichte so lange austauschen und dabei ausgestalten, bis jeder über einen ähnlichen Fundus von Geschichten verfügt.

4

....
....

Sie wissen inzwischen, dass Informationen, einzelne Episoden, ja ganze Geschehensabläufe in bereits vorhandene Gedächtnisinhalte integriert werden können. Sogenannte „falsche Erinnerungen" können sich aus ganz unterschiedlichen Quellen speisen, die jenseits des selbst Erlebten liegen: Erzählungen anderer Personen, Romane, Dokumentar- und Spielfilme oder auch Erträumtes und Fantasiertes. Dieses Phänomen heißt „Quellenamnesie", weil man sich an das Ereignis als solches korrekt erinnert, aber die Quelle verwechselt, aus der die Erinnerung stammt.

Das Irritierende an solch importierten Reminiszenzen ist, dass sie schier lebendig „vor den Augen stehen, als sei es gestern gewesen" – wie etwa den Dresdner Zeugen der Bombennächte vom Februar 1945.

5

....
....

Denn die neuronalen Verarbeitungssysteme für visuelle Wahrnehmungen und für Vorgestelltes und Fantasiertes scheinen sich zu überlappen: Der Psychologe Stephen M. Kosslyn von der Harvard University konnte 1995 zeigen, dass der primäre visuelle Kortex auf ganz ähnliche Weise aktiviert wird, wenn Probanden Objekte sehen, wie wenn sie sich diese nur vorstellen. Ähnliche Ergebnisse liegen auch für andere Sinnesmodalitäten vor.

6

....
....

Diese können tief sitzen, wie der New Yorker Emotionsforscher Joseph LeDoux herausfand: Es entstehen feste synaptische Verbindungen zwischen den Nervenzellen im Mandelkern, der Schaltzentrale für Emotionen, die eine schnelle Gefühlsreaktion auslösen. Bestimmte Reize, die dem damaligen Erleben ähneln, führen so zur Ausschüttung von Botenstoffen im Gehirn und rufen dadurch die körperlichen Alarmsignale hervor, die mit der tiefen Erinnerungsspur verbunden sind. Man beginnt zu zittern, zu schwitzen, sich zu ängstigen, nach Schutz zu suchen.

Das Bewusstsein kann dieser emotionalen Erinnerungsspur nun ganz andere Ereignisse zuordnen – die man zwar selbst nicht erlebt hat, die aber zu den entsprechenden Gefühlen passen. Das ist der Grund, weshalb traumatische Erinnerungen nicht „wahrer" oder „authentischer" sind als andere. Die mit ihnen verbundenen Gefühle enthalten – und erhalten – die emotionale Spur des damaligen Geschehens. Alles andere kann sich als pures Artefakt herausstellen. Der Haken daran ist, dass die Zeitzeugen nicht selbst herausbekommen können, ob etwas eine wahre oder eine falsche Erinnerung ist. Denn beides fühlt sich für die Person, die sich erinnert, völlig gleich an.

B2 Modul Schreiben, Aufgabe 2: Kommaregeln
Das sind die wichtigsten Kommaregeln:

Regel	Beispiele
• **Hauptsatz und Nebensatz** werden durch **Komma** getrennt.	Viele Menschen sind vom Mittelalter fasziniert, weil sie sich gern verkleiden.
• **Hauptsatz und Hauptsatz** werden durch **Komma** getrennt.	Er spielte Geige, sie hörte zu. Sie liest gern historische Romane, denn sie interessiert sich für Geschichte. Er hatte keine Zeit und kein Geld, trotzdem nahm er an der Schatzsuche teil.
→ Wenn **zwei Hauptsätze** mit *und* oder *oder* verbunden sind, steht **kein Komma**. Zur Gliederung in **komplizierten Sätzen** kann man ein **Komma** setzen.	Er spielte Geige und sie hörte zu. Kommst du mit ins Kino oder bleibst du zu Hause?
• **Nebensatz und Nebensatz** werden durch **Komma** getrennt.	Der Chef weiß, dass ich arbeite, auch wenn ich mich nicht gut fühle.

Regel	Beispiele
• **Infinitivgruppen** können durch **Komma** abgetrennt werden, wenn es der Gliederung des Satzes dient.	Es ist nicht leicht(,) seine komplexen Thesen zu verstehen.
→ Man muss ein **Komma** setzen, wenn die **Infinitivgruppe** mit *statt/anstatt, ohne, um* oder *außer/als* eingeleitet wird.	Die Grabräuber behielten den Fund, **statt/anstatt** ihn den Behörden zu melden. Er ging, **ohne** sich zu rechtfertigen.
→ Man muss ein **Komma** setzen, wenn die **Infinitivgruppe** mit einem **hinweisenden Wort** angekündigt wird.	Der Reiseleiter wies **darauf** hin, Fundstücke nicht mit nach Deutschland zu nehmen.
• **Partizipialsätze** kann man durch **Komma** abtrennen.	Durch den Krieg verunsichert(,) versteckten viele Leute ihre Wertgegenstände in der Erde.
• **Erklärungen wie Appositionen** werden in **Kommas** eingeschlossen.	Die Räuber wollten die Himmelsscheibe, dieses unschätzbare Kulturgut, verkaufen.
• Außerdem steht ein **Komma** bei **Aufzählungen**, aber nicht vor *und/oder*. Ein **Komma** steht bei der **Anrede im Brief**. Ein **Komma** steht bei der **Datumsangabe**.	Sie brauchen Ihren Pass, ein Visum und Ihren Impfausweis. Liebe Frau Müller, … Leipzig, den 18.9.2014

B3 Korrigieren Sie den Text.
Achten Sie auf die Großschreibung an den Satzanfängen und ergänzen Sie die fehlenden Satzzeichen.

■ **Schulklasse mit Geschichtspreis ausgezeichnet**
obwohl die deutschen Schüler im Allgemeinen nicht mit ihren Geschichtskenntnissen glänzen gibt es einige Schulen die sich durch hervorragende Arbeit aus der grauen Masse hervorheben am Donnerstag dem 13. Juli kamen zehn Schulklassen
5 aus ganz Deutschland ins Deutsche Museum um auf der Siegerehrung des *History-Award* ihre Preise in Empfang zu nehmen beim diesjährigen bundesweiten Schülerwettbewerb für Geschichte der bereits zum neunten Mal ausgetragen wurde drehte sich alles um Gegenstände mit Vergangenheit Schü-
10 ler aller Altersklassen und Schultypen waren aufgerufen sich in Filmbeiträgen mit dem Thema *Fundstücke mit Geschichte* zu beschäftigen die Verfasser der zehn besten Beiträge wurden schließlich nach München eingeladen und konnten ihre Siegerurkunden sowie Preisgelder im Gesamtwert von 3 000 Euro
15 in Empfang nehmen
Sieger des Wettbewerbs waren die Schüler der Stephanusschule aus Krefeld sie überzeugten mit ihrem Film *Der Tacker – Aufstieg und Niedergang einer Textilfabrik am Niederrhein* in dem sich die jungen Filmemacher anhand des genannten Büroarti-
20 kels nicht nur mit der Firmengeschichte sondern in detailreich inszenierten Spielszenen auch mit der deutschen Geschichte auseinandersetzten der 15-minütige Film beinhaltet den Aufstieg der Textilfabrik am Niederrhein um das Jahr 1879 die Jahre von 1933 bis 1945 das Wirtschaftswunder der 1950er- und
25 1960er-Jahre und den Niedergang der Fabrik im Jahre 2000 mit historischen Kostümen viel Liebe zum Detail und umfangreichem Hintergrundwissen gelang den Schülern ein packender Film über deutsche Geschichte der nicht nur die prominent besetzte Jury um Journalist und Historiker Guido Knopp und
30 FOCUS-Herausgeber Helmut Markwort überzeugte sondern auch bei einer Online-Abstimmung gewann

⋮ Strukturen zum Üben und Festigen

Adverbialsätze

Viele Menschen sind vom Mittelalter fasziniert, weil sie sich gern verkleiden.
Viele Menschen sind vom Mittelalter fasziniert, denn sie verkleiden sich gern.
Viele Menschen nehmen an Ritterspielen teil, um sich verkleiden zu können.

▶ **Hinweise**

→ Man kann Sätze auf verschiedene Weise miteinander verbinden.

→ **Hauptsätze** werden mit Konjunktionen oder Konjunktionaladverbien verbunden.

Bei Konjunktionen steht das konjugierte Verb im zweiten Hauptsatz an zweiter Stelle nach der Konjunktion.
Viele Menschen sind vom Mittelalter fasziniert, **denn** sie verkleiden sich gern.

Bei Konjunktionaladverbien steht das konjugierte Verb im zweiten Hauptsatz meist direkt nach dem Konjunktionaladverb. Da Adverbien eigenständige Satzglieder sind, können Konjunktionaladverbien aber auch an einer anderen Stelle des Satzes stehen.
Viele Menschen verkleiden sich gern, **deshalb** sind sie vom Mittelalter fasziniert.
Viele Menschen verkleiden sich gern, sie sind **deshalb** vom Mittelalter fasziniert.

→ Bei Verbindungen zwischen **Haupt- und Nebensätzen** werden die Nebensätze mit Subjunktionen eingeleitet. Das konjugierte Verb steht im Nebensatz an letzter Stelle.
Viele Menschen sind vom Mittelalter fasziniert, **weil** sie sich gern verkleiden.

→ Bei bestimmten adverbialen Angaben sind auch **Infinitivkonstruktionen** möglich. Sie haben kein eigenes Subjekt, sondern beziehen sich auf das Subjekt des Hauptsatzes.
Viele Menschen nehmen an Ritterspielen teil, **um** sich verkleiden **zu** können.

▶ **Übersicht: Wichtige Präpositionen und Satzverbindungen in adverbialen Angaben**

Art der Angabe	Präpositionen	Satzverbindungen	Beispielsätze für Umformungen
Adversativangaben	gegenüber Funden aus Gräbern	während, wohingegen, wogegen (Subjunktionen) dagegen (Konjunktionaladverb)	Gegenüber Funden aus Gräbern wurden die meisten Horte zufällig entdeckt. Während Funde aus Gräbern geplant werden konnten, wurden die meisten Horte zufällig entdeckt. Viele Funde aus Gräbern wurden geplant, die meisten Horte wurden dagegen zufällig entdeckt.
Alternativangaben	statt/anstatt einer Belohnung anstelle des Direktors	anstatt/statt … zu (Infinitivkonstruktion) stattdessen (Konjunktionaladverb)	Statt einer Belohnung erhielt der Finder eine Geldstrafe. Anstatt eine Belohnung zu bekommen, erhielt der Finder eine Geldstrafe. Er bekam keine Belohnung, stattdessen erhielt der Finder eine Geldstrafe.

Art der Angabe	Präpositionen	Satzverbindungen	Beispielsätze für Umformungen
Final-angaben	zum Aufspüren/zur Suche zwecks besserer Kommunikation für deinen Erfolg	damit (Subjunktion) um … zu (Infinitivkonstruktion)	Den Detektor benutzt man zum Aufspüren von metallischen Gegenständen. Den Detektor benutzt man, damit man metallische Gegenstände aufspüren kann. Den Detektor benutzt man, um metallische Gegenstände aufzuspüren.
Kausal-angaben	aus Interesse vor Freude wegen des Streiks aufgrund eines Unglücks dank deiner Hilfe kraft ihres Amtes angesichts des schlechten Wetters infolge starker Regenfälle	weil, da (Subjunktionen) denn (Konjunktion) deshalb, deswegen, darum, daher (Konjunktionaladverbien)	Sie geht zu dem Vortrag aus Interesse am Thema. Sie geht zu dem Vortrag, weil sie sich für das Thema interessiert. Sie geht zu dem Vortrag, denn sie interessiert sich für das Thema. Sie interessiert sich für das Thema, deshalb geht sie zu dem Vortrag.
Konditional-angaben	an deiner Stelle bei Sonnenschein mit/ohne ein bisschen Glück	wenn, falls, sofern, außer wenn (Subjunktionen)	An deiner Stelle würde ich den Fund melden. Wenn ich an deiner Stelle wäre, würde ich den Fund melden.
Konsekutiv-angaben	infolge heftiger Bombenangriffe	so … dass, sodass (Subjunktionen) folglich, infolgedessen, demzufolge (Konjunktionaladverbien)	Infolge heftiger Bombenangriffe wurde der Palast total zerstört. Die Bombenangriffe waren so heftig, dass der Palast total zerstört wurde. Die Bombenangriffe waren heftig, folglich wurde der Palast total zerstört.
Konzessiv-angaben	trotz jahrelanger Suche ungeachtet der Warnungen	obwohl, auch/selbst wenn (Subjunktionen) aber (Konjunktion) trotzdem, dennoch, gleichwohl, nichtsdestotrotz (Konjunktionaladverbien)	Trotz jahrelanger Suche konnte das Bernsteinzimmer nicht gefunden werden. Obwohl jahrelang gesucht wurde, konnte das Bernsteinzimmer nicht gefunden werden. Es wurde jahrelang gesucht, trotzdem konnte das Bernsteinzimmer nicht gefunden werden.
Modal-angaben	mittels/mithilfe eines Metalldetektors durch Drehen des Schlüssels mit dem Zug unter Zuhilfenahme einer Axt entsprechend den Vorhersagen den Vorschriften gemäß auf seine Art in diesem Zustand meiner Meinung nach einem Bericht zufolge laut einer Studie ohne Anstrengung	indem, dadurch … dass, ohne dass, wie, als (Subjunktionen) ohne … zu (Infinitivkonstruktion)	Mithilfe eines Metalldetektors kann man vergrabene Schätze finden. Man kann vergrabene Schätze finden, indem man einen Metalldetektor einsetzt. Laut einer Studie haben deutsche Schüler mangelnde Geschichtskenntnisse. Wie eine Studie ergab, haben deutsche Schüler mangelnde Geschichtskenntnisse.

Art der Angabe	Präpositionen	Satzverbindungen	Beispielsätze für Umformungen
Temporal-angaben	Gleichzeitigkeit: während des Krieges bei meinem Besuch innerhalb/außerhalb der Geschäftszeiten bis (zum) Ende des Films seit seinem Umzug	als, wenn, während, solange, seit/seitdem, bis (Subjunktionen) inzwischen, währenddessen (Konjunktionaladverbien)	Während des Krieges brachten viele Menschen ihre Wertgegenstände in Sicherheit. Während der Krieg tobte, brachten viele Menschen ihre Wertgegenstände in Sicherheit. Der Krieg tobte, währenddessen brachten viele Menschen ihre Wertgegenstände in Sicherheit.
	Vorzeitigkeit/Nachzeitigkeit: vor/nach dem Ende des Krieges	nachdem, sobald, als, wenn, bevor, ehe (Subjunktionen) anschließend, danach, dann, davor (Konjunktionaladverbien)	Nach dem Ende des Krieges begann die Suche nach dem verschwundenen Bernsteinzimmer. Nachdem der Krieg zu Ende gegangen war, begann die Suche nach dem verschwundenen Bernsteinzimmer. Der Krieg war zu Ende, danach begann die Suche nach dem verschwundenen Bernsteinzimmer.

C1 Schatzsuche

Verbinden Sie die Sätze miteinander und verwenden Sie dabei Subjunktionen, die Nebensätze einleiten.

◇   Die Menschen waren durch die Kriegswirren verängstigt. Sie versteckten ihre Wertgegenstände vor dem Feind.

Weil die Menschen durch die Kriegswirren verängstigt waren, versteckten sie ihre Wertgegenstände vor dem Feind.

1.   Die Französische Revolution oder der Dreißigjährige Krieg tobte. Der Erdboden galt als die sicherste Bank der Welt.

....

2.   Auch auf hoher See drohten viele Gefahren. Zahlreiche Handels- und Kriegsschiffe sanken.

....

3.   Großbritannien hat mehr Wracks auf dem Meeresboden als irgendein anderes Land. Das meinen Marinehistoriker.

....

4.   Zwischen 1864 und 1869 sind rund 10 000 englische Schiffe untergegangen. Das kann man den Büchern der Versicherungsgesellschaft Lloyd entnehmen.

....

5.   Die Spanier raubten den Inkas, Mayas und Azteken Schätze. Sie beluden damit ihre Schiffe.

....

6.   3 000 spanische Schiffe kamen nicht in ihren Heimathäfen an. Sie waren vermutlich überladen.

....

7.   Die Suche nach Schätzen auf dem Meeresboden ist sehr kostspielig. Viele Abenteurer gehen das finanzielle Risiko ein.

....

8.   Im Jahre 1978 gelang es dem Amerikaner Mel Fisher, eine spanische Galeone mit 47 Tonnen Gold und Silber zu bergen. Ein amerikanisches Gericht sprach ihm 18 Millionen Euro Finderlohn zu.

....

9.   Man kann einen Schatz im Meer heben. Bis dahin vergehen etwa sechs Jahre Vorbereitungszeit.

....

10. Eine Fracht wird geborgen. Die Rechercheure, die Informationen über die Wracks zusammengestellt haben, bekommen drei bis fünf Prozent vom Erlös.

   ....

   ....

11. In den USA gilt Schatzsuche schon lange als beliebte Freizeitbeschäftigung. In Deutschland setzt sich die Hobbyschatzsuche erst langsam durch.

   ....

   ....

12. Der Gewinn bei einem Fund kann beträchtlich sein. Nur selten ist der Traum vom großen Geld das Motiv der Freizeitschatzsucher.

   ....

   ....

(C2) Aus der Geschichte der Fernkommunikation
Formen Sie die unterstrichenen Satzteile um, indem Sie aus ihnen einen Nebensatz bilden.

◇ Es ist nicht bekannt, ob sich schon der Homo erectus vor 1,8 Millionen Jahren <u>mithilfe von Rauchzeichen</u> verständigte.

   Es ist nicht bekannt, ob sich schon der Homo erectus vor 1,8 Millionen Jahren verständigte, indem er Rauchzeichen benutzte/verwendete.

1. <u>Nach Meinung von Historikern</u> nutzten Nomadenvölker und die Indianer Nordamerikas die Technik der Rauchzeichen zur Weiterleitung von Botschaften.

   ....

2. <u>Durch das Verbrennen von Decken oder Tierfellen auf eine bestimmte Art</u> teilten sie die Rauchsäule in einzelne Wolken.

   ....

3. <u>Nach heutiger Erkenntnis</u> haben Sender und Empfänger die Bedeutung der Zeichen vorher abgesprochen – andere Stämme konnten sie nicht verstehen.

   ....

4. Eine Kommunikation per Rauchzeichen war <u>ohne gute Sicht</u> nur sehr eingeschränkt möglich.

   ....

5. Noch heute bedient sich der Vatikan der Rauchzeichen <u>bei der Wahl eines neuen Papstes</u>.

   ....

6. Anfällig für Störungen waren auch andere Kommunikationswege. Im alten Persien z. B. konnten Späher auf Ausguckpunkten die Armee nur <u>bei wolkenfreiem Himmel</u> über den Angriff von Feinden informieren.

   ....

   ....

7. <u>Trotz ausgetüftelter Formen</u> übermittelten optische Signale keine wirklich detaillierten Informationen.

   ....

8. <u>Aufgrund permanent schwieriger Sichtverhältnisse in Gebirgen</u> mussten Menschen einen anderen Übertragungsweg erfinden: die akustische Botschaft.

   ....

   ....

9. <u>Nach Untersuchungen eines österreichischen Gymnasiallehrers</u> existierten zu Beginn des 20. Jahrhunderts 444 verschiedene Jodelrufe.

   ....

   ....

10. Diesen durchdringenden Kehlkopfschlag nutzten Hirten in den Alpen und in anderen Bergregionen der Welt <u>zur Verständigung untereinander und zum Anlocken des Viehs</u>.

....

11. Die Buschtrommeln im Dschungel Westafrikas oder Neuguineas gaben Nachrichten <u>mithilfe des bewussten Einsatzes von Rhythmus und Tonhöhe</u> beinahe wortgetreu über eine Distanz von etwa acht Kilometern weiter.

....

....

12. <u>Gegenüber der regionalen Anwendung von Rauchzeichen oder Jodelrufen</u> war der Brief von Anfang an ein überregionales Kommunikationsmittel.

....

13. <u>Zur Geheimhaltung ihrer Botschaften</u> entwickelten die Bewohner Spartas bereits vor rund 2 500 Jahren eine Art Geheimcode.

....

14. <u>Im Gegensatz zur langsamen Überbringung von Briefen durch einen Läufer bei den Spartanern</u> hielten die ägyptischen Pharaonen bereits Brieftauben, die bis zu tausend Kilometer am Stück zurücklegen konnten.

....

....

15. <u>Bis Ende des 15. Jahrhunderts</u> blieben Briefe ein Privileg der Mächtigen.

....

16. <u>Dank der Entstehung eines immer dichteren Postkutschenverkehrs in Europa</u> stieg die Nutzung des Kommunikationsmittels Brief auch bei der normalen Bevölkerung.

....

17. <u>Nach verschiedenen Experimenten zur Übermittlung von Nachrichten auf unsichtbaren Wegen</u> gelang es dem US-Amerikaner Samuel Morse 1837, eine Sprache für eine neue Übertragungsart zu finden.

....

....

18. Die Kommunikation erfolgte <u>mittels Übersetzung einer kodierten Abfolge von Impulsen und Pausen in Zahlen und Buchstaben</u>.

....

19. <u>Nach Aussage von Oliver Götze vom Museum für Kommunikation</u> ist dies eine der bedeutsamsten Schlüsselinnovationen in der Geschichte der Fernkommunikation.

....

....

20. <u>Zwei Jahre nach dem Tod des Physiklehrers Philipp Reis</u>, der als erster den Worten Flügel verlieh, reichte Alexander Graham Bell 1876 in Kanada ein Patent für das Telefon ein.

....

....

21. Danach ging es ganz schnell. <u>Bei der Einrichtung des ersten Fernsprechnetzes in Berlin im April 1881</u> waren 48 Teilnehmer angeschlossen.

....

....

22. Vor wenigen Jahrzehnten folgte bereits der nächste Sprung <u>zur schnelleren und multimedialeren Kommunikation</u>: der digitale Umbruch durch das Internet.

....

....

23. Der Inhalt unserer Nachrichten ist <u>wegen der einfachen und schnellen Übertragungsmöglichkeiten</u> oberflächlicher geworden. Das ist die Meinung einer Soziologin der Universität Mainz.

....

....

C3 Konzessivsätze: Angabe einer Einschränkung

→ **Nebensatz – Hauptsatz** *oder* **Hauptsatz – Nebensatz** (Satzeinleitung: Subjunktion)
Obwohl/Auch wenn die Aussichten auf Erfolg gering sind, suchen viele Menschen nach verborgenen Schätzen.

→ **Hauptsatz – Hauptsatz** (Satzeinleitung: Konjunktionaladverb/bestimmte Wendungen)
Die Aussichten auf Erfolg sind gering, **trotzdem/dennoch/gleichwohl/nichtsdestotrotz** suchen viele Menschen nach verborgenen Schätzen.
Die Aussichten auf Erfolg sind gering, **dessen ungeachtet/ungeachtet der Tatsache** suchen viele Menschen nach verborgenen Schätzen.

→ **Hauptsatz – Hauptsatz** (Satzeinleitung: Konjunktion)
Die Aussichten auf Erfolg sind **zwar** gering, **aber** viele Menschen suchen (trotzdem) nach verborgenen Schätzen.

Formen Sie die konzessiven Nebensätze in Hauptsätze um. Verwenden Sie möglichst viele grammatische Mittel.

1. Obwohl das Bernsteinzimmer eine Reproduktion ist, verschlägt es den Besuchern vor Erstaunen den Atem.

   ....

2. Obwohl Alfred Rohde das Schicksal des Bernsteinzimmers kannte, schwieg er bei der Befragung.

   ....

3. Obwohl er jahrelang nichts fand, gab Georg Stein die Suche nach dem Bernsteinzimmer nicht auf.

   ....

4. Obwohl Taucher das Wrack der *Wilhelm Gustloff* untersucht haben, glauben einige Schatzsucher noch immer, dass das Bernsteinzimmer auf dem Grund der Ostsee liegt.

   ....

5. Obwohl die Schatzsuche den DDR-Staat ein Vermögen kostete, konnte Oberstleutnant Paul Enke 150 vermeintliche Verstecke untersuchen.

   ....

C4 Konditionalsätze: Angabe einer Bedingung/Gegenbedingung

→ **Hauptsatz – Nebensatz** (Satzeinleitung: Subjunktion/Wendungen: *außer wenn* und *es sei denn, dass*)
Wir können das Schiff bergen, **wenn/falls/sofern** wir die nötige finanzielle Unterstützung erhalten.
Wir können das Schiff <u>nicht</u> bergen, **außer wenn/es sei denn, dass** wir die nötige finanzielle Unterstützung erhalten.

→ **Hauptsatz – Hauptsatz** (Wendung: *es sei denn*, ohne *dass*)
Wir können das Schiff <u>nicht</u> bergen, **es sei denn**, wir erhalten die nötige finanzielle Unterstützung.

Sätze mit *außer wenn* und *es sei denn* nennen die Bedingung, die die Aussage des ersten Satzes widerruft.

Formen Sie die Sätze um und verwenden Sie *es sei denn, es sei denn, dass* oder *außer wenn*.

1. Wenn wir uns gut vorbereiten, werden wir auch Erfolg haben.

   ....

2. Wenn der Unterricht interessanter gestaltet wird, kann man viele Schüler auch heute für Geschichte begeistern.

   ....

3. Wenn wir eine Schatzsuche organisieren, können wir Geschichte und Abenteuer im Unterricht ganz einfach miteinander verbinden.

   ....

4. Wenn Lehrer Kunze seine Arbeitseinstellung nicht entscheidend verbessert, wird er versetzt.

   ....

5. Wenn wir nicht bessere Leistungen zeigen als im Vorjahr, gewinnen wir keinen Preis.

   ....

Adversativsätze: Angabe eines Gegensatzes

→ **Hauptsatz – Nebensatz** (Satzeinleitung: Subjunktion)
Heike ist eine fleißige Schülerin, **während/wohingegen/wogegen** ihr Bruder sehr faul ist.

→ **Hauptsatz – Hauptsatz** (Satzeinleitung: Konjunktionaladverb/Wendung: *im Gegensatz dazu*)
Heike ist eine fleißige Schülerin, **demgegenüber/im Gegensatz dazu** ist ihr Bruder sehr faul.
Heike ist eine fleißige Schülerin, ihr Bruder ist **dagegen/jedoch** sehr faul.

→ **Hauptsatz – Hauptsatz** (Satzeinleitung: Konjunktion)
Heike ist eine fleißige Schülerin, **aber** ihr Bruder ist sehr faul.

Bilden Sie Sätze mit den oben genannten Satzverbindungen.

1. Georg ist ein guter Tennisspieler. Sein Freund kann überhaupt nicht Tennis spielen.

....

2. Bei Herrn Meier haben die Abrechnungen immer gestimmt. Bei seinem Nachfolger treten immer wieder Fehler auf.

....

3. Früher schrieben viele Romanautoren ihre Bücher auf der Schreibmaschine. Heute schreiben sie sie mit dem Computer.

....

4. Noch vor zwei Jahren brauchte ich 20 Minuten mit dem Auto zur Arbeit. Heute stehe ich 40 Minuten im Stau und brauche eine Stunde.

....

5. Letztes Jahr war das Konzert der Popgruppe ausverkauft. Dieses Jahr war die Hälfte des Saales leer.

....

6. Er achtet auf das Geld und lebt sehr sparsam. Seine Frau kann an keinem Modegeschäft vorbeigehen.

....

 Addition

Paul hatte eine Zahnoperation. Jetzt kann er **weder** sprechen **noch** essen.
Paul hatte eine Zahnoperation. Jetzt kann er nicht essen, **nicht einmal** sprechen.
Paul hatte eine Zahnoperation. Jetzt kann er nicht sprechen, **geschweige denn** essen.

In den beiden letzten Sätzen werden die Tätigkeiten *essen* und *sprechen* differenziert. Es wird mitgeteilt, dass *essen* und *sprechen* unterschiedliche Schwierigkeitsgrade für das Subjekt haben und dass das Subjekt auch die im Satz am ehesten erwartete Tätigkeit *sprechen* nicht bewältigen kann.

Differenzieren Sie die Aussagen durch *nicht einmal* oder *geschweige denn*, wie im oben genannten Beispiel.

1. Im Abspann des Films wurde weder der Titel noch der Autor des dem Film zugrunde liegenden Romans genannt.

....

2. Mit dieser schlechten Vorbereitung kommt der Schwimmer bei den Meisterschaften nicht in den Endlauf und nicht unter die ersten drei.

....

3. Sie hinterließ ihren Schreibtisch weder sauber noch aufgeräumt.

....

4. Sie hat momentan weder für mich noch für ihren Freund Zeit.

....

5. Susanne kann Peter weder 1 000 Euro noch 10 Euro borgen.

....

6. Er hat mit Sicherheit kein großes Auto und auch keine Segeljacht.

....

Stärken und Schwächen

Yoga

Lügen

A1 **Was fällt** Ihnen ein, wenn **Sie** die Wörter *Lüge* und *Wahrheit* hören?
Sammeln Sie allein oder in Gruppen Gedanken und präsentieren Sie Ihre Ideen anschließend im Plenum.

Lüge

Wahrheit

A2 Interview
Stellen Sie zwei Gesprächspartnerinnen/Gesprächspartnern die folgenden Fragen.
Fassen Sie dann die Antworten zusammen.

Name .... **Name** ....

Halten Sie die Fähigkeit zu lügen für eine Stärke oder eine Schwäche?

Glauben Sie, dass Lügen in bestimmten Situationen gerechtfertigt sind? Wenn ja, in welchen?

Aus welchen Gründen lügen Menschen Ihrer Meinung nach?

■ Lob der Lüge

Die Wahrheit – viele halten sie für das oberste moralische Gebot. Philosophen fordern sie bedingungslos, Eltern und Le-
5 benspartner ebenfalls. Die Wahrheit versorgt den Menschen mit verlässlichen Informationen, gibt psychischen Halt, wenn alles andere ungewiss erscheint. Fragt
10 man einen Menschen, welche Eigenschaften er am anderen besonders schätzt, stehen Aufrichtigkeit und Wahrheitsliebe fast immer an erster Stelle. Selbst die Bibel ver-
15 langt im achten Gebot: „Du sollst nicht falsch Zeugnis reden."

Wenn die Wahrheit aber das „höchste Gut" ist – warum belügt man dann die gerade vom Friseur
20 gekommene Nachbarin und sagt ihr, wie gut ihr die Frisur stehe? Warum sagt der Arzt dem krebskranken Patienten nicht die Wahrheit?

25 Die Gründe, warum Menschen lügen, sind sehr vielfältig. Angst vor der Wahrheit oder deren Konsequenzen gibt uns sicherlich die meisten Anlässe, die Wahrheit zu
30 frisieren. „Täuschung gibt es in allen Kulturen, wahrscheinlich auch, weil sie die Möglichkeit eröffnet, Konfrontationen kampflos auszuweichen", erläutert der
35 amerikanische Philosoph David Nyberg.

Häufig lügen Menschen jedoch, wie im Fall des Arztes und der netten Nachbarin, um ihrem
40 Gegenüber Kummer zu ersparen.

Solche Lügen sind wichtig für die soziale Stabilität einer Gesellschaft. Wer immer die Wahrheit sagt, steht nach kurzer Zeit ziem-
45 lich alleine da, denn schonungslose Offenheit schafft kein Vertrauen, sondern Feinde.

Problematisch wird es, wenn diese sozialen Gründe – bewusst
50 oder unbewusst – nur vorgeschoben sind. Etwa in der Liebe. Wer seinem Partner den Seitensprung verschweigt, erklärt dies meistens damit, er habe dem Betrogenen
55 nicht wehtun wollen. Erfährt der dann doch durch Zufall die Wahrheit, ist er doppelt verletzt: Zum einen, weil der Partner sein Vertrauen missbraucht hat. Zum an-
60 deren, weil der Partner ihm nicht zutraut, mit der Wahrheit umgehen zu können.

Die am meisten verwendete Lüge richten wir freilich gegen
65 uns selbst. Es ist die Selbsttäuschung. „Es geht uns einfach besser, wenn wir uns nicht allzu kritisch betrachten. Selbsttäuschung hilft uns, die Person zu sein, die
70 wir sein wollen", schreibt David Nyberg. Andere sollen erkennen, dass man ein intelligenter, zuverlässiger und liebenswerter Mensch ist. Um das zu erreichen,
75 bauen wir unser Selbstwertgefühl wenigstens in Teilen auf Illusionen auf.

Lüge und Täuschung sind aber keine Erfindung des Menschen.
80 Auch im Tierreich wird gelogen

und betrogen – was Leben retten kann. So spiegeln Tiere falsche Tatsachen vor, indem sie Verhalten oder Aussehen ihrer Fressfein-
85 de imitieren. Und im Kampf ums Weibchen betätigt sich manches Männchen als Hochstapler. Evolutionsbiologen begreifen deshalb die Lüge als eine Art Motor der
90 Evolution, da Mogeleien und Täuschungen langfristig Schwindler begünstigen – wenn diese sich nur raffiniert genug dabei anstellen.

Bewusstes Lügen erfordert In-
95 telligenz. Der Lügner muss nicht nur kreativ sein, sondern sich auch in den Adressaten der Lüge hineinversetzen können. Nur so kann er abschätzen, wie viel der ande-
100 re weiß und wie er auf die Geschichte, die man ihm auftischt, reagieren wird. Stimme, Mimik und Sprache muss der Lügner geschickt einsetzen, um den fehlen-
105 den Wahrheitsgehalt zu verschleiern.

Bleibt es nun dabei, ist die Lüge zu verurteilen? Ungelogen: Es gibt keine eindeutige Antwort.
110 Lügen, die darauf abzielen, sich selbst zu bereichern und anderen zu schaden, gehören ohne Zweifel in die Kategorie „verboten". Aber insgesamt gesehen, sagt der So-
115 ziologe Peter Stiegnitz, seien Lügen „das Salz des Lebens". Eine Prise davon hebt das Selbstwertgefühl und macht das Miteinander leichter, zu viel davon macht das
120 Leben ungenießbar.

---

a) Was sagt der Text aus? Markieren Sie die richtige Lösung.

1. Der Autor des Artikels hält Lügen für
   a) ☐ prinzipiell verachtenswert.
   b) ☐ überaus wichtig.
   c) ☐ situationsbedingt verständlich.
   d) ☐ manchmal notwendig.

2. Lügen können Menschen helfen,
   a) ☐ Auseinandersetzungen zu vermeiden.
   b) ☐ ihre Ehe zu retten.
   c) ☐ bessere Leistungen zu erzielen.
   d) ☐ Vertrauen zu schaffen.

3. Täuschung im Tierreich
   a) ☐ betrifft alle Tierarten.
   b) ☐ erfordert eine hohe Intelligenz.
   c) ☐ kann das Überleben sichern.
   d) ☐ ist immer erfolgreich.

4. Die Wahrheit
   a) ☐ muss an erster Stelle stehen.
   b) ☐ macht einsam.
   c) ☐ stärkt das Selbstwertgefühl.
   d) ☐ vermittelt Sicherheit.

b) Fassen Sie den Inhalt des Textes mit eigenen Worten zusammen.

A4 Formen Sie die Sätze um, indem Sie die in Klammern angegebenen Wörter und Hinweise in der passenden Form einarbeiten.

◇ Viele Menschen <u>halten</u> die Wahrheit für das oberste moralische Gebot. *(denken)*

Viele Menschen denken, dass die Wahrheit das oberste moralische Gebot ist/sei.

1. Die Wahrheit <u>versorgt</u> den Menschen mit verlässlichen <u>Informationen</u>. *(dienen – Informationsquelle)*

....

2. Sie <u>unterstützt</u> ihn psychisch, wenn alles andere ungewiss erscheint. *(geben – Halt)*

....

3. Aufrichtigkeit und Wahrheitsliebe <u>schätzen</u> wir besonders. *(legen – Wert)*

....

4. Die Wahrheit <u>wird</u> von vielen als das „höchste Gut" <u>angesehen</u>. *(betrachten, Aktiv)*

....

5. Trotzdem <u>haben</u> Menschen <u>Angst</u> vor der Wahrheit oder deren Konsequenzen. *(fürchten)*

....

6. Diese Angst <u>bietet uns sicherlich oft Anlass</u>, die Wahrheit zu frisieren. *(sein – Grund)*

....

7. Täuschung <u>eröffnet</u> uns die <u>Möglichkeit</u>, Konfrontationen kampflos zu <u>vermeiden</u>. *(ermöglichen – ausweichen)*

....

8. Häufig <u>lügen</u> Menschen jedoch, um ihrem Gegenüber Kummer zu ersparen. *(beabsichtigen – eine Lüge)*

....

9. Solche Lügen <u>sind wichtig</u> für die soziale Stabilität einer Gesellschaft. *(unterstützen)*

....

10. Kleine Lügen <u>heben</u> das Selbstwertgefühl und <u>machen</u> das Miteinander <u>leichter</u>. *(beitragen – Steigerung – erleichtern)*

....

Zusatzübungen zu Verben und ihren Ergänzungen   ⇨   Teil C Seite 83

A5 Wortschatz rund um die Lüge

a) Suchen Sie aus dem Text A3 Wörter und Wendungen zum Thema *Wahrheit und Lüge.* Erweitern Sie dann die Übersicht durch Wörter, die Sie außerdem noch kennen.

Lüge	**Wahrheit**
jemanden belügen	verlässliche Informationen

b) Erklären Sie die folgenden Sprichwörter.

① *Lügen haben kurze Beine.*

② *Wer lügt, der stiehlt.*

③ *Die Wahrheit zu sagen ist oft schwer, die Wahrheit zu ertragen oft noch mehr.*

④ *Wer einmal lügt, dem glaubt man nicht, auch wenn er dann die Wahrheit spricht.*

⑤ *Ehrlich währt am längsten.*

c) Ergänzen Sie in den folgenden Redewendungen das passende Wort.

> April ◇ Tasche ◇ Märchen ◇ Balken ◇ Blaue ◇ X ◇ Hucke ◇ Bären

◇ jemandem .... erzählen

◇ jemandem einen .... aufbinden

◇ jemanden in den .... schicken

◇ jemandem ein .... für ein U vormachen

◇ jemandem die .... volllügen

◇ sich in die eigene .... lügen

◇ lügen, dass sich die .... biegen

◇ das .... vom Himmel herunterlügen

Welche Wendungen zum Thema *Lügen* gibt es in Ihrer Muttersprache?

 A6 Diskutieren Sie über die folgenden Punkte.

◇ Wie oft lügen wir durchschnittlich am Tag?
◇ Lügen jüngere Menschen öfter als ältere?
◇ Lügen Besserverdienende öfter als Menschen, die weniger verdienen?
◇ Hat Leistungsdruck oder Zeitdruck eine Auswirkung auf unser Verhältnis zur Wahrheit?
◇ Kann das Arbeitsumfeld die eigenen moralischen Werte beeinflussen?

A7 Sie hören ein Interview zum Thema *Neue Erkenntnisse über das Lügen*. **5**
Was wird im Interview gesagt? Markieren Sie während des Hörens oder danach die richtige Lösung.
Hören Sie das Gespräch zweimal.

1. Die Anzahl der täglichen Lügen

   a) ☐ ist wissenschaftlich nicht genau belegt.
   b) ☐ beträgt 200.
   c) ☐ liegt im Durchschnitt bei zwei.

2. Ein wichtiger Faktor, der das Lügen beeinflusst, ist

   a) ☐ die Persönlichkeit.
   b) ☐ der soziale Stand.
   c) ☐ das Umfeld.

3. Junge Leute lügen öfter, weil sie

   a) ☐ unter größerem Leistungsdruck stehen.
   b) ☐ kein Gewissen haben.
   c) ☐ viele Prüfungen machen müssen.

4. Besserverdienende lügen mehr, weil

   a) ☐ sie sich an den moralischen Werten ihres Umfeldes orientieren.
   b) ☐ sie moralisch verdorbene Menschen sind.
   c) ☐ sie zum Egoismus erzogen wurden.

5. Zeitdruck

   a) ☐ hat keinen Einfluss auf das Thema *Wahrheit oder Lüge*.
   b) ☐ prägt das gesellschaftliche Leben.
   c) ☐ setzt die Hemmschwelle zum Lügen herab.

6. Wer länger Zeit zum Nachdenken hat,

   a) ☐ kann sich eine bessere Lüge ausdenken.
   b) ☐ sagt eher die Wahrheit.
   c) ☐ kann Lügen leichter aufdecken.

A8 Bilden Sie aus den vorgegebenen Wörtern Sätze.
Achten Sie auf den richtigen Kasus, die fehlenden Präpositionen und die angegebene Zeitform.

◇ Der Philosoph Friedrich Nietzsche – Menschen – notorische Lügner – halten *(Präteritum)*

Der Philosoph Friedrich Nietzsche hielt Menschen für notorische Lügner.

1. Nietzsche – seine Erkenntnis – persönliche Reflexionen und Beobachtungen – zurückgreifen *(Präteritum)*

....

2. heute – unzählige wissenschaftliche Untersuchungen – Anzahl und Grund – Lügen – es – geben *(Präsens)*

....

3. meiste Medien – die Autoren – 200 Lügen – Tag – ausgehen *(Präsens)*

....

4. sie – ihre Artikel – eine Arbeit – amerikanischer Psychologe John Fraser – sich beziehen *(Präsens)*

....

5. neuere wissenschaftliche Datenbanken – diese Zahl – nicht – sich bestätigen – lassen *(Präsens)*

....

6. seriöse Studien – weitaus geringere Quoten – kommen *(Präsens)*

....

7. eine amerikanische Psychologin – eine Quote – zwei Lügen – Tag – ermitteln *(Perfekt)*

....

8. allerdings – sie – gängige Höflichkeitslügen – „gut" oder „prima" – ihre Zählung – auslassen *(Perfekt)*

....

9. manchmal – wir – offenbar – mehr – zweimal – Tag – schwindeln *(Präsens)*

....

10. neuere Untersuchungen – die These – führen, – dass – die Situation – ein großer Einfluss – die Anzahl – die Lügen – haben *(Präsens)*

....

....

11. Wissenschaftler – inzwischen – weniger – die typische Lügnerpersönlichkeit – vielmehr – das typische Lügnerumfeld – ausgehen *(Präsens)*

....

....

12. Leistungsdruck – Menschen – offenbar – eher – das Lügen – neigen *(Präsens)*

....

13. die Überwindung – Hindernisse – der Weg – ihr Ziel – Menschen – offenbar – das Schummeln – anstacheln *(Präsens)*

....

....

14. auch – das soziale Umfeld – und – die Zeitnot – unser Umgang – die Wahrheit – sich auswirken *(Präsens)*

....

....

15. ein niedriger moralischer Standard – Menschen – Scham und Schuldgefühl – handeln *(Präsens)*

....

....

16. sie – die Richtigkeit – ihre Handlungen – nicht – zweifeln *(Präsens)*

....

Diese Statue des „Lügenbarons" Münchhausen kann man im Filmpark Babelsberg in Potsdam bewundern.

Wählen Sie ein Zitat aus und diskutieren Sie darüber in Ihrer Kleingruppe. Präsentieren Sie anschließend Ihre Gedanken im Plenum. Nennen Sie auch Beispiele.

> Nirgends wird so viel gelogen wie vor der Wahl, während des Krieges und nach der Jagd!
>
> Otto von Bismarck

> Die Lüge ist wie ein Schneeball: Je länger man ihn wälzt, desto größer wird er.
>
> Martin Luther

> Ein Dutzend verlogener Komplimente ist leichter zu ertragen als ein einziger aufrichtiger Tadel.
>
> Mark Twain

> Je weniger wir Trugbilder bewundern, desto mehr vermögen wir die Wahrheit aufzunehmen.
>
> Erasmus von Rotterdam

Buchtipp • Buchtipp • Buchtipp • Buchtipp

Jakob der Lügner
Von *Jurek Becker*

Die Rote Armee ist nur noch wenige hundert Kilometer entfernt, das hat Jakob Heym zufällig erfahren. Und er erzählt es den anderen, die mit ihm eingeschlossen sind im Ghetto einer polnischen Stadt und schon fast alle Hoffnung verloren haben. Und damit die anderen ihm auch glauben, behauptet Jakob, er habe ein Radio. Nun kommen alle zu ihm, um nach Neuigkeiten zu fragen, die Mut machen, weiter auszuhalten in einer Welt, in der die Deutschen die Vernichtung der Juden betreiben. So wird aus ihm Jakob der Lügner, er lügt, um den Menschen wieder Hoffnung zu geben und damit die Kraft zu widerstehen. (Suhrkamp Verlag)

Stärken und Schwächen

 Eine Kurzgeschichte von *Martin Suter*

■ Eine Führungskrise

Strasser betritt das Unternehmen in der Regel durch die Tiefgarage und nimmt den Lift in den Zwölften. Deshalb sieht er den Christbaum erst am Nachmittag auf dem Weg zum großen Sitzungszimmer. Er durchquert den Empfang und memoriert dabei die Namen der Teilnehmerliste auf dem Sitzungsprotokoll. Erst als er am Kopfende des Sitzungstischs Platz genommen hat, kommt es ihm vor, als sei er soeben an einem Christbaum vorbeigegangen. Er steht wieder auf, geht vor die Tür und tatsächlich: ein Christbaum, mannshoch, Schwerpunktfarbe Silber. Er blickt sich um und begegnet dem Lächeln von Frau Thielmann, Empfang und Telefon. Er nickt ihr zu und geht zurück ins Sitzungszimmer.

Während des Meetings ist Strasser abgelenkt durch den Christbaum. Seit er dem Unternehmen vorsteht (und auch in der Zeit davor), hat im Empfang noch nie ein Christbaum gestanden. Er kann sich auch an keinen formellen oder informellen Beschluss erinnern, daran etwas zu ändern. Christbäume fallen zwar nicht in die Kompetenz des Topmanagements. Aber Christbäume im Empfangsbereich gehören zum Erscheinungsbild des Unternehmens und somit zur Corporate Identity. Und diese ist Chefsache.

Die Tatsache, dass sich jemand in sein Revier gewagt hat, beschäftigt ihn während einer längeren PowerPoint-Präsentation zu einem Thema, das er nicht mitbekommen hat. Ist der Baum eine Eigeninitiative von Frau Thielmann, Empfang und Telefon? Oder hat er es mit einem strategischen Vorstoß aus der Managementebene zu tun? Im ersteren Fall müsste er die Aktion mit Wohlwollen aufnehmen, denn Eigeninitiative gilt seit der Neufassung des Organisationshandbuchs vor vier Jahren bis zu einem gewissen Grad als erwünscht.

Im anderen Fall müsste er hart durchgreifen. Angriffe auf seine Kompetenzen aus dem Umfeld potenzieller Nachfolger müssen im Keim erstickt werden. Er geht die Liste der möglichen Täter durch. Es kommen alle in Frage.

Er hebt die Sitzung mit ein paar Schlussbemerkungen auf, die den Eindruck erwecken, er hätte mitbekommen, worum es ging. Im Büro befragt er seine Assistentin so beiläufig wie möglich über die Hintergründe der Christbaumsache. Zu seiner Erleichterung stellt sich heraus, dass die Initiative dazu von Frau Thielmann ausgegangen und von Beiträgen aus dem Mitarbeiterstab finanziert worden ist.

Beim Verlassen des Unternehmens geht er am Empfang vorbei und weist Frau Thielmann wohlwollend, aber bestimmt an, ein paar Kugeln umzuhängen, das Engelshaar zu reduzieren, da und dort etwas Lametta hinzuzufügen. Und die silberne Spitze gerader auszurichten.

a) Was ist Herr Strasser für ein Mensch? Beschreiben Sie ihn.

b) Berichten Sie in wenigen Sätzen über den Inhalt der Kurzgeschichte.

Ich habe kürzlich eine Geschichte von Martin Suter gelesen. In der Geschichte ging/geht es um …

A11 Eigenschaften von Managern

a) Welche Eigenschaften sollten gute Manager Ihrer Meinung nach besitzen? Diskutieren Sie in Gruppen.

b) Vergleichen Sie Ihre Antworten mit dem Ergebnis einer Befragung von deutschen Führungskräften.

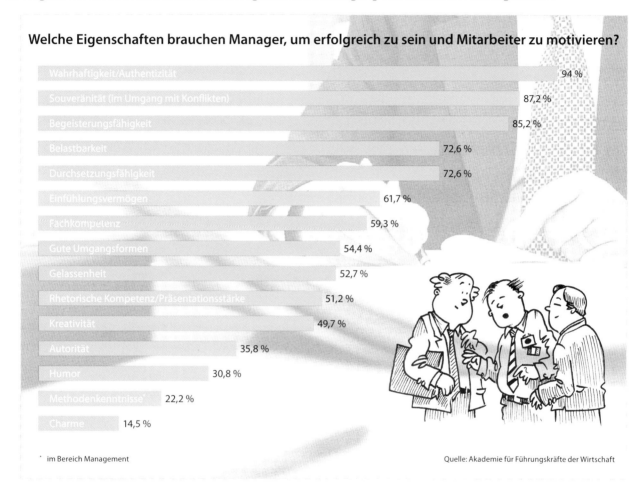

Welche Eigenschaften brauchen Manager, um erfolgreich zu sein und Mitarbeiter zu motivieren?

Eigenschaft	Prozent
Wahrhaftigkeit/Authentizität	94 %
Souveränität (im Umgang mit Konflikten)	87,2 %
Begeisterungsfähigkeit	85,2 %
Belastbarkeit	72,6 %
Durchsetzungsfähigkeit	72,6 %
Einfühlungsvermögen	61,7 %
Fachkompetenz	59,3 %
Gute Umgangsformen	54,4 %
Gelassenheit	52,7 %
Rhetorische Kompetenz/Präsentationsstärke	51,2 %
Kreativität	49,7 %
Autorität	35,8 %
Humor	30,8 %
Methodenkenntnisse*	22,2 %
Charme	14,5 %

* im Bereich Management

Quelle: Akademie für Führungskräfte der Wirtschaft

c) Beschreiben Sie die Grafik ausführlich und interpretieren Sie die Ergebnisse.

Redemittel

◇ … Prozent der Befragten gaben an, dass …

◇ … Prozent der Befragten glauben/meinen/sind der Meinung, dass …

◇ Angeführt wird die Liste von …

◇ Ganz vorn liegen/liegt …

◇ Von größter Bedeutung ist …

◇ Besonders gefragt ist …

◇ Bemerkenswert ist …

◇ Überrascht hat mich …

◇ Zu erwarten war, dass …

◇ Jemand, der (nicht) über … verfügt, ist (nicht) in der Lage …

A12 Eigenschaften im Berufsleben

a) Bilden Sie die zugehörigen Nomen. Nennen Sie auch den Artikel.

◇	perfekt	→	*der Perfektionismus*
1.	rechthaberisch	→	....
2.	sympathisch	→	....
3.	vertrauenswürdig	→	....
4.	teamfähig	→	....
5.	offen	→	....
6.	verträglich	→	....
7.	authentisch	→	....

8.	zuverlässig	→	....
9.	anpassungsfähig	→	....
10.	aufgeschlossen	→	....
11.	belastbar	→	....
12.	ehrlich	→	....
13.	gewissenhaft	→	....
14.	ehrgeizig	→	....
15.	kritikfähig	→	....

b) Bilden Sie aus den Nomen möglichst viele Komposita.

> Entscheidung ◇ Beobachtung ◇ Durchsetzung ◇
> Kosten ◇ Einschätzung ◇ Führung ◇ Leistung ◇
> Einsatz ◇ Auffassung ◇ Verantwortung ◇ Ergebnis

> Gabe ◇ Wille ◇ Kraft ◇ Vermögen ◇ Freude ◇
> Bereitschaft ◇ Kompetenz ◇ Bewusstsein ◇
> Orientierung

die Entscheidungsfreude, ...

....

....

....

Zusatzübungen zur Wortbildung der Nomen ⇨ Teil C Seite 88

*Es gibt drei Sorten von Menschen:
solche, die sich zu Tode sorgen;
solche, die sich zu Tode arbeiten;
und solche, die sich zu Tode langweilen.*
Winston Churchill

A13 Interview
Stellen Sie zwei Kursteilnehmerinnen/Kursteilnehmern die folgenden
Fragen zum Thema *Stärken und Schwächen*. Berichten Sie anschließend.

	Name	**Name** ....
Was würden Sie im Allgemeinen als menschliche Stärken bezeichnen?		
Was sind Ihre eigenen Stärken?		
Was sind Ihrer Meinung nach menschliche Schwächen?		
Welche Schwäche würde Sie (im privaten oder beruflichen Umfeld) am meisten stören?		
Mussten Sie im Bewerbungsgespräch schon einmal über Ihre Stärken und Schwächen sprechen? Welche haben Sie genannt?		

Häufig gestellte Fragen in Bewerbungsgesprächen

■ Im Vorstellungsgespräch punkten

Fakt ist, dass sich Personaler nicht darüber einig sind, was Persönlichkeit im Rahmen eines Vorstellungsgesprächs überhaupt bedeutet. Die einen tippen auf „Sympathie, Vertrauenswürdigkeit, Teamfähigkeit", die anderen fragen nach „Eigenschaften, Hobbys, Vorlieben", wieder andere nach „Offenheit, Verträglichkeit, Gewissenhaftigkeit". Doch unabhängig davon, welche Fragen gestellt werden – in einem Vorstellungsgespräch wird immer eine Art Milieucheck vorgenommen. Die Kriterien für diesen Abgleich sind sehr simpel: Der Auftritt des Bewerbers muss zum Unternehmen passen. Authentisch und locker zu sein, das wirkt nur im ersten Augenblick überzeugend. Entscheidend ist die Reaktion auf die gestellten Fragen, denn jede Frage hat einen Hintergrund – und eine bestmögliche Antwort. Hier finden Sie Tipps zu einigen Lieblingsfragen von Personalchefs:

1

„Würden Sie sich bitte kurz vorstellen?"

Der Job-Interviewer will Sie als Menschen kennenlernen. Eine Selbstpräsentation verrät viel darüber, wie ein Bewerber sich selbst einschätzt. Und es ist ein Test Ihrer Souveränität: Sind Sie in der Lage, die wichtigsten Fakten zu Ihrer Person und Ihrer beruflichen Qualifikation vollständig, gut verständlich und knapp zusammenzufassen? Bereiten Sie sich auf diese Frage gut vor. Fangen Sie mit der beruflichen Seite an und erwähnen Sie erst später – wenn überhaupt – etwas aus Ihrem Privatleben.

2

„Warum haben Sie sich ausgerechnet bei uns beworben?"

Die Frage nach der Motivation ist fester Bestandteil jedes Bewerbungsgesprächs. Machen Sie deutlich, dass Sie sich ausführlich mit dem Unternehmen beschäftigt haben, die Produkte und Neuheiten kennen und dass Sie unbedingt und gern dort arbeiten möchten. Beschreiben Sie Ihre bisherigen Joberfahrungen und Ihre Ausbildung als Vorbereitung für genau diese Stelle.

3

„Was sind Ihre größten Stärken und Schwächen?"

Beginnen Sie selbstbewusst mit Ihren Stärken und geben Sie dafür konkrete Beispiele. Hinter der Frage nach den Schwächen verbirgt sich eigentlich die Frage: „Wie ehrlich und selbstkritisch ist der Kandidat?" Hier geht es nicht um die einzigartige, geniale Antwort, sondern darum, wie glaubwürdig und überzeugend der Bewerber ist. Hält sich der Kandidat für einen Alleskönner und antwortet nur mit Worthülsen, dann kommt er eher nicht in Frage. Kann er sich selbst und seine Arbeitsleistung realistisch einschätzen, dann steigen die Chancen. Allerdings ist es sinnvoll, Schwächen zu benennen, die mit den Anforderungen für die ausgeschriebene Stelle wenig zu tun haben.

4

„Warum sollten wir gerade Sie einstellen?"

Lassen Sie sich durch die etwas provokante Frage nicht aus der Ruhe bringen. Bleiben Sie innerlich bei der Überzeugung, dass Sie auf die ausgeschriebene Stelle genau passen und die richtigen Fähigkeiten mitbringen. In Ihrer Antwort sollten Sie bisher gewonnene Erfahrungen mit den Anforderungen des Jobs geschickt verknüpfen: „Sie brauchen dieses – das habe ich in jenem Job gelernt und erfolgreich umgesetzt, indem ich dieses und jenes Projekt betreut habe." Sollten Sie in einem Bereich noch keine Erfahrung mitbringen, bekunden Sie Ihr Interesse an einer Weiterbildung.

a) Formulieren Sie anhand des Textes Tipps für ein Vorstellungsgespräch.

Redemittel

◇ Sie sollten/Man sollte (auf jeden Fall/auf keinen Fall/situationsbedingt) …

◇ Ich empfehle/rate Ihnen …/Es ist empfehlenswert/ratsam …

◇ Es ist sicherlich/wahrscheinlich sinnvoll, wenn man …

◇ Ich würde in dieser Situation …

◇ Nach meinen Erfahrungen steigen die Chancen, wenn man …

b) Welche Fragen gehören noch zu den Standardfragen in Bewerbungsgesprächen? Sammeln Sie Beispiele und nennen Sie die Ihrer Meinung nach bestmöglichen Reaktionen.

A15 Perfekt sein – oder nicht?

a) Diskutieren Sie.

◊   Ist Perfektionismus Ihrer Meinung nach eine Stärke oder eine Schwäche?

◊   Was sind die positiven Seiten am Perfektionismus, was die negativen?

b) „Der Perfektionist ist das perfekte Arbeitstier."   **6**
Sie hören ein Interview mit der Autorin Simone Janson.
Entscheiden Sie, ob die folgenden Aussagen mit dem Inhalt des Interviews übereinstimmen oder nicht.

		ja	nein
1.	Perfektionisten stellen hohe Anforderungen an sich selbst und andere.	☐	☐
2.	Sie haben große Versagensängste.	☐	☐
3.	Perfektionisten fallen durch ihren Fleiß positiv auf.	☐	☐
4.	Sie haben sehr gute Chancen, Karriere zu machen.	☐	☐
5.	Kritik bewirkt bei Perfektionisten, dass sie noch mehr und besser arbeiten wollen.	☐	☐
6.	Wer mit den eigenen Fehlern leben kann, ist entspannter und erfolgreicher.	☐	☐

A16 Ersetzen Sie die unterstrichenen Wörter durch passende Nomen und nehmen Sie notwendige Umformungen vor. Achten Sie auch auf die in Klammern vorgegebenen Verben.

◊   Perfektionisten versuchen, <u>vollkommen</u> zu sein, weil sie Angst haben zu <u>versagen</u>. *(suchen)*
Perfektionisten suchen die Vollkommenheit, weil sie Angst vor dem Versagen haben.

1. Darum <u>fordern</u> sie viel von sich und ihren Kollegen. *(stellen)*

    ....

2. Außerdem sind Perfektionisten <u>rechthaberisch</u> und <u>kritisieren</u> andere. *(neigen – üben)*

    ....

3. Aber wer dauerhaft <u>belastet</u> ist, kann bald nicht mehr alles <u>leisten</u>. *(sich aussetzen – erbringen)*

    ....

4. Während sich der Perfektionist <u>anstrengt</u>, um <u>gelobt</u> zu werden, wird ein vermeintlich faulerer Kollege befördert. *(unternehmen – ernten)*

    ....

5. Das <u>frustriert</u> den Perfektionisten. *(führen)*

    ....

6. Natürlich ist Perfektionismus in der Persönlichkeit <u>angelegt</u>. *(es gibt)*

    ....

7. Aber auch Vorgesetzte <u>tragen</u> zur Verschärfung des Drucks <u>bei</u>, den sich Perfektionisten selbst machen. *(leisten)*

    ....

8. Ist der Erfolgsdruck im Unternehmen groß, <u>steigen</u> auch die Erwartungen an die Mitarbeiter. *(kommen)*

    ....

9. Kurzfristig <u>wirkt</u> Stress stimulierend, denn der Körper schüttet Hormone aus, die unsere Leistungsfähigkeit positiv beeinflussen. *(haben)*

    ....

10. Dauerstress <u>kehrt</u> die Wirkung jedoch <u>um</u>: Die Leistung sinkt. *(nach sich ziehen)*

    ....

11. Es geht darum, die Einstellung zur Arbeit zu <u>ändern</u>. *(erzielen)*

    ....

12. Wer nicht 100, sondern nur 80 Prozent gibt, <u>arbeitet effizienter</u>. *(erhöhen)*

    ....

Zusatzübungen zu Nomen-Verb-Verbindungen ⇨ Teil C Seite 85

Reaktion auf eine Fernsehsendung

Sie haben im Fernsehen eine Sendung zum Thema *Umgang mit den eigenen Fehlern* gesehen. Schreiben Sie eine ausführliche E-Mail an die Redaktion, in der Sie sich auf die drei folgenden Meinungen bzw. Zitate aus der Sendung beziehen.

1
Man sollte mit Fehlern produktiv umgehen und sie als Lerngelegenheit und Orientierungshilfe verstehen.

2
Das Schlimmste ist nicht, Fehler zu haben. Auch sie nicht zu bekämpfen, ist noch nicht schlimm. Schlimm ist, sie zu verstecken. (Bertolt Brecht)

3
Immer alles perfekt zu machen und Fehler um jeden Preis zu vermeiden – dieser Anspruch ist riskant: Er kostet überdurchschnittlich viel Zeit und Energie und führt zu ineffizientem Arbeiten.

Schreiben Sie zu dem angegebenen Thema einen zusammenhängenden und gegliederten Text. Gehen Sie auf die angegebenen Aussagen ein und äußern Sie Ihre Meinung. Begründen Sie Ihre Argumente und nennen Sie Beispiele. Achten Sie auf eine angemessene Wortwahl und variantenreiche Satz- und Textverknüpfungen.

 Lesen Sie die folgende Kurzgeschichte von *Horst Evers*.
Wie würden Sie den Charakter des Ich-Erzählers beschreiben?

■ Die amtliche Führungspersönlichkeit

Samstagmorgen. Sitze im Café vor einem dieser Psychotests aus einer Zeitschrift: „Sind Sie eine echte Führungspersönlichkeit?"
5 Bin leider erst bis Frage 3 gekommen: „Fällt es Ihnen manchmal schwer, Entscheidungen zu treffen? A: Ja, immer; B: Häufig; C: Selten; D: Nein, nie."
10 Bppphhh … keine Ahnung, seit gut einer halben Stunde denke ich da jetzt schon darüber nach. Diese Psychotests können manchmal ganz schön knifflig sein. Obwohl,
15 also wenn ich jetzt wirklich mal ganz ehrlich bin, eigentlich ist es ja doch relativ einfach. Kreuze Antwort D, also „Nein, nie" an. Gott sei Dank, denn ohne die Punkte für
20 diese Frage wäre es wahrscheinlich ziemlich schwierig geworden, noch die höchste Kategorie „Ja, Sie sind eine geborene Führungspersönlichkeit" zu erreichen.
25 Ich bin ziemlich gut in solchen Psychotests. Ich erreiche praktisch immer die höchste Kategorie. Kürzlich dachte ich deshalb tatsächlich mal, wie es ei-
30 gentlich sein kann, dass jemand wie ich, der laut diesen Tests, also quasi amtlich, eine geborene Führungspersönlichkeit, ein guter Menschenkenner, ein zielstre-
35 biger Charakter und ein Siegertyp ist, dass so jemand ein derartiges Chaos in seinen Sachen hat, ständig zu spät kommt, ziemlich häufig verliert und jeden zweiten Ter-

40 min verpennt. Ehe jetzt irgendwer irgendwelche Schlaumeiertheorien[1] aufstellt, möchte ich gleich hinzufügen, ich habe auch einen Psychotest, der eindeutig beweist,
45 dass ich sehr, sehr ehrlich zu mir selbst bin, und einen weiteren Test, der mir darüber hinaus eine extrem gute Selbstwahrnehmung bestätigt.
50 Also daran kann es schon mal nicht liegen. Bleibt eigentlich nur die echte, logische Erklärung: Das Ganze ist einfach Pech oder Zufall. Da kann man leider gar nichts
55 machen. Trotz herausragender Fähigkeiten kann es eben passieren, dass man ohne jede eigene Schuld ein permanentes Chaos anrichtet, für sich und andere. Aber immer
60 gut zu wissen, dass dies sozusagen höhere Gewalt ist.
Die Kellnerin fragt, ob ich noch einen Kaffee oder irgendwas anderes möchte. Sage: Puuh, weiß
65 ich jetzt auch nicht, sie soll entscheiden.
Zwei Minuten später bringt sie mir lächelnd einen Sekt. Super, ich glaube, sie mag mich, denn im-
70 merhin hätte sie mir ja auch einen Salbeitee oder eine Sprite bringen können, also irgendwas Ekliges eben. Aber weil sie mich mag, hat sie mir einen Sekt gebracht. Ich
75 hätte niemals bemerkt, wie sympathisch ich ihr bin, wenn ich einfach selbstherrlich etwas bestellt hätte. Da habe ich wieder klug gehandelt.

Ich habe zwar überhaupt
80 keine Lust auf Sekt, und er schmeckt auch leider fast so wie Sprite, aber egal, Hauptsache, sie mag mich. Außer-
85 dem habe ich ja auch etwas zu feiern, immerhin konnte ich durch den Test erfahren, dass ich eine echte Führungspersönlichkeit
90 bin. Aber hallo, ich habe wieder eine Top-Punktzahl erreicht, speziell, weil ich mit der letzten Frage „Wer bestimmt in Ihrem Leben die Richtung? Antwort A: Allein ich"
95 nochmal volle acht Punkte einfahren konnte.
Ich finde diese Psychotests einfach großartig. Man erfährt so viel über sich selbst, und gleichzei-
100 tig erfährt man auch noch, wie eigentlich die Selbstkontrolle der Finanzmärkte und großen Wirtschaftskonzerne funktioniert. Die arbeiten in puncto Selbstkontrolle
105 nämlich nach demselben Prinzip wie ich mit meinen Psychotests. Daher muss man dort auch immer so enorme Gehälter zahlen, um die Top-Leute halten zu können.
110 Und wer jetzt sagt, das ist aber eine ziemlich plumpe Moral am Textende, dem sag ich gleich, ich habe auch einen Psychotest, der eindeutig nachweist, dass ich
115 überhaupt nicht zum Moralisieren oder zum Klugscheißen[2] neige. Also bitte.

[1] Schlaumeier: jemand, der schlau bzw. klug ist (umgangssprachlich)
[2] klugscheißen: etwas besserwisserisch kommentieren (umgangssprachlich, abwertend)

Macht

 Was bedeutet *Macht*?

a) Was haben diese Fotos mit *Macht* zu tun?
Wählen Sie ein Foto aus und beschreiben Sie es.

b) Entscheiden Sie sich für einen Bereich von Macht (Macht im Büro, Macht des Gel-
des, Macht in der Politik o. ä.) und äußern Sie sich schriftlich dazu. Schreiben Sie
ca. 250 Wörter.

 Wortschatz

a) Welche Verben passen zu *Macht*? Ergänzen Sie.

haben

Macht

b) Finden Sie so viele Komposita wie möglich.

Wirtschafts-

Macht-

-macht

c) Was kann *Macht* bedeuten? Interpretieren Sie *Macht* und suchen Sie verschiedene Synonyme.

Ansehen,

A21 Diskussion: Der Einfluss von Macht
Sie sind zu einer Gesprächsrunde im Radio eingeladen. Diskutieren Sie mit Ihrer Gesprächspartnerin/Ihrem Gesprächspartner über das Thema *Welchen Einfluss hat Macht auf den Menschen?*

Aussage 1:   Ein guter Mensch kann mit Macht auch gut umgehen und sie sinnvoll einsetzen.

Aussage 2:   Macht korrumpiert jeden und verändert den Charakter.

Zum Ablauf der Diskussion

◊ Diskutieren Sie zu zweit: Eine Person vertritt Aussage 1, die andere Aussage 2.

◊ Versuchen Sie, Ihre Gesprächspartnerin/Ihren Gesprächspartner von Ihren Argumenten zu überzeugen.

◊ Verteidigen Sie Ihre Position und geben Sie Beispiele.

◊ Gehen Sie auf die Argumente Ihrer Gesprächspartnerin/Ihres Gesprächspartners ein.

A22

■ Was Macht aus uns macht

Gib einem Menschen Macht und du erkennst seinen wahren Charakter, lautet ein geläufiges Sprichwort. Falsch, sagen
5 Psychologen. Nicht der wahre Charakter wird dann sichtbar, sondern ein neuer. Macht verändert unweigerlich – zum Guten oder zum Schlechten, leider meist
10 zum Schlechten, formuliert der amerikanische Psychologe Philip Zimbardo eine These zum Thema Macht.

Auch deutsche Psychologen
15 stützen diese Meinung. „Machtbeziehungen gibt es überall, in jedem sozialen Gefüge", sagt Erich Witte, Professor für Sozialpsychologie an der Universität Ham-
20 burg. „Und nur in den seltensten Fällen kann jemand Machtmissbrauch widerstehen." Wenn ein Mensch erst einmal Macht bekomme, falle es äußerst schwer,
25 sie nicht zum eigenen Vorteil einzusetzen. Egal, wie freundlich und hilfsbereit die Person vorher gewesen sei. Es handele sich dabei um einen evolutionär begrün-
30 deten Mechanismus, der automatisch ablaufe, wenn man nicht bewusst dagegen ankämpfe, meint Witte. Und genau dieses Ankämpfen scheint für viele Machthaben-
35 de unmöglich zu sein.

Psychologen sprechen oft von dem „Paradoxon der Macht": Gewöhnlich erhält niemand Macht, weil er unfreundlich, despotisch
40 und rücksichtslos ist. Im Gegenteil: Es steigen besonders die Kol-legen leicht auf, die beliebt sind. Anstatt hilfsbereit, ehrlich und offen zu bleiben, werden sie nach
45 der Beförderung plötzlich herrisch und unzugänglich. Sachliche Kritik wird dann nicht mehr als potenziell konstruktiv empfunden, sondern als böswilliger
50 Versuch einer Demontage. Fähige Mitarbeiter werden als Konkurrenten identifiziert und abgesägt, um den Olymp der eigenen Macht zu sichern. Teure Geschäftsessen,
55 Sekretärinnen, der Oberklassewagen und ein großes Büro – der Machthabende grenzt sich zunehmend von seinen Mitarbeitern ab. Besonders effektiv sind dabei lan-
60 ge Wartezeiten. Unkompliziert an Termine mit dem Chef kommen dann nur noch Personen, die dieser zu seinem inneren Zirkel zählt und die seine Macht stützen.

65 Solche Verhaltensmuster tragen pathologische Züge. Der Psychologe Dacher Keltner von der Universität Berkeley hat herausgefunden, dass Menschen mit
70 Macht sich tendenziell wie Menschen mit einem Hirnschaden benehmen. „Man kann Machterfahrung als einen Vorgang beschreiben, bei dem jemand einem den
75 Schädel öffnet und den Teil rausnimmt, der besonders wichtig für Empathie und sozial angemessenes Verhalten ist", sagt er.

Michael Paschen von der Per-
80 sonalberatung „Profil M" sieht zunächst nichts Verwerfliches darin, Macht ausüben zu wollen. „Denn Macht bedeutet Freiheit." Dass Macht den Charakter verändere,
85 findet er nicht grundsätzlich bedenklich. So wirke schließlich jede andere einschneidende Erfahrung auch. „Macht ist wichtig, wenn man etwas verwirklichen
90 will, das über die eigene Kraft hinausreicht", sagt Paschen. „Wenn man Ziele verfolgt, für die man Kräfte bündeln muss. Ohne Macht wäre auf der Erde noch nichts Be-
95 deutendes geschaffen worden." Eine gute Führungskraft müsse deshalb geradezu zwingend über eine milde Form von Narzissmus verfügen. „Sie müssen Ih-
100 re Wahrheiten gegen andere verteidigen können. Wie wollen Sie sonst neue Produktideen umsetzen oder Strukturreformen erfolgreich einführen, wenn Sie ständig
105 zweifeln und angreifbar sind?" Ein Problem werde diese Art der Selbstverliebtheit erst dann, wenn sie überhandnehme. Führungskräfte seien ja nicht in ihren Po-
110 sitionen, weil sie Genies sind, argumentiert Paschen, sondern weil sie eine Rolle spielen. „Aber das vergessen sie leider, wenn ihnen die Macht zu Kopf steigt. Es geht
115 dann nicht mehr darum, das Unternehmen voranzubringen, sondern nur noch um die eigenen Ideen, die eigene Karriere". Ein guter Vorgesetzter suche die eigenen
120 Schwachstellen, dafür sei jedoch Distanz zur eigenen Person nötig. Und genau die hätten viele Machthabende verloren.

a) Welche Meinung zum Thema *Macht* haben die folgenden Personen? Berichten Sie mit eigenen Worten.

Philip Zimbardo: ....

....

Erich Witte: ....

....

Dacher Keltner: ....

....

Michael Paschen: ....

....

b) Ergänzen Sie die fehlenden Verben in der richtigen Form.

■ Machtbeziehungen *gibt* (0) es in jedem sozialen Gefüge. Und nur in den seltensten Fällen kann jemand dem Machtmissbrauch .... (1). Wenn ein Mensch Macht .... (2), ... (3) es

5 ihm äußerst schwer, sie nicht zum eigenen Vorteil .... (4). Es .... (5) sich hierbei um einen evolutionär begründeten Mechanismus, der automatisch .... (6), wenn man nicht bewusst dagegen .... (7).

10 Gewöhnlich .... (8) niemand zu Macht, weil er sich despotisch und rücksichtslos .... (9). Im Gegenteil: Die besonders beliebten Kollegen .... (10) am leichtesten Karriere. Anstatt hilfsbereit, ehrlich und offen .... (11),

15 .... (12) sie sich nach der Beförderung zu herrischen Menschen. Der Machtmensch .... (13) sachliche Kritik nicht mehr als konstruktiv, sondern als böswillig. Er .... (14) fähige Mitarbeiter als Konkurrenten und

20 .... (15) sogar, sie loszuwerden. Damit .... (16) er seine eigene Macht. Am liebsten .... (17) er sich mit Personen, die seine Macht stützen. Nach Meinung des Psychologen Dacher Keltner .... (18) sich Menschen mit

25 Macht tendenziell wie Menschen mit einem Hirnschaden. Sie .... (19) über zu wenig Empathie.

(A23) Macht und Fairness

Bilden Sie aus den vorgegebenen Wörtern Sätze. Achten Sie auf den richtigen Kasus, fehlende Präpositionen und die in Klammern gegebenen Hinweise.

◇ Machtpositionen – Betriebe – Positionsbezeichnungen und Firmenorganigramme – kennzeichnen *(Passiv Präsens)*

Machtpositionen in Betrieben werden durch Positionsbezeichnungen und Firmenorganigramme gekennzeichnet.

1. wer – Organigramm – weit oben – stehen, – Macht – ausüben können *(Präsens)*

....

2. amerikanische Wissenschaftlicher – nun – das Verhältnis – Fairness und Macht – untersuchen – und – sich widersprechende Ergebnisse – kommen *(Perfekt)*

....

3. ein Resultat – Untersuchungen – sein *(Präteritum)*, – dass – Beförderungen – Machtbewusstsein – eine wichtigere Rolle – als Fairness – spielen *(Präsens)*

....

4. faire Führungskräfte – zu sanft – und – weniger mächtig – gelten *(Präsens)*

....

5. allerdings – die Studien – auch – belegen *(Präsens)*, – dass – gravierende Änderungen – Unternehmen – nur dann – erfolgreich – umsetzen können *(Passiv Präsens)*, – wenn – sie – fair – ablaufen *(Präsens)*

....

6. ein moderner Führungsstil – nicht – Befehl und Gehorsam, – sondern – Fairness und Transparenz – beruhen *(Präsens)*

....

A24 Machtspiele im Büro

■ Wer sich richtig anstrengt, <u>ist</u> auch irgendwann mal <u>erfolgreich</u> –   Erfolg
das wissen die meisten Menschen schon seit ihrer Kindheit.
Leider <u>trifft</u> diese Weisheit nicht auf alle Bereiche des Lebens <u>zu</u>.   stimmt
So mancher Arbeitnehmer <u>kommt</u> trotz hervorragender Arbeits-   Karriereleiter –
5 ergebnisse, trotz Einsatzbereitschaft und guter Ideen <u>beruflich nicht weiter</u>.   stecken bleibt
Selbst bei denjenigen, die <u>das Potenzial</u> zur Führungskraft <u>haben</u>,   geeignet
stagniert plötzlich der berufliche Aufstieg. Den Grund dafür <u>sehen Wissen-</u>   Meinung von
<u>schaftler</u> im mikropolitischen Verhalten, d. h. in der Anwendung mikropoli-   Wissenschaftlern
tischer Strategien wie Lobbyismus, Netzwerken, Selbstdarstellung, gezielter
10 Informationskontrolle und Anbiederei.
Viele Arbeitnehmer <u>beherrschen</u> die Strategien, die sie zum Erreichen ihrer   Beherrschung
beruflichen Ziele brauchen, <u>nur unzureichend</u>. In einer Befragung gaben die   Defizite
meisten Führungskräfte zu, mikropolitische Techniken gezielt <u>eingesetzt zu</u>   Einsatz
<u>haben</u>. <u>Mit der Bildung tragfähiger Koalitionen, dem Ausüben psychologi-</u>   indem
15 <u>schen Drucks und der Einschüchterung potenzieller Konkurrenten</u> erkämpf-
ten sie sich den Weg nach oben.
Karriereberater empfehlen deshalb aufstiegswilligen Arbeitnehmern, ihr
Arbeitsumfeld als „Arena für politische Spiele" zu betrachten und sich   nicht mehr
<u>von der Konzentration</u> auf die eigene Arbeitsleistung <u>zu lösen</u>.   konzentrieren
20 Dabei <u>muss man</u> die Spielregeln im Unternehmen genau beobachten,   notwendig
sich selbst klug in Szene setzen, nützliche Allianzen schmieden
und immer wieder Signale der Aufstiegsbereitschaft aussenden.

a) Geben Sie den Inhalt des Textes wieder und sagen Sie Ihre Meinung dazu.

b) Formen Sie den Text um, indem Sie die auf der rechten Seite
angegebenen Wörter unverändert in den Text einarbeiten.
Nehmen Sie alle notwendigen Umformungen vor.

Redemittel

◇ weil ◇ deshalb ◇ denn ◇ aufgrund
◇ Die Ursache liegt in … ◇ wenn … dann
◇ folglich ◇ Die Folge ist … ◇ demzufolge

c) Warum kommen manche Menschen im Berufsleben weiter als
andere? Bilden Sie mindestens fünf Sätze. Verwenden Sie dabei
verschiedene Redemittel für die Angabe von Gründen und Folgen.

A25 Eine der wichtigsten Eigenschaften einer Führungskraft …
Lösen Sie das Rätsel. Die Buchstaben in den farbigen Kästchen ergeben das Lösungswort.

◇   Gegenteil von Schwäche

1.   ehrliche und interessierte
      Wesensart

2.   Zusammengehörigkeits-
      gefühl

3.   Gefallen, Zuneigung

4.   Aufrichtigkeit, Wahrhaf-
      tigkeit

5.   Das wird von allen Mitar-
      beitern erwartet.

6.   das Gegenteil von Ärger

7.   eine mit einer bestimm-
      ten Aufgabe verbundene
      Verpflichtung

8.   Aufgeschlossenheit
      gegenüber anderen

◇   S T Ä R K E
1.
2.
3.
4.
5.
6.
7.
8.

Zusatzübungen und Tipps zur Prüfungsvorbereitung

B1 Modul Lesen, Aufgabe 4

Sie haben Betriebswirtschaftslehre (BWL) studiert und bereits ein paar Jahre Berufserfahrung gesammelt. Sie interessieren sich jetzt für eine Tätigkeit als Führungskraft. Verschaffen Sie sich einen kurzen Überblick über die vier Angebote. Zu welcher Anzeige passen die angegebenen Aussagen? Es gibt nur eine richtige Lösung für jede Aufgabe. Sie haben zehn Minuten Zeit.

◇ **A** Bewerber brauchen für die Stelle Fachkenntnisse im Finanz- und Rechnungswesen.

1. .... Die Stelle ist ab sofort zu besetzen.

2. .... Die Firma legt großen Wert auf Führungsqualitäten des Bewerbers.

3. .... Führungserfahrung gehört zu den Voraussetzungen für Bewerber.

4. .... Bewerber sollen im Bewerbungsschreiben angeben, wie viel Gehalt sie haben möchten.

5. .... Für die Stelle braucht man keine Arbeitserfahrung.

6. .... Die Stelle erfordert die Beherrschung von drei Sprachen (inkl. Deutsch und Englisch).

7. .... Das Unternehmen betont in der Anzeige seinen besonderen hierarchischen Aufbau.

8. .... Der künftige Stelleninhaber ist u. a. für die Organisation von Tagungen und Besprechungen zuständig.

Anzeige A

Die Alternative Energy Unternehmensgruppe (AEU) entwickelt, errichtet, betreibt und vermarktet Windpark- und Solarprojekte in Deutschland und den Niederlanden. In unseren Kernmärkten avancierte unser Unternehmen sehr schnell zum gefragten Spezialisten bei der Entwicklung und Realisierung von Windenergieprojekten. Zur professionellen Unterstützung unseres Unternehmenswachstums suchen wir zum 1. August einen

Kaufmännischen Leiter (m/w)

Hauptsächlich besteht Ihre Aufgabe in der strukturellen, strategischen und kaufmännischen Betreuung unserer Projekte im Bereich Windenergie.

In dieser Tätigkeit am Standort Aachen umfassen Ihre Aufgaben:
- Strukturierung und Führung der kaufmännischen Abteilungen in Deutschland und den Niederlanden
- konzernweite Unternehmens- und Liquiditätsplanung
- Weiterentwicklung des Berichtswesens
- Erstellung von Investitions-, Kosten- und Finanzierungsplänen für Wind- und Solarprojektentwicklung
- Strukturierung der Projektfinanzierungen
- Verhandlungen mit Geschäftspartnern und Banken
- Wirtschaftlichkeitsanalysen

Sie bieten:
- ein abgeschlossenes Hochschulstudium im Bereich Betriebswirtschaftslehre bzw. Wirtschaftswissenschaften oder eine vergleichbare Qualifikation
- Fachkenntnisse im Rechnungswesen und in der Bilanzierung
- Erfahrung bei der Finanzierung von langfristigen Investitionen
- verhandlungssichere Englischkenntnisse (Niederländischkenntnisse von Vorteil)
- Organisationsgeschick sowie ausgeprägte Kommunikations- und Präsentationsfähigkeiten

Wir bieten:
- ein hoch motiviertes Team mit Spaß an der täglichen Arbeit
- Raum für Ihre persönlichen Ideen und Ihre persönliche Entwicklung
- ein überdurchschnittliches Gehalt mit der Möglichkeit, langfristig vom dynamischen Wachstum unserer Unternehmensgruppe zu profitieren
- tatkräftige Mitwirkung am Ausbau von Zukunftstechnologien für eine bessere Umwelt

Ihre aussagefähigen Bewerbungsunterlagen mit Angabe Ihrer Gehaltsvorstellung senden Sie bitte an *a.rummel@alternative-energy.de*.

Anzeige B

Wir sind ein inhabergeführtes finnisches Unternehmen für Holzbearbeitungsprodukte. Mit unseren flexiblen und individuellen Lösungen haben wir uns einen ausgezeichneten Ruf erarbeitet. Inzwischen sind unsere Produkte in mehr als 50 Ländern der Welt zu finden und werden sowohl von privaten als auch professionellen Nutzern aufgrund der Qualität und eines optimalen Preis-Leistungs-Verhältnisses geschätzt. Tief verwurzelt in der nordischen Kultur stehen wir für Tradition und Pioniergeist.

Für unsere deutsche Tochtergesellschaft am Standort Berlin suchen wir ab 1. Januar eine engagierte und menschlich überzeugende Persönlichkeit (m/w) als

Sales Manager (m/w)
mit Führungsverantwortung

Die Aufgaben:
- Sie führen das bestehende Team und arbeiten eng mit dem lokalen Geschäftsführer und der finnischen Zentrale zusammen.
- Sie erarbeiten strukturiert Maßnahmen zur Vertriebsstrategie und Vermarktung der Produkte und überwachen diese regelmäßig.
- Die sorgfältige Analyse von bestehenden Prozessen gehört ebenso zu Ihren Aufgaben wie deren kontinuierliche Verbesserung und zielgerichtetes Vertriebscontrolling.
- Gemeinsam mit der finnischen Zentrale implementieren Sie einheitliche Vertriebstools und tragen zum zukünftigen Wachstum der Organisation bei.
- Abgerundet wird Ihr Tätigkeitsbereich durch die Mitarbeit bei Marketingaufgaben gemeinsam mit der Geschäftsführung und die Organisation und Evaluation der Messeauftritte im deutschsprachigen Raum.

Die Anforderungen:
- Basierend auf einem abgeschlossenen BWL-Studium verfügen Sie über mehrjährige Erfahrung im Vertrieb.
- Sie haben Ihre Erfahrung im Innen- oder Außendienst eines technisch orientierten Unternehmens erworben.
- Besonders die Fähigkeit zur Verbesserung von bestehenden Prozessen und Kompetenzen im Bereich *Aktives Veränderungsmanagement* zählen Sie zu Ihren Stärken.
- Sie sind es gewohnt, im internationalen Umfeld zu arbeiten und sprechen fließend Deutsch, gutes Englisch sowie Finnisch oder Schwedisch.

Das Angebot:
- Sie arbeiten in einem finnischen inhabergeführten Unternehmen mit flacher Hierarchie und einer kollegialen Atmosphäre.
- Es erwartet Sie eine anspruchsvolle Herausforderung in einem mittelständischen Umfeld, in dem Sie sich langfristig weiterentwickeln können.
- Sie werden Teil einer von Loyalität, Ehrlichkeit und Teamgeist geprägten Unternehmenskultur und erhalten ein angemessenes Vergütungspaket, das Ihrer Verantwortung gerecht wird.

Können wir Sie für diese Herausforderung begeistern?
Dann freuen wir uns auf Ihre aussagekräftigen Bewerbungsunterlagen per E-Mail an *m.korhonen@woodpeek.com*.

Anzeige C

JEDER NEUANFANG IST EIN ABENTEUER.

Für den Standort München suchen wir Sie als

Assistent der Geschäftsführung (m/w)

Wenn Sie Neuland betreten möchten, erwartet Sie bei einem Spezialisten für individuelle Distributionslösungen eine Karriere voller Chancen und spannender Herausforderungen.
Als Unternehmen der TRANSIO-Unternehmensgruppe sind wir täglich mit rund 2 000 Fahrzeugen für unsere Kunden in ganz Europa unterwegs und sorgen für einen schnellen, verlässlichen Lieferservice. Mit unseren Dienstleistungen unterstützen wir Unternehmen der Pharmabranche, der optischen Industrie, der Ersatzteilversorgung in der Verbrauchs- und Investitionsgüterindustrie.

Ihre Aufgaben
Sie finden für die Geschäftsführung schnelle und unkomplizierte Lösungen aller operativer Aufgaben im Tagesgeschäft. Weiterhin sind Sie zuständig für das Reporting, für Statistiken und Kostenanalysen. Sie erstellen Präsentationen und übernehmen die Vor- und Nachbereitung von Tagungen und Sitzungen. Dabei helfen Ihnen unter anderem Ihre abgeschlossene kaufmännische Berufsausbildung und Ihr betriebswirtschaftliches Studium mit Schwerpunkt Controlling bzw. Logistik/Transport. Weiterhin verfügen Sie über sehr gute Englischkenntnisse, ggf. durch einen Auslandsaufenthalt vertieft, und über ein ausgeprägtes Zahlenverständnis.

Haben wir Ihr Interesse geweckt?
Dann erfahren Sie mehr unter
www.transio.eu.

Anzeige D

Unser Mandant – mit Sitz in Bayern – ist ein erfolgreiches Unternehmen im Bereich der Fenster- und Türenindustrie. Mit 120 engagierten Mitarbeitern und Tochtergesellschaften im europäischen Ausland unterstützt unser Mandant seine Kunden seit Jahrzehnten als kompetenter Partner und Zulieferer.
Im Zuge einer Nachfolgeregelung suchen wir zeitnah einen

Gesamt-Geschäftsführer m/w
(Schwerpunkt: Marketing/Vertrieb)

Ihre Aufgaben:

- gesamtverantwortliche Leitung des Unternehmens sowie der Tochtergesellschaften
- stabile Fortführung und Ausbau der vorhandenen Kundenbeziehungen (national und international)
- Budget-, Marketing- und Vertriebsplanung sowie deren Überwachung und Steuerung
- permanente Markt- und Wettbewerbsanalyse und daraus resultierende Ableitungen für strategische und operative Frage- und Weichenstellungen

Unsere Anforderungen:

- Wirtschaftsingenieur oder Betriebswirt mit technischem Verständnis
- mehrjährige Führungserfahrung in einem Unternehmen der Fenster- und Türenbranche
- mehrjährige Erfahrung in Marketing und Vertrieb
- eigenverantwortliches, unternehmerisches und ergebnisorientiertes Handeln
- Kommunikations-, Argumentations- und Führungsstärke
- sicheres Englisch in Wort und Schrift

Das Angebot: Wenn Sie umfassende Führungsverantwortung mit einem hohen Maß an Erfolg verbinden wollen, dann bieten wir Ihnen eine herausfordernde und verantwortungsvolle Aufgabe in einem führenden Unternehmen seiner Branche. Die Position ist ihrer Bedeutung entsprechend dotiert.

Fühlen Sie sich angesprochen? Dann erhalten Sie weitere ausführliche Informationen zu Position und Unternehmen von Herrn Konrad Müller *(k.müller@headhunting.munic.com)*.

(B2) Modul Lesen, Aufgabe 3

Die folgenden Textabschnitte fehlen in dem Text *Neid wird bei Familienfesten geboren*. Setzen Sie die Teile in den Text ein. Ein Textabschnitt ist bereits als Beispiel eingefügt. Ein Abschnitt passt nicht.

Textabschnitt A

Wenn das nicht der Fall ist, wir also den Kopf mit anderen Dingen voll haben, gestresst, müde oder alkoholisiert sind, reagieren wir ganz besonders neidisch. „Selbst so profane Dinge wie das bessere Dessert einer anderen Person konnten zu Neid führen, wenn unsere Untersuchungsteilnehmer Alkohol getrunken hatten", meint Jan Crusius.

Textabschnitt B

Bei dem anderen, eher destruktiven Verhalten, versuche der Neidische zum Beispiel, die begehrten Güter unbrauchbar zu machen oder zu vernichten.

Textabschnitt C

Der Kaffeeplausch mit Spekulatius verläuft recht harmonisch, bis die Kinder unterm Tisch anfangen, sich zu streiten. „Ich wollte auch ein Piratenschiff vom Weihnachtsmann haben, nicht so ein blödes Märchenbuch!" Und plötzlich wirft man auch selbst noch mal einen Blick auf die eigenen Geschenke und auf die der anderen. Welches hat am meisten gekostet? Warum haben manche zwei bekommen und man selbst nur eins?

Textabschnitt D

Schade eigentlich, denn den anderen geht es oft genauso. Das Jahresende bietet viele Möglichkeiten für Neid in seiner reinsten Form: das perfekt passende Weihnachtsgeschenk, das der Schwager der Schwester gemacht hat und das ihre tolle Beziehung widerspiegelt, auf die man ohnehin neidisch ist. Neid auf die Erfolge des Bruders im Job, auf seine teuren Urlaube und seine Kinder, die nie Ärger machen. Neid auf die Kochkünste des Vaters, der damit auch noch hausieren geht; Neid auf die Gelassenheit der Mutter, die darüber nur lacht.

Textabschnitt E

Auch wenn Geschenke sich nicht am reinen Geld-
wert bemessen lassen und man unterstellt, dass sie
wohl von Herzen kommen, muss die Frage nach
der Gerechtigkeit doch gestattet sein, oder? Denn
schließlich, so sagt die Wissenschaft, soll Schenken
dazu dienen, soziale Beziehungen zu festigen.

Textabschnitt F

Man kann ja auch die Menschen um die verschiedensten Dinge beneiden. Meine Spezialität war auf
diesem Feld, meine Freunde und Bekannten darum
zu beneiden, dass sie die großen Lebensentscheidun-
gen scheinbar so gelassen und klar fällten, während
ich manchmal jahrelang vor wichtigen Entscheidungen stand und es gerade mal schaffte, sie um einen
weiteren Monat nach hinten zu verschieben.

Textabschnitt G

Neben der Nähe ist auch die Relevanz der Vergleichsdimension entscheidend, also dass der Vorteil
des anderen auf einem Gebiet liegt, das einem selbst auch etwas bedeutet. „Ich beneide nicht Jus-
tin Timberlake um seine Gesangskünste, sondern meinen Nachbarn um sein tolles Auto oder meinen
Bruder um das große Weihnachtsgeschenk", sagt der Berliner Soziologe Christian Scheve.

■ Neid wird bei Familienfesten geboren

Familienfeste mit Geschenken und Prahlereien über
gelungene Pläne können jeden Menschen neidisch
werden lassen. Für Menschen als soziale Wesen ist das
Gefühl normal. Aber wozu ist es eigentlich gut?

5 Da sitzt man nun zusammen auf der Couch: Die
Weihnachtsbescherung ist längst vorbei, jetzt ist Fa-
milienzeit. Die Kerzen brennen und im Hintergrund
laufen die alljährlichen Weihnachtslieder.

◇ Textabschnitt: *C*

Jeder Deutsche gibt rund 214 Euro für Weihnachts-
10 geschenke aus, wie TNS Infratest bei einer Umfrage ermittelte. Im Schnitt beschenkt man dabei sechs
Personen mit acht Geschenken – ganz fair klingt das
nicht.

◇ Textabschnitt: .... (1)

Weihnachten bietet Raum für alle möglichen Gefüh-
15 le. Eines, das zwar häufig, aber sehr still und daher oft
unbemerkt auftritt, ist der Neid. Neid hat kein besonders gutes Image und gilt noch dazu als eine Sünde –
wenn man sich beim Fest der Liebe mit diesem Gefühl herumschlagen muss, behält man das deshalb lie-
20 ber für sich.

◇ Textabschnitt: .... (2)

Auf Verwandte, aber auch Partner und Freunde neidisch zu sein, ist nicht ungewöhnlich, sagt Jan Crusius, Sozialpsychologe an der Universität Köln. „Denn
Menschen im engsten Umkreis sind uns in vielen Din-
25 gen sehr ähnlich und haben ähnliche Ziele und Interessen. Außerdem begegnen wir ihnen oft und haben deshalb viele Gelegenheiten zum Vergleich." Der soziale
Vergleich ist die Grundlage für Neid, und eine gewisse Nähe sei dafür unabdingbar.

◇ Textabschnitt: .... (3)

30 Wenn ein ambitionierter Hobbymarathonläufer mit
scheinbarer Leichtigkeit von einem anderen Hobby-

läufer überholt wird, dann wird das bei ihm wahrscheinlich mehr Frustration auslösen, als wenn ein
Profisportler an ihm vorbeiliefe. Das wäre weniger be-
35 drohlich für die Selbstbewertung. Der Neid steigert
sich, wenn die Vergleichsperson einem besonders ähnlich und der Vergleich mit ihr dadurch aussagekräfti-
ger ist.

In Studien konnte nachgewiesen werden, dass sich
40 Menschen ständig automatisch und unbeabsichtigt
miteinander vergleichen. Sie versuchen aber, nicht
zielführende Vergleiche im Nachhinein gedanklich
wieder zu korrigieren. „Das klappt aber nur, wenn wir
geistig auf der Höhe sind", sagt er.

◇ Textabschnitt: .... (4)

45 Weil Neid so häufig auftritt, vermuteten viele Forscher, dass er durchaus eine motivierende Funktion
haben könnte – also anspornen kann, selbst das zu erreichen, worum man andere beneidet. Empirisch un-
termauern konnte das 2009 ein Team um Niels van
50 de Ven von der niederländischen Tilburg University.
Den Erkenntnissen der Wissenschaftler zufolge gibt es
zwei Handlungstendenzen, die mit dem Neidempfin-
den verbunden sind. Eine Tendenz ist das sogenannte
emulative Verhalten, bei dem der Neidende versucht,
55 durch eigene Kraft die begehrten Güter oder Eigenschaften zu erlangen.

◇ Textabschnitt: .... (5)

Auf das Beisammensein unterm Weihnachtsbaum
bezogen hofft man natürlich, dass die Familienmitglieder bei Anflügen von Neid eher die erste Strategie wäh-
60 len. Auch der Sozialpsychologe Crusius kann uns dies-
bezüglich beruhigen: „Vergleiche mit Menschen, die
uns sehr nahe stehen, können andere Konsequenzen haben als Vergleiche mit anderen Menschen." Es sei leichter, sich über die Erfolge geliebter Menschen zu freuen;
65 auch dann, wenn wir uns einen ähnlichen Erfolg selbst
gewünscht hätten. Vermutlich weil die gute Qualität
der Beziehung zu uns Nahestehenden einen gewissen
Schutz vor dem bedrohlichen Vergleich bietet.

B3 Modul Schreiben, Aufgabe 2 (allgemeines Thema)

Sie haben im Radio einen Beitrag zum Thema *Ist Neugier eine positive oder negative Eigenschaft?* gehört. Nach der Sendung wurden die Zuschauer um ihre Meinung gebeten. Schreiben Sie eine ausführliche E-Mail an die Redaktion (ca. 350 Wörter), in der Sie sich auf die drei folgenden Aussagen beziehen.

1. Interesse und Neugierde sind die Jungbrunnen des Alters. Neugier ist wichtig und man sollte sie sich ein Leben lang bewahren.

2. Die Neugier steht immer an erster Stelle eines Problems, das gelöst werden will. (Galileo Galilei)

3. Neugier ist der Katze Tod. (Sprichwort)

Nutzen Sie dazu die folgenden Tipps und Redemittel.

Tipps

◇ Ihre Aufgabe ist es, innerhalb von 60 Minuten einen zusammenhängenden, klar gegliederten Text zu verfassen.

◇ Überlegen Sie sich eine grobe Struktur und beginnen Sie so schnell wie möglich mit der Textproduktion. Verlieren Sie bei Ihren Vorüberlegungen nicht zu viel Zeit! Achten Sie aber darauf, dass Sie alle Aspekte der Aufgabenstellung bearbeiten.

◇ Gliedern Sie Ihren Aufsatz in Einleitung, Hauptteil und Schluss. In der Einleitung äußern Sie sich kurz zum Thema. Im Hauptteil gehen Sie auf die Aussagen ein, nennen Argumente, begründen diese, führen Beispiele an und ziehen Vergleiche. Im Schluss fassen Sie das Dargestellte kurz zusammen, ziehen Schlussfolgerungen und geben einen Ausblick.

◇ Bemühen Sie sich um einen angemessenen Wortschatz und einen der Textsorte entsprechenden Stil. Vermeiden Sie umgangssprachliche Ausdrücke.

◇ Achten Sie neben der grammatischen Korrektheit auch auf variationsreiche Satzverknüpfungen.

Redemittel: Aufsatz

Den Aufsatz einleiten/Themenbezug herstellen

◇ Mit Interesse habe ich Ihren Artikel zum Thema … gelesen/Ihre Diskussionsrunde zum Thema … verfolgt.

◇ Ihr Artikel/Ihre Diskussionsrunde zum Thema … hat mich so angesprochen, dass ich gerne zu einigen Aussagen Stellung nehmen möchte.

◇ Das Thema ist erst seit einigen Jahren aktuell/wird schon lange diskutiert/ist vor allem für … von großer Bedeutung.

Den Wissensstand referieren/Begriffserklärungen vornehmen

◇ Es ist allgemein bekannt, dass …/Bekannt ist bisher nur, dass …

◇ In der Öffentlichkeit herrscht die Meinung, dass …

◇ Nach neuesten Erkenntnissen …

◇ Untersuchungen haben gezeigt, dass …/Wissenschaftler haben herausgefunden, dass …

◇ Unter … verstehe ich/versteht die Wissenschaft …

◇ Was bedeutet … eigentlich?

◇ Den Begriff … kann man (nicht) klar definieren. Er bezeichnet …

Gedanken verbinden/Beziehungen herstellen

◇ Beginnen möchte ich mit …

◇ Von besonderer Bedeutung ist …

◇ Außerdem sollen wir … in unsere Überlegungen einbeziehen.

◇ Des Weiteren sollte man bedenken …

◇ Einen Aspekt müssen wir noch in Betracht ziehen: …

◇ In Anlehnung an … möchte ich hinzufügen, dass …

◇ Zurückkommend auf …

◇ Daraus ergibt sich/folgt, dass …/Demzufolge …

◇ Im Gegensatz dazu/Ungeachtet dessen/Nichtsdestotrotz …

Den eigenen Standpunkt deutlich machen

◇ Bei genauer Betrachtung ergeben sich für mich folgende Fragen: …

◇ Als problematisch empfinde ich …

◇ Sehr überzeugend erscheint mir dagegen …

◇ Meinen Erfahrungen nach …/Meiner Ansicht nach …/Meines Erachtens …

◇ Für mich ist ausschlaggebend, dass …

◇ (Nicht) Nachvollziehbar ist für mich das Argument, dass …

◇ Als Gegenargument lassen sich folgende Aspekte/Beispiele anführen: …

◇ Hervorzuheben ist noch ein weiterer Gesichtspunkt: …

Vergleiche ziehen

◇ Vergleicht man … miteinander, …/Verglichen mit …

◇ In Bezug auf …

◇ Ganz im Gegensatz zu …

Den Aufsatz beenden

◇ Zusammenfassend kann man feststellen, dass …

◇ Daraus ergibt sich die Schlussfolgerung, dass …

◇ Die Konsequenzen daraus sind …

◇ Für die Zukunft könnte das … bedeuten/heißen, dass …

Strukturen zum Üben und Festigen

Verben und ihre Ergänzungen

Wir alle schätzen *die Wahrheit.*
Manche Menschen halten *die Wahrheit für das oberste Gebot.*
Die Wahrheit versorgt *den Menschen mit verlässlichen Informationen.*

▶ **Hinweise**

→ Verben können nicht allein stehen. Sie brauchen ein Subjekt und in der Regel weitere Ergänzungen, damit ein sinnvoller Satz entsteht. Wie viele Ergänzungen obligatorisch sind und in welchem Kasus sie stehen, das hängt vom Verb ab. Ergänzungen können im Nominativ, Akkusativ, Dativ oder Genitiv stehen. Normalerweise sind es neben dem Subjekt als Nominativergänzung ein oder zwei weitere Kasusergänzungen:
Wir schätzen **die Wahrheit.**
Die Polizei überführte **den Täter des Einbruchs.**

→ Viele Verben haben eine Ergänzung mit einer Präposition. Die Präposition gehört zum Verb und bestimmt den Kasus:
Paul träumt **vom großen Geld.**

Einige Verben haben mehrere präpositionale Ergänzungen:
Der Staatsanwalt redet **mit seinen Mitarbeitern über die weitere Vorgehensweise.**

→ Eine Reihe von Verben kann mit einer Ergänzung im Dativ oder Akkusativ und einer Präpositionalergänzung stehen.
Manche Menschen halten **die Wahrheit für das oberste Gebot.**
Die Wahrheit versorgt **den Menschen mit verlässlichen Informationen.**

 Egoismus
Bilden Sie aus den vorgegebenen Wörtern Sätze. Achten Sie auf den direkten oder präpositionalen Kasus.
Ergänzen Sie im Fall eines Präpositionalkasus die fehlende Präposition. Beachten Sie die Zeitformen in Klammern.

◇ wann – man – ein Mensch – Egoist – bezeichnen? *(Präsens)*
 Wann bezeichnet man einen Menschen als Egoisten?

1. Egoisten – man – ihr Verhalten – erkennen *(Präsens)*
 ....

2. sie – nur – ihr eigener Vorteil – denken *(Präsens)*
 ....

3. sie – rücksichtslos – andere – sich verhalten *(Präsens)*
 ....

4. ein solches Verhalten – im Allgemeinen – verabscheuungswürdig – gelten *(Präsens)*
 ....

5. trotzdem – der Egoismus – heutzutage – besondere Beliebtheit – sich erfreuen *(Präsens)*
 ....

6. schon – große Denker wie Arthur Schopenhauer oder Friedrich Nietzsche – der Mensch – ein egoistischer Einzelgänger – halten *(Präteritum)*
 ....

7. laut Schopenhauer und Nietzsche – nur – die äußeren Umstände – der Mensch – das Zusammenleben – andere Menschen – zwingen *(Präsens)*
 ....

8. diese Meinung – die Forschung – mittlerweile – widerlegen *(Perfekt)*
 ....

9. heute – wir – wissen, – dass – das Leben in Gemeinschaft – die menschlichen Bedürfnisse – gehören *(Präsens)*

....

10. es – sogar das Seelenheil des Einzelnen – schaden, – wenn – der Mensch – zu lange – sich absondern *(Präsens)*

....

11. noch in den 1990er-Jahren – viele – der Individualismus – erstrebenswerte Lebensform – preisen *(Präteritum)*

....

12. aber – schon zu Beginn der Menschheitsgeschichte – die Menschen – der Zusammenhang zwischen Gruppe und erfolgreicher Jagd – erkennen *(Präteritum)*

....

13. ihr Überleben – die Fähigkeit zur Kooperation – basieren *(Präteritum)*

....

14. auch – die Pflege von sozialen Beziehungen – die Überlebensstrategien – gehören *(Präteritum)*

....

15. neben – der Egoismus – ein entgegengesetztes Phänomen – existieren *(Präsens)*

....

16. man – es – Altruismus – bezeichnen *(Präsens)*

....

17. beim Altruismus – der Mensch – das eigene Wohl – das Wohl der Gemeinschaft – unterordnen *(Präsens)*

....

18. schon zu Zeiten Darwins – Wissenschaftler – das Phänomen des selbstlosen Helfens – nachdenken *(Präteritum)*

....

19. Studien zufolge – Altruismus – der helfende Mensch – kein Schaden – zufügen *(Präsens)*

....

20. die gute Tat – sogar – die eigene Gesundheit – fördern *(Präsens)*

....

21. wer – andere – helfen, – sein guter Ruf – profitieren können *(Präsens)*

....

22. auch Tiere – selbstlos – Gruppenmitglieder – sich einsetzen *(Präsens)*

....

23. sie – ihr Einsatz – der Fortbestand der Sippe – gewährleisten *(Präsens)*

....

C2 Die Vorzüge der schlechten Laune
Verben mit präpositionalem Kasus. Bilden Sie aus den vorgegebenen Wörtern Sätze. Achten Sie auf die fehlenden Präpositionen und den richtigen Kasus.

◇   es – Menschen – geben – die – alles – etwas – zu kritisieren haben
    Es gibt Menschen, die haben an allem etwas zu kritisieren.

1. sie – die Mitmenschen – ihre schlechte Stimmung – die gute Laune – vermiesen

....

2. es – ja allgemein – bekannt sein, – dass – gute Laune – ein gesundes und langes Leben – sorgen

....

3. deshalb – alle – Zufriedenheit und Glück – streben

....

4. doch – einige Wissenschaftler – nun – die bisherige Theorie – zweifeln

....

5. sie – plötzlich – die schlechte Laune – auch – etwas Gutes – finden

....

6. Untersuchungen – ergeben *(Perfekt)*, – dass – schlechte Laune – die Förderung des analytischen Denkens – beitragen

   ....

7. die weiteren segensreichen Nebenwirkungen kurzzeitiger Stimmungstiefs – auch – eine höhere Flexibilität – gehören

   ....

8. mies gelaunte Menschen – besser – unvorhergesehene Umstände oder extreme Situationen – sich anpassen

   ....

9. sie – eher – das eigene vorbereitete Drehbuch – abweichen

   ....

10. gut gelaunte Menschen – hingegen – Klischees – vertrauen

    ....

11. der beschwingte und ausgeglichene Mensch – nicht so sehr – seine Umwelt – sich kümmern

    ....

12. er – sich selbst – sich konzentrieren

    ....

13. Nörgler und Meckerer – sozial verträglicher – als – der ewig gut Gelaunte – gelten

    ....

14. außerdem – Menschen mit schlechter Laune – Skeptizismus – neigen

    ....

15. auch das – sie – gut gelaunte Menschen – unterscheiden, – die – oft – alles – glauben

    ....

16. kurz gesagt: – schlechte Laune – die Entfaltung vieler positiver Eigenschaften – führen

    ....

17. die Ergebnisse der Studie – aber – nur – kurzzeitiger Trübsinn – sich beziehen

    ....

Nomen-Verb-Verbindungen

Perfektionisten stellen hohe Anforderungen *an sich selbst und ihre Kollegen.*

▶ **Hinweise**

→ Im offiziellen, formelleren Sprachgebrauch, z. B. in der Sprache der Wissenschaft, der Ämter oder der Politik, werden gerne Kombinationen aus einem Nomen und einem Verb verwendet:
Perfektionisten **stellen** hohe **Ansprüche** an sich selbst. Die Vorschläge des Chefs **stießen auf Kritik**.
Diese Verbindungen geben der Sprache einen offizielleren Charakter.

→ Auch in der Umgangssprache werden manchmal Nomen-Verb-Verbindungen gebraucht:
Kann ich dir mal **eine Frage stellen**?

→ Bei Nomen-Verb-Verbindungen beschreibt das Nomen die Handlung, das Verb verliert seine eigentliche Bedeutung. Oft lassen sich Nomen-Verb-Verbindungen durch einfache Verben ersetzen. Nomen-Verb-Verbindungen bestehen meist aus einem Verb (das meist nur syntaktische Funktion hat) und einem Akkusativobjekt (das die eigentliche Bedeutung kennzeichnet): Kritik üben – kritisieren

Einige Verben stehen mit einem präpositionalen Objekt: etwas zum Ausdruck bringen – ausdrücken

C3 Das Bewerbungsverfahren
Formen Sie die Sätze um und verwenden Sie Nomen-Verb-Verbindungen.
Beachten Sie: Zu manchen Nomen-Verb-Verbindungen gehört eine Präposition.

◇   Die Firma sucht einen neuen Mitarbeiter. *(Suche)*

Die Firma ist auf der Suche nach einem neuen Mitarbeiter.

1.   Die Personalabteilung wählte die Kandidaten vorab aus, die zu einem Bewerbungsgespräch eingeladen wurden. *(Vorauswahl)*

....

2.   In diesem Gespräch sollten die Kandidaten ihre Eignung beweisen. *(Beweis)*

....

3.   Bewerber ohne Berufserfahrungen wurden nicht berücksichtigt. *(Berücksichtigung)*

....

4.   Die meisten Fragen der Personaler bezogen sich auf die eingereichten Bewerbungsunterlagen. *(Bezug)*

....

5.   Nach ihrem Privatleben wurden die Kandidaten nicht gefragt. *(Fragen)*

....

6.   Außerdem sollten die Kandidaten ein fiktives Problem lösen. *(Lösung)*

....

7.   Auch das äußere Erscheinungsbild wirkte sich auf die Beurteilung aus. *(Auswirkungen)*

....

8.   Die Bewerbungskommission kritisierte das Auftreten einiger Kandidaten. *(Kritik)*

....

9.   Am Ende musste sich die Bewerbungskommission entscheiden. *(Entscheidung)*

....

10. Welcher Kandidat kann das meiste zum Erfolg des Unternehmens beitragen? *(Beitrag)*

....

11. Gleich am nächsten Tag hat die Personalabteilung den ausgewählten Bewerber kontaktiert. *(Kontakt)*

....

12. Die nicht erfolgreichen Kandidaten wurden per E-Mail benachrichtigt. *(Nachricht)*

....

C4 Ergänzen Sie die passenden Verben.

■ **Frau Müller und ihr Chef**

Frau Müller hat einen Antrag auf Verkürzung ihrer Arbeitszeit *gestellt* (0) – ihr Chef hat

dem Antrag nicht..........................(1). Daraufhin hat sich Frau Müller mit der Gewerk-

schaft in Verbindung..........................(2). Die Gewerkschaft hat ihr Unter-

stützung..........................(3) und Hilfe..........................(4). Mit der Hilfe

5 der Kollegen hat Frau Müller an Selbstbewusstsein..........................(5) und

das Thema auf der Abteilungsbesprechung zur Sprache..........................(6).

Dort hat sie ihren Standpunkt..........................(7) und Widerspruch ge-

gen die Entscheidung des Chefs..........................(8). Schließlich hat der

Chef ihr die Erlaubnis..........................(9) und jetzt darf sie 80 Prozent ar-

10 beiten. Damit hat Frau Müller einen Sieg..........................(10).

C5 Führungsfehler

Suchen Sie passende Verben und bilden Sie aus den Vorgaben Sätze.
Achten Sie auf den richtigen Kasus und eventuell fehlende Präpositionen.

◇ Mitarbeiterführung – immer mehr – Bedeutung

Mitarbeiterführung gewinnt immer mehr an Bedeutung.

1. viele Manager – jedoch – gravierende Führungsfehler

....
....

2. schlechte Chefs – hohe Kosten

....

3. laut neueren Untersuchungen – inkompetente Führungskräfte – der Hauptgrund – Demotivation von Mitarbeitern

....
....
....

4. schlechter Führungsstil – eine hohe Personalfluktuation, ineffiziente Arbeit und mangelhafte Produktivität – Folge

....
....
....

5. einer der Hauptfehler – Konflikte – keine Aufmerksamkeit

....
....

6. man sollte – alle Konfliktparteien – ein Gespräch

....

7. vor den Gesprächen – die Führungskraft – die notwendigen Vorbereitungen

....
....

8. Ziel eines Konfliktgesprächs – eine gemeinsame Lösung – und – Unterstützung

....
....

9. gezielter Einsatz von Lob – ebenfalls – ein wichtiger Beitrag – Mitarbeitermotivation

....
....

10. Möglichkeit des eigenständigen Arbeitens – Vertrauen zwischen Mitarbeitern und Führungspersonal

....
....
....

C6 Aus der Politik

Markieren Sie die Nomen-Verb-Verbindungen und ersetzen Sie sie durch einfache Verben.
Formen Sie die Sätze entsprechend um.

◇ Die Partei hat bei den Kommunalwahlen <u>eine Niederlage erlitten</u>.

Die Partei hat bei den Kommunalwahlen/die Kommunalwahlen <u>verloren</u>.

1. Die Frage ist, wer für die Niederlage zur Verantwortung gezogen wird.

....

2. Die Presse hegte von Anfang an Zweifel an der Eignung des Spitzenkandidaten.

....

3. Nun gilt es, die Entscheidung über die richtige Strategie im Bundestagswahlkampf zu treffen.

....

4. Zunächst muss eine Personalauswahl getroffen werden.

....

5. Eventuell muss ein Personalwechsel auf der Führungsebene in Erwägung gezogen werden.

....

6. Es müssen sofort Maßnahmen gegen den Rückgang der Popularität der Partei ergriffen werden.

....

7. Dabei sollten auch die Interessen und Wünsche der Bürger Berücksichtigung finden.

....

8. Unter Umständen muss man mit anderen Parteien Kompromisse schließen.

....

9. Über parteiinterne Auseinandersetzungen muss Stillschweigen gewahrt werden.

....

Wortbildung der Nomen

Abgeleitete Nomen:

die Kommunikation   (von: kommuni[zieren] + Suffix)
die Fähigkeit   (von: fähig + Suffix)

Zusammengesetzte Nomen:

die Kontaktfreude   (der Kontakt + die Freude)

▶ **Hinweise**

→ Man kann Nomen aus verschiedenen Wortarten ableiten oder zusammensetzen.

→ Bei zusammengesetzten Nomen (Komposita) richtet sich das Genus nach dem letzten Nomen.

→ Bei manchen Komposita steht zwischen den beiden Nomen ein *-s* (das sogenannte Fugen-s), z. B. bei:

  ▸ femininen Nomen auf *-tät, -heit, -keit, -schaft, -ung, - ion*: die Kommunikationsfähigkeit

  ▸ Nomen auf *-ling* und *-tum*: die Wachstumsbranche

  ▸ Nomen vom Infinitiv des Verbs: die Verhaltensregeln

  ▸ maskulinen Nomen wie *Beruf, Verkehr, Unterricht, Urlaub, Einkauf*: der Berufswunsch

  ▸ femininen Nomen wie *Arbeit, Liebe, Heirat, Hochzeit*: das Arbeitsleben

  ▸ neutralen Nomen wie *Geschäft, Glück, Gefühl*: die Geschäftswelt

 Eigenschaften von Topmanagern
Bilden Sie aus den vorgegebenen Wörtern Nomen.

■ **Eigenschaften von Topmanagern**

Welche Eigenschaften muss eine Spitzenkraft in der Wirtschaft haben? *Antworten* (0) *(Pl.) (antworten)* auf diese .... (1) *(fragen)* liefert ein neu entwickelter .... (2) *(Persönlichkeit + te-*
5 *sten)*, mit dem .... (3) *(Pl.) (fehl + besetzen)* verhindert und der .... (4) *(Unternehmen + Erfolg)* gesichert werden soll. Mithilfe von mit Managern geführten .... (5) *(Pl.) (interviewen)* entwickelten Wissenschaftler der Universität Bochum
10 eine .... (6) *(befragen + Technik)*, die insgesamt 16 Persönlichkeitsmerkmale herausarbeitet. Das

Ergebnis: Zu den zentralen Eigenschaften, die einen Topmanager auszeichnen, gehören unter anderem .... (7) *(leisten + exzellent)*, ... (8)
15 *(Risiko + bereit)*, strategisches .... (9) *(denken + vermögen)*, ... (10) *(Wettbewerb + orientieren)* und .... (11) *(unabhängig)*. Als für den Erfolg eines Topmanagers nicht unerheblich stellten sich interessanterweise neben dem
20 Charakter auch .... (12) *(äußerlich)*, die .... (13) *(fähig)* zum Netzwerken und sogar .... (14) *(Familien + angehörig)* wie Ehegattinnen/Ehegatten heraus.

 Bilden Sie Komposita.

Das sind die Aufgaben des Managements:

◇   Die Mitarbeiter müssen motiviert werden.

1.   Die Qualität muss gesteigert werden.

2.   Die Ausgaben müssen gesenkt werden.

3.   Die Normen müssen angepasst werden.

4.   Der Prozess muss gesteuert werden.

5.   Die Produkte müssen kontrolliert werden.

6.   Das Projekt muss beschrieben werden.

7.   Der Auftrag muss erteilt werden.

8.   Der Vertrag muss unterzeichnet werden.

Das Management beschäftigt sich zurzeit mit:

der Mitarbeitermotivation

....

....

....

....

....

....

....

....

Kapitel 4

Erziehung und Ausbildung

Einschulung

: Gute und schlechte Noten

 A1 Welche gemeinsame Erfahrung während der Schulzeit verbindet diese Prominenten? Stellen Sie Vermutungen an. (Die Auflösung finden Sie im Lösungsheft.)

Winston Churchill: **bedeutendster britischer Staatsmann des 20. Jahrhunderts, zweimal britischer Premierminister**

Thomas Edison: **amerikanischer Erfinder auf dem Gebiet der Elektrizität und Elektrotechnik**

Hermann Hesse: **deutschsprachiger Schriftsteller, Nobelpreisträger für Literatur**

Thomas Mann: **einer der bedeutendsten deutschen Schriftsteller im 20. Jahrhundert, Nobelpreisträger für Literatur**

Richard Wagner: **bedeutender deutscher Komponist, revolutionierte die theoretischen und praktischen Grundlagen der Oper**

Otto von Bismarck: **erster Kanzler des Deutschen Reiches, legte die Grundlagen für den Sozialstaat**

A2 Interview: Stellen Sie zwei Gesprächspartnerinnen/Gesprächspartnern die folgenden Fragen zum Thema *Schulzeit*. Fassen Sie dann die Antworten zusammen.

Name	Name ....

Waren Sie als Schülerin/Schüler eher fleißig oder eher faul?

Was waren Ihre Lieblingsfächer?

Wo lagen Ihre Schwächen?

Was passiert in Ihrem Heimatland mit Schülerinnen/Schülern, die in einigen Fächern ungenügende Leistungen haben?

Wie wichtig sind Schulnoten in Ihrem Heimatland?

Glauben Sie, dass Noten Einfluss auf den späteren Lebensweg haben?

A3   Schulnoten

a) Spiegeln Schulnoten **wirklich** nur die erbrachte Leistung wider? Wodurch könnten Schulnoten noch beeinflusst werden? Diskutieren **Sie zu zweit.** Präsentieren Sie dann Ihre Ergebnisse.

b) Wie objektiv sind Schulnoten? Lesen Sie den Text.

■ Verschiedenen neuen Studien <u>zufolge</u> sind Schulnoten keineswegs ausschließlich das Ergebnis von Schülerleistungen. Diese <u>machen</u> nur etwa 50 % der Beurteilung <u>aus</u>.

In einem Projekt <u>korrelierten</u> drei Bildungsforscher Schulnoten mit Fak-
5 toren wie dem Geschlecht, der sozialen Herkunft und dem Bildungsgrad der Eltern und <u>stellten fest</u>, dass neben der elterlichen Bildung auch ein möglicher Migrationshintergrund eine Rolle spielt, allerdings nicht in einem solchen Maß, dass man von einer offenen Benachteiligung <u>sprechen kann</u>. Würde sich die soziale Herkunft nicht
10 mehr auf die Noten auswirken, könnte der Anteil von Arbeiterkindern an den Gymnasien von derzeit rund 20 % auf bis zu 30 % <u>steigen</u>.
Auch das Geschlecht hat Auswirkungen auf die Schulnoten: Mädchen erhalten durchschnittlich bessere Noten als Jungen, <u>obwohl</u> sie bei standardisierten Leistungstests etwas schlechter abschneiden. Vor allem
15 Jungen mit Vornamen, die auf eine bestimmte soziale Schicht schließen lassen, haben es schwer. Außerdem <u>lassen sich Lehrer</u> bei der Notenver-
gabe von der Leistungsbereitschaft der Schüler (rund 14 % der Note) und von ihrer Gewissenhaftigkeit im Unterricht (9 %) <u>beeinflussen</u>. Selbst eine schöne Schrift gibt Pluspunkte.
20 In einer anderen Studie zeigte sich, dass übergewichtige Mädchen und Jungen in der Grundschule seltener gute Zensuren erhalten <u>als</u> ihre schlanken Klassenkameraden. Dieser negative Effekt von Übergewicht auf die Schulleistungen <u>besteht</u> übrigens <u>unabhängig</u> vom sozialen Status der Familie. Ob und wie stark Eltern und Lehrer den fülligen Kin-
25 dern negative Eigenschaften zuschreiben, konnten die Wissenschaftler allerdings nicht klären.

wie
Anteil der Leistungen

untersuchten die wechsel-
seitigen Beziehungen
Schluss

gesprochen

Steigerung

trotz

ein Einfluss – nachgewiesen

Vergleich

hat nichts zu tun

c) Ergänzen Sie die Einflussfaktoren auf die Noten, die im Text genannt werden.

Schulnote

d) Formen Sie den Text um, **indem Sie die auf der** rechten Seite angegebenen Wörter unverändert in den Text einarbeiten. **Nehmen Sie alle notwendigen Umform**ungen vor.

A4 Schulnoten und Ausbildungschancen

a) Ergänzen Sie die fehlenden Verben in der richtigen Form.

■ Die Abschlussnote als Drohmittel für Lehrer, die ihren schlechten Schülern eine düstere Zukunft .... (1), ist zumindest im Bereich der Haupt- und Realschulen in Deutschland nicht immer
5 geeignet. Denn künftigen Chefs werden die Zeugnisse ihrer Bewerber um Ausbildungsplätze offenbar immer gleichgültiger. Die Deutsche Bahn zum Beispiel hat kürzlich .... (2), bei der Einstellung ihrer Azubis* die Schulnoten als Einstellungskriterium zu
10 .... (3). Stattdessen werden alle Bewerber ohne Vorauswahl zu einem Online-Test .... (4). Das Hauptaugenmerk .... (5), so die Firmen-leitung, eher auf den individuellen Fähigkeiten und Stärken der Bewerber und weniger auf den Bewertun-
15 gen ihrer ehemaligen Lehrer. Allerdings hätten es Schü-ler, die in der Schule gute Leistungen .... (6) hätten, beim Test deutlich leichter. Auch bei Siemens haben die Schulnoten bei der Bewerberauswahl an Be-deutung .... (7). Der Konzern
20 .... (8) inzwischen auf ein Online-Bewer-bungsverfahren und einen Web-Test. Im Test werden die Reaktions- und Konzentrationsfähigkeit sowie räumliches Denkvermögen .... (9). Dieses Testresultat habe mittlerweile Vorrang vor den Noten.
25 Nach dieser ersten Auswahl .... (10) allerdings noch weitere schriftliche und mündliche Aufgaben. Eine große Rolle .... (11) Schulnoten dagegen beim Luft- und Raumfahrtkonzern EADS-Airbus, da bei den im Unternehmen wichtigen technischen Berufsbil-
30 dern besonders Kenntnisse in Mathematik, Physik oder Chemie gefragt sind. Hier werden erst nach dem Sich-ten der Zeugnisse potenzielle Kandidaten zu Auswahl-tagen mit Gruppenarbeit, Gesprächen und Tests .... (12).

*Azubis: Auszubildende

b) Berichten Sie über die Rolle der Noten im Schulsystem und in Bewerbungsverfahren in Ihrem Heimatland. Sprechen Sie ungefähr drei Minuten.

A5

■ **Ehrenrunde oder Strafrunde?**

Sitzenbleiben, Ehrenrunde, Rückstufung – wenn es darum geht, dass Schüler aufgrund man-gelnder Leistungen in einigen Fä-
5 chern ein Schuljahr wiederholen sollen, ist ein gemeinsamer Nen-ner schon bei der Bezeichnung schwierig zu finden.
   Wer von sogenannten Ehren-
10 runden spricht, meint das natür-lich ironisch und sagt damit auch: Ist doch nicht so schlimm, dau-ert die Schulzeit eben länger, und der nicht versetzte Schüler kommt
15 so vielleicht zur Besinnung – und schaden tut es in jedem Fall nicht! Denn die meisten denken ja: Es liegt am mangelnden Einsatz, an Faulheit, wenn ein junger Mensch
20 nicht so gut abschneidet, wie es die Schule vorsieht.
   Eine ganze Reihe von Bil-dungsforschern finden Sitzenblei-ben hingegen teuer und nutzlos
25 oder sogar schädlich. Eine Klas-senstufe zu wiederholen, kostet extra, und es bedeutet auch: Der Schüler muss in einen neuen Klas-senverband
30 und hat das Stig-ma, einer zu sein, der al-les schon können
35 sollte. Und einer, der eben einfach nicht gut genug gewesen ist, der Loser aus der letzten Bank. Die Bildungsstrategen diskutieren da-rüber, ob man das Sitzenbleiben
40 abschaffen und allen Schülern den Aufstieg in die nächste Klasse er-möglichen sollte.

a) Geben Sie die unterschiedlichen Meinungen wieder.

Befürworter des Sitzenbleibens meinen, …

....
....
....
....

Gegner des Sitzenbleibens meinen, …

....
....
....
....

b) Diskussion: Sitzenbleiben

Diskutieren Sie zu zweit: Eine Person ist für, die andere gegen das Sitzenbleiben.
Verteidigen Sie Ihre Position. Versuchen Sie, Ihre Gesprächspartnerin/Ihren Gesprächspartner zu überzeugen.
Nennen Sie auch Beispiele. Gehen Sie auf die Argumente Ihrer Gesprächspartnerin/Ihres Gesprächspartners ein.

A6 Motiviert Sitzenbleiben zum Lernen? ⑦

a) Hören Sie das Gespräch zum Thema *Sitzenbleiben* zunächst einmal. Entscheiden Sie, ob Frau Stein, Herr Kluge oder beide die jeweilige Meinung vertreten. Es gibt nur eine richtige Lösung.

	Frau Stein	Herr Kluge	beide
◇ Es ist gut, das Sitzenbleiben abzuschaffen.		x	
1. Für viele Schüler ist es eine Chance, ein Schuljahr zu wiederholen.			
2. Eine Individualisierung des Unterrichts kann man durch persönliche Lernpläne erreichen.			
3. Es ist mehr Geld für gezielte Fördermaßnahmen notwendig.			
4. Ein Teil der Sitzenbleiber lernt auf Druck der Eltern im falschen Schultyp.			
5. Schüler, die nur in ein oder zwei Fächern Defizite haben, sollten individuell gefördert werden.			
6. Wir müssen uns mehr von der Lernkultur anderer Länder abgucken.			

b) Hören Sie das Gespräch noch einmal.
Markieren Sie die richtige Aussage. Es gibt nur eine richtige Lösung.

1. Das Sitzenbleiben
   a) ☐ ist vermutlich für viele Schüler ein bedrückendes Erlebnis.
   b) ☐ hat den Karrieren berühmter Persönlichkeiten geschadet.
   c) ☐ kann man den Schülern auch in Zukunft nicht ersparen.

2. Herr Kluge ist der Ansicht, dass ein Sitzenbleiber
   a) ☐ kontinuierlich schlechter wird.
   b) ☐ ab dem zweiten Jahr einen rapiden Abwärtstrend in seinen Leistungen zeigt.
   c) ☐ mit den neuen Mitschülern keineswegs mithalten kann.

3. Die relativ hohe Zahl der Sitzenbleiber
   a) ☐ lässt die Fördergelder für den Einzelnen schrumpfen.
   b) ☐ sorgt für starke Motivationsprobleme.
   c) ☐ generiert erhebliche Mehrkosten.

4. In vielen Bundesländern
   a) ☐ müssen potenzielle Sitzenbleiber nur die Kernfächer wiederholen.
   b) ☐ finden Nachprüfungen und Ferienseminare für Schüler mit Rückstand statt.
   c) ☐ müssen Schüler nach der Probezeit das Gymnasium verlassen.

5. Eine Gruppe der Sitzenbleiber sind laut Stein Schüler, die
   a) ☐ von einer individuellen Förderung
   b) ☐ von einer veränderten Lernkultur
   c) ☐ von einer neuen Gesetzesgrundlage
   profitieren würden.

6. In Finnland
   a) ☐ können Schüler bestimmte Fächer abwählen.
   b) ☐ haben Lehrer viel mehr Zeit für individuelle Förderung als in Deutschland.
   c) ☐ findet eine strenge Auswahl der Oberstufenschüler statt.

A7 Sitzenbleiben und Nachhilfeunterricht

a) Formen Sie die unterstrichenen Satzteile in Partizipialattribute um und bilden Sie neue Sätze. Orientieren Sie sich am Beispiel. Beachten Sie: Hilfsverben werden nicht in die Partizipialkonstruktionen übernommen.

◇ Die Maßnahmen <u>wurden bereits getroffen und</u> sollen nun im Blitztempo durchgesetzt werden.
Die Maßnahmen, <u>die bereits getroffen wurden</u>, sollen nun im Blitztempo durchgesetzt werden.

Die <u>bereits getroffenen</u> Maßnahmen sollen nun im Blitztempo durchgesetzt werden.

1. Die Schüler, <u>die sitzen geblieben sind</u>, haben oft im Laufe der Zeit noch weiter in ihren Leistungen nachgelassen.

....

2. Die Probleme vieler Sitzenbleiber <u>sind ausreichend bekannt und</u> konnten bis dato von Schule und Gesellschaft nicht gelöst werden.

....

3. Die Mehrkosten für die Klassenwiederholung <u>wurden im vergangenen Jahr ausgerechnet und sie</u> belasten die einzelnen Bundesländer enorm.

....

4. Die Versagerquote <u>ist bei den Abschlussprüfungen gestiegen und sie</u> signalisiert uns, dass Veränderungen dringend erforderlich sind.

....

5. Die Lösung liegt eventuell in einem Lernplan, <u>der wöchentlich zwischen Lehrer und Schüler vereinbart wird</u>.

....

6. Eine Gruppe von Sitzenbleibern, <u>die völlig</u> überfordert <u>ist</u>, wurde unter starkem Druck der Eltern in einem für sie ungeeigneten Schultyp untergebracht.

....

7. <u>Eltern und Lehrer üben</u> Druck <u>aus und das</u> kann zu einer negativen Lernmotivation führen.

....

Zusatzübungen zu Partizipien als Adjektive ⇨ Teil C Seite 108

b) Bilden Sie aus den unterstrichenen Wörtern Relativsätze wie im Beispiel.

◇ Für immer mehr <u>in Deutschland lebende</u> Schüler reicht der Schulunterricht nicht mehr aus.

Für immer mehr Schüler, die in Deutschland leben, reicht der Schulunterricht nicht mehr aus.

1. Laut einer <u>Ende 2013 veröffentlichten</u> Studie erhält jeder fünfte Jugendliche in Deutschland Nachhilfeunterricht.

....

2. Unter den <u>dreizehn- bis fünfzehnjährigen</u> Schülern bekommt sogar jeder vierte extra Unterricht.

....

3. Viele Schüler müssen darum bangen, die <u>einst in Aussicht gestellte</u> Versetzung nicht zu schaffen.

....

4. Auch der <u>von vielen Schülern so ersehnte</u> Schulabschluss ist nicht für jeden in greifbarer Nähe.

....

5. Viele Eltern setzen deshalb auf <u>von Profis angebotene</u> Nachhilfe, um ihren Sprösslingen zu helfen.

....

6. Den <u>regelmäßig stattfindenden</u> Privatunterricht lassen sich Eltern einiges kosten.

....

7. Eltern erhoffen sich von der <u>teuer erkauften</u> Nachhilfe vor allem eins: Erfolg in Form einer Versetzung oder eines <u>gut benoteten</u> Schulabschlusses.

....

Zusatzübungen zu Relativsätzen ⇨ Teil C Seite 113

A8 Kommentar

Sie haben in der Online-Zeitung *Psychologie in der Schule* einen Artikel zum Thema *Kinder und Jugendliche zum Lernen motivieren – aber wie?* gelesen. Schreiben Sie einen ausführlichen Kommentar (ca. 350 Wörter) ins Leserforum, in dem Sie sich auf die drei folgenden Aussagen beziehen und Ihre Meinung dazu äußern.

1. Eine erfahrene Lehrkraft kann die Schüler durch Vorbildwirkung und individuelle Förderung begeistern und motivieren.

2. Tadeln wirkt immer kontraproduktiv, nur Lob hilft dem Schüler weiter.

3. In der Pubertät ist alles zu spät, da müssen Eltern und Lehrer die Augen schließen und abwarten. Die Motivation kommt aber oft nach dem 16. Lebensjahr wieder zurück.

Buchtipp • Buchtipp • Buchtipp

Die Feuerzangenbowle
Von *Heinrich Spoerl*

Das 1933 geschriebene Buch erzählt die Geschichte des jungen und erfolgreichen Schriftstellers Johannes Pfeiffer, der von einem Hauslehrer erzogen wurde und daher nicht erlebt hat, welchen Spaß man in der Schule haben kann. Da kommen seine Freunde auf die Idee, ihn noch einmal aufs Gymnasium zu schicken. (Piper Verlag)

Hochbegabte

A9 Lesen Sie den Text von *Amelie Fried*.

■ Da kann Einstein einpacken

Wenn Thomas oder Sabine früher herumzappelten, sich nicht konzentrieren konnten und schlechte Noten schrieben, waren sie verhaltensauffällig oder lerngestört. Wenn Lukas oder Sophia heutzutage dasselbe Verhalten an den Tag legen, sind sie sehr wahrscheinlich hochbegabt. Je schlechter ein Kind in der Schule ist, desto überzeugter sind die Eltern von seiner Hochbegabung. Das liegt daran, dass in verschiedenen Artikeln zu diesem Thema stand, hochbegabte Kinder langweilten sich im Unterricht und schrieben deshalb schlechte Noten. Seither erklären viele Eltern nach einer versauten Matheararbeit: „Der Lenny ist eben unterfordert. Natürlich kann er es, aber die Lehrer motivieren ihn einfach nicht genug." Alles kleine Einsteins, ganz klar. Auch der Entdecker der Relativitätstheorie war schließlich miserabel in der Schule.

Wenn ich mich so umsehe, bin ich geradezu umzingelt von hochbegabten Kindern. Alle paar Wochen vertraut mir wieder eine Mutter verschwörerisch an, sie habe Sohn oder Tochter zum Intelligenztest angemeldet, es gebe deutliche Hinweise auf eine Hochbegabung. Wenn ich frage, was das für Hinweise seien, bekomme ich zur Antwort, das Kind schlafe wenig, langweile sich in der Schule, werde von Mitschülern gemobbt und verwende ausgefallene Fremdwörter. Was für Fremdwörter, frage ich zurück. Tschillen, sagt die Mutter. Ob ich wüsste, was das bedeutet?

Dass ihr Kind vielleicht zu wenig schläft, weil es bis Mitternacht fernsieht, dass es sich in der Schule langweilt, weil es schlicht desinteressiert ist, und dass es gemobbt wird, weil es sich womöglich unsozial verhält – auf diesen Gedanken kommen die Mütter nicht. Nein, es muss um jeden Preis hochbegabt sein. Um diese Illusion aufrechtzuerhalten, empfehle ich, den Test nicht zu machen, denn in den meisten Fällen stellt sich heraus, dass das Kind nicht über eine besonders hohe Intelligenz verfügt, sondern lediglich eine faule Socke ist. Die Frage bleibt, warum so viele Mütter so scharf darauf sind, dass ihr Kind sich als Intelligenzbestie entpuppt und womöglich deutlich schlauer ist als sie selbst? Ich persönlich verzichte lieber auf diese Erfahrung. Deshalb melde ich meine Tochter auch nicht zum Test an, obwohl eigentlich kein Zweifel an ihrer Hochbegabung besteht. Schon nach ihrem allerersten Schultag fragte sie entsetzt: „Muss ich da jetzt jeden Tag hingehen?" Wenn das kein Zeichen höchster Intelligenz ist!

a) Umschreiben Sie die folgenden Ausdrücke mit eigenen Worten.

1. <u>zappeln</u> ....
2. <u>verhaltensauffällig</u> ....
3. eine Mathearbeit <u>versauen</u> ....
4. Schüler <u>unterfordern</u> ....
5. <u>lerngestört</u> ....
6. <u>umzingelt</u> von hochbegabten Kindern ....
7. <u>ausgefallene</u> Fremdwörter ....
8. <u>mobben</u> ....
9. <u>um jeden Preis</u> hochbegabt sein ....
10. eine Illusion <u>aufrechterhalten</u> ....
11. <u>eine faule Socke sein</u> ....
12. <u>auf etwas scharf sein</u> ....
13. sich als Intelligenzbestie <u>entpuppen</u> ....

b) Beantworten Sie die Fragen zum Lesetext.

1. Um was für eine Textsorte handelt es sich?
2. Auf welchen Aspekt der Hochbegabung geht die Autorin in ihrem Text ein?
3. Was ist die Hauptaussage des Textes? Formulieren Sie sie mit eigenen Worten in ein bis zwei Sätzen.
4. Was bedeutet der Titel der Geschichte?
5. Gefällt Ihnen der Schreibstil der Autorin? Warum (nicht)?
6. Empfinden Sie den Text als witzig? Warum (nicht)?
7. Kennen Sie Autoren in Ihrem Heimatland, die einen ähnlichen Schreibstil haben?

(A10) Welche der folgenden Aussagen können Merkmale einer Hochbegabung sein? Diskutieren Sie in kleinen Gruppen.

	ja	nein
1. Jemand zeigt ungewöhnlich hohe Leistungen auf einem besonderen Gebiet.	☐	☐
2. Der Intelligenzquotient (IQ) einer Person liegt bei mehr als 130.	☐	☐
3. Jemand ist überdurchschnittlich gut im Kopfrechnen, hat aber Schwierigkeiten, mit anderen zu kommunizieren.	☐	☐
4. Jemand spielt hervorragend Computerspiele.	☐	☐
5. Ein Kind liest von alleine und/oder liest sehr viel.	☐	☐
6. Jemand hat ein sehr gutes Gedächtnis und ein schnelles Reaktionsvermögen.	☐	☐
7. Jemand schläft viel.	☐	☐
8. Die Sprachentwicklung beginnt sehr früh: Ganze Sätze werden bereits mit ein bis anderthalb Jahren gesprochen.	☐	☐
9. Ein Kind kann sich nicht gut konzentrieren.	☐	☐
10. Jemand macht gerne viele Dinge auf einmal.	☐	☐
11. Ein Kind zeigt sich in der Schule verhaltensauffällig.	☐	☐
12. Ein Kind hat schlechte Schulleistungen.	☐	☐
13. Ein Kind ist Gleichaltrigen in der Denkstruktur weit voraus.	☐	☐
14. Jemand ist oft in Gedanken versunken und wirkt sonderbar.	☐	☐

A11 Suchen Sie sich eine Lesepartnerin/einen Lesepartner. Eine Person liest Teil A des Textes, die andere Teil B.

■ Teil A   Was ist eigentlich Hochbegabung?

Der Begriff *Hochbegabung* bezieht sich nicht nur auf rein kognitive Leistungen, sondern ganz allgemein auf ungewöhnlich hohe Leistungen auf einem besonderen Gebiet. Er kann auch kreatives und produktives Denken umschreiben, genauso wie Führungsqualitäten, künstlerische oder psychomotorische Fähigkeiten. In der Regel werden Menschen als hochbegabt bezeichnet, die einen Intelligenzquotienten (IQ) von mehr als 130 haben. Hochbegabte müssen aber nicht unbedingt einen hohen IQ besitzen. Sie können äußerst einseitige Begabungen entwickelt haben – wie zum Beispiel einige Gedächtniskünstler oder Kopfrechengenies. Deren besondere Leistungsfähigkeit auf einem Gebiet schränkt allerdings oft die anderen ein.

Kognitiv Hochbegabte zeichnen sich dagegen eher durch sehr breit gefächerte, überdurchschnittliche geistige Fähigkeiten aus. Die Vererbung scheint dabei durchaus eine wichtige Rolle zu spielen. Viele Wissenschaftler gehen davon aus, dass ein Teil – gut 50 Prozent – der Intelligenz vererbt wird. Ebenso wichtig ist jedoch der Einfluss von Umweltfaktoren. Auch diese Faktoren – Eltern, Freunde, soziales Umfeld – haben einen starken Einfluss auf die Entwicklung von besonderen Fähigkeiten oder Veranlagungen.

Wissenschaftliche Studien haben gezeigt: Die Zahl der Nerven-Verschaltungen nimmt generell bis zum fünften Lebensjahr enorm zu, danach bis zur Pubertät wieder ab. Dieser Abbau von Verbindungen wird „neurale Bereinigung" genannt und hat ökonomische Gründe. Denn abgebaut werden ungenutzte, quasi überflüssige Nervenverbindungen, wodurch der Energieverbrauch des Gehirns sinkt. Der Gehirnstoffwechsel steigt also bis zum fünften Lebensjahr stetig an und sinkt danach wieder. Ein Fünfjähriger hat deshalb einen doppelt so hohen Energieumsatz im Gehirn wie ein Erwachsener. Das allein erklärt zwar noch keine Unterschiede in der Intelligenz. Interessant ist in diesem Zusammenhang aber ein Befund bei Personen mit Defiziten in der intellektuellen Entwicklung. Sie haben eine wesentlich höhere Zahl von Nerven-Verschaltungen und einen wesentlich höheren Gehirnstoffwechsel. Die „neurale Bereinigung" ist bei ihnen scheinbar ineffektiv beziehungsweise gestört.

Dieses Phänomen lässt sich etwa bei Lernbehinderten sowie bei Menschen mit Downsyndrom oder Autismus beobachten. Zu viele Nerven-Verschaltungen kosten übermäßig viel Energie und verhindern, dass die Gehirnaktivität auf wesentliche Bereiche fokussiert wird – was für geistige Leistungen offenbar erforderlich ist und vielleicht auch Hochbegabte von normal Intelligenten unterscheidet. Bewiesen sind diese Hypothesen aber noch nicht endgültig. Generell scheint zu gelten: Wer intellektuell in den ersten Monaten und Jahren nicht gefördert wird, baut weniger Nervenverbindungen auf. Die geistige Entwicklung kann sozusagen verkümmern.

■ Teil B   Wie erkennt man eine Hochbegabung?

Wenn Ihnen als Eltern folgende Merkmale bei Ihrem Kind auffallen, sollten Sie sich eventuell Gedanken über eine Hochbegabung machen:
- wenig Schlaf,
- frühe Sprachentwicklung (ganze Sätze bereits mit ein bis anderthalb Jahren),
- permanentes Fragen (früh auf abstraktem Niveau),
- liest von alleine und/oder liest sehr viel,
- beschäftigt sich oft sehr lange mit einem Thema,
- weist hohes Detailwissen auf.

Gemeinsame Merkmale aller hochbegabten Kinder sind außerdem ein sehr gutes Gedächtnis, eine hohe Konzentrationsfähigkeit und ein schnelles Reaktionsvermögen.

Ist das Bild vom unverstandenen, isolierten, hochbegabten Kind nun falsch oder richtig? Eine schwer zu beantwortende Frage. Viele Hochbegabte finden sich im Schulsystem gut zurecht, sind integriert, selbstbewusst und erbringen gute Leistungen. Andere fallen dagegen durch ihr negatives Verhalten auf. Im Extremfall wurden manche Hochbegabte sogar schon von Lehrern als lernbehindert eingestuft. Die Ursache von schlechten Schulleistungen an sich hochintelligenter Schüler könnte in deren permanenter Unterforderung und dadurch entstehender Langeweile liegen.

Hochbegabte Kinder sind Gleichaltrigen in ihrer Entwicklung und Denkstruktur oft weit voraus. Das kann zur Isolierung führen. Manche Kinder sondern sich ab, weil sie von Altersgenossen und auch Erwachsenen nicht verstanden oder als altklug bezeichnet werden. Oft bekommen die Kinder dann das Gefühl, nicht normal zu sein. Bei Jungen kann sich das durch Verhaltensauffälligkeiten wie Störungen im Unterricht, Aggressivität und Ungeduld äußern. Hochbegabte Mädchen dagegen versuchen eher, sich Normen anzupassen, bekommen schnell das Image von Strebern, ziehen sich zurück, entwickeln manchmal sogar psychosomatische Störungen. Es gibt Berichte, aus denen hervorgeht, dass bei Hochbegabten auch schon ADS (allgemeine Aufmerksamkeitsstörung) oder Hyperaktivität diagnostiziert wurde. ⇨

Das ist aber keinesfalls ein Normalbild und nicht jedes verhaltensauffällige Kind ist hoch-
70 begabt. Wie hoch der Anteil ist, ist nur schwer abzuschätzen.

Die Klischees vom geistesabwesenden, introvertierten Sonderling sitzen tief in vielen Köp-
75 fen. Viele Hochbegabte gelten als „schwierig", manchmal als welt- fremd, sind oft in Gedanken versunken – scheinen etwas sonderbar, wenn sie Gedankensprünge
80 machen, die viele nicht nachvollziehen können. Arrogant, zu sensibel, zu selbstkritisch, zu perfektionistisch – derlei Beschreibungen gibt es viele. Vielleicht haben
85 manche Hochbegabte tatsächlich Probleme im Umgang mit anderen Menschen, sind sozial isoliert. Verallgemeinern kann man diese Umschreibungen aber nicht. So
90 kommt die Beratungsstelle Hochbegabtenförderung e. V. zu dem Schluss, dass hochbegabte Kinder häufig über ein ausgeprägtes Moral- und Verantwortungsbewusst-
95 sein sowie ein gutes Einfühlungsvermögen verfügen.

a) Fassen Sie die Informationen des Textes für Ihre Lesepartnerin/Ihren Lesepartner zusammen.

b) Erarbeiten Sie zu zweit die wichtigsten Informationen aus dem Text. Vergleichen Sie im Anschluss Ihre Ergebnisse im Plenum.

Definition von *Hochbegabung*

Rolle der Vererbung

Ergebnisse wissenschaftlicher Studien

Indizien für Hochbegabung

Folgen der Hochbegabung

gesellschaftliche Akzeptanz und Förderung Hochbegabter

c) Vergleichen Sie die Aussagen des Textes mit Ihren Ergebnissen in Aufgabe 10.

 A12 Bilden Sie insgesamt 14 Komposita, die direkten Bezug zum Text in A11 haben. Nennen Sie auch den Artikel.

Verantwortung ◇ Künstler ◇ Begabte ◇ Verhalten ◇ Energie ◇ Genosse ◇ Stoffwechsel ◇ Quotient ◇ Grenze ◇ Aktivität ◇ Umwelt ◇ Nerv ◇ Alter ◇ Entfaltung ◇ Leistung ◇ Fähigkeit ◇ Förderung ◇ Aufmerksamkeit ◇ Bewusstsein ◇ Verbindung ◇ Faktor ◇ Intelligenz ◇ Möglichkeit ◇ Gehirn ◇ Störung ◇ Auffälligkeit ◇ Verbrauch ◇ Gedächtnis

das Verantwortungsbewusstsein, ...

....

....

....

....

Bilden Sie aus den in Klammern angegebenen Wörtern nominalisierte Adjektive/Partizipien und ergänzen Sie diese in der richtigen Form. Achten Sie auf die Rechtschreibung.

1. .... sind in der Regel Menschen, die einen Intelligenzquotienten (IQ) von mehr als 130 haben. *(hochbegabt)*

2. Die .... können einseitige Begabungen entwickelt haben – wie zum Beispiel einige Gedächtniskünstler oder Kopfrechengenies. *(betroffen)*

3. Kognitiv hochbegabte .... zeichnen sich eher durch sehr breit gefächerte, überdurchschnittliche geistige Fähigkeiten aus. *(jugendlich)*

4. Die Zahl der Nerven-Verschaltungen nimmt bei .... enorm zu, danach bis zur Pubertät wieder ab. *(zwei- bis fünfjährig)*

5. .... haben eine höhere Zahl von Nerven-Verschaltungen und einen höheren Gehirnstoffwechsel. *(lernbehindert)*

6. Zu viele Verschaltungen verhindern, dass die Gehirnaktivität auf das .... fokussiert wird, was für geistige Leistungen offenbar erforderlich ist. *(wesentlich)*

7. Ist das Bild vom unverstandenen, isolierten, hochbegabten .... nun falsch oder richtig? *(heranwachsen)*

8. Viele .... verneinen diese These, denn die meisten hochbegabten Kinder und .... finden sich im Schulsystem gut zurecht, sind integriert, selbstbewusst und erbringen gute Leistungen. *(befragen, jugendlich)*

9. Manche Kinder sondern sich ab, weil sie von .... und auch von .... nicht verstanden oder als altklug bezeichnet werden. *(gleichaltrig, erwachsen)*

Zusatzübungen zu nominalisierten Adjektiven und Partizipien ⇨ Teil C Seite 111

 Diskussion: Hochbegabtenförderung
Sprechen Sie mit Ihrer Nachbarin/Ihrem Nachbarn über das Thema *Förderung von hochbegabten Kindern.*

1

Pro

Für Hochbegabte sollte es eigene Schulen und Bildungseinrichtungen geben, sodass sie zielgerichteter gefördert werden können.

2

Kontra

Hochbegabte Kinder sollte man nicht isolieren, sondern mit durchschnittlich begabten Kindern zusammen unterrichten.

Zum Ablauf der Diskussion

◇ Diskutieren Sie zu zweit: Eine Person vertritt Aussage 1, die andere Aussage 2.

◇ Verteidigen Sie Ihre Position. Versuchen Sie, Ihre Gesprächspartnerin/Ihren Gesprächspartner von Ihren Argumenten zu überzeugen. Nennen Sie auch Beispiele.

◇ Gehen Sie auf die Argumente Ihrer Gesprächspartnerin/Ihres Gesprächspartners ein.

 Reaktion auf eine Fernsehsendung

Sie haben im Fernsehen eine Sendung zum Thema *Hochbegabung* gesehen. Nach der Sendung wurden die Zuschauer um ihre Meinung zum Thema gebeten. Schreiben Sie eine ausführliche E-Mail an die Redaktion, in der Sie sich auf die drei folgenden Aussagen beziehen und Ihre Meinung dazu äußern.

1
Da es sich nur um eine sehr kleine Bevölkerungsgruppe handelt, wird dem Thema *Hochbegabung* viel zu viel Aufmerksamkeit geschenkt.

2
Hochbegabte Kinder und Jugendliche sind die Leistungsträger der Zukunft.

3
Hochbegabte Kinder sollten die Möglichkeit haben, bereits mit 14 Jahren an einer Universität zu studieren.

Schreiben Sie zu dem angegebenen Thema einen zusammenhängenden und gegliederten Text. Achten Sie auf eine angemessene Wortwahl und variantenreiche Satz- und Textverknüpfungen.

Berufschancen und Berufe

A16 Interview
Fragen Sie Ihre Gesprächspartnerin/Ihren Gesprächspartner, ob sie/er

◊ … als Kind besondere Berufswünsche hatte.

◊ … mit ihrer/seiner Berufswahl zufrieden ist.

◊ … schon einmal eine Ausbildung abgebrochen hat oder jemanden kennt, der eine Ausbildung abgebrochen hat – und welche Gründe dafür ausschlaggebend waren.

◊ … aus beruflichen Gründen schon einmal für längere Zeit im Ausland war.

◊ … Menschen verstehen kann, die sich nach dem 40. Lebensjahr beruflich neu orientieren.

A17

■ Vom Studenten zum Handwerksmeister

Und jetzt auch noch eine Ausbildung? Wer gerade die Uni geschmissen hat, stellt sich seine Zukunft wohl nicht unbedingt
5 als Lehrling vor. Dabei können Fast-Akademiker im Handwerk im Schnellverfahren Karriere machen: Führungskräfte werden dringend gesucht.
10 Dominik Blöchl (29) hat zwei Studiengänge ausprobiert. Erst schrieb er sich für Bauingenieurwesen, später für Sozialarbeit ein. Beides machte ihn nicht glück
15 lich. Da kam ihm ein neues Angebot der unterfränkischen Handwerkskammer gerade recht: In einem Pilotprojekt bieten Betriebe der Region Studienabbrechern
20 aus ganz Deutschland eine verkürzte Lehre plus Weiterbildung zum Meister an. Die Fast-Akademiker können damit den Karriereturbo anwerfen und in kürzester
25 Zeit die Gesellenprüfung ablegen. Aus ihnen sollen im Schnellverfahren dringend gesuchte Führungskräfte werden.
Etwa ein Drittel der Chefs im
30 Handwerk ist älter als 50 Jahre. Allein in Unterfranken stehen in 6 000 Betrieben in den nächsten 15 Jahren Führungswechsel an. Die Betriebe suchen schon jetzt
35 händeringend Nachwuchs, vor allem Fach- und Führungskräfte. Auf der anderen Seite brechen jedes Jahr Tausende Studenten ihr Studium ab. Da wäre es doch
40 sinnvoll, ihnen eine Alternative im Handwerk anzubieten, meint Rolf Lauer, Hauptgeschäftsführer der Handwerkskammer Unterfranken: „Diese Zielgruppe blieb
45 vom Handwerk bislang weitgehend unbeachtet. Wir bieten diesen hoch qualifizierten Leuten eine Karrieremöglichkeit." Die Initiative „Karriereprogramm
50 Handwerk: Studienanschluss statt Studienabbruch" stößt auf Interesse. „Schon jetzt liegen uns mehr als 20 Anfragen von Noch-Studenten vor", sagt Lauer. Die ers
55 ten neun Studienabbrecher haben im Herbst 2012 den Hörsaal gegen Werkbank und Klassenzimmer getauscht. Das Bayerische Arbeitsministerium und die Eu
60 ropäische Union fördern das Projekt bis Sommer 2015 mit insgesamt 610 000 Euro.
Und so sitzt Blöchl mit sechs weiteren ehemaligen Studenten
65 vor den Aufgaben für Schreiner-Lehrlinge. Sie werden nach nur zwei Jahren ihre Ausbildung abgeschlossen haben. Außerdem können sie schon ein Jahr später
70 den Meisterbrief in der Tasche haben. „Es ist ein maßgeschneiderter Lehrgang. Die jungen Leute sind intelligent und begreifen Zusammenhänge sehr schnell. Des
75 halb können wir alles fix durchziehen", sagt Lauer. Für zunächst zwei Lehrberufe gibt es das Angebot: Schreiner und Hörgeräteakustiker. Im nächsten Lehrjahr
80 sollen Elektroniker, Metallbauer und ähnliche technische Berufe dazukommen.
Für Blöchl und die anderen Lehrlinge bedeutet das Turbo
85 programm aber auch einen engen Stundenplan bis in den Abend hinein. Zusätzlich zur Arbeit im Betrieb müssen sie Spezialkurse am Wochenende meistern.
90 „Wir haben oft eine Sechs-Tage-Woche", sagt Blöchl. Das sei schon anstrengend: „Aber es ist zu schaffen. Man muss eben die Motivation haben." Möbelherstel
95 ler Thomas Schuhmann ist einer der Chefs, die sich auf das Pilotprojekt eingelassen haben. Er ist überzeugt, auf diesem Weg neue Mitarbeiter zu finden, „mit ande
100 ren Voraussetzungen, von der Intelligenz, der Auffassungsgabe und dem Auftreten her". Dieses Projekt sei längst fällig gewesen: „Ich bin
105 überzeugt davon, dass das auch bundesweit Schule machen wird."

a) Ergänzen Sie die fehlenden Wörter mithilfe der Informationen aus dem gelesenen Text.

- Trotz eines .... (1) haben ehemalige Studierende in Unterfranken gute bis sehr gute .... (2). Sie können sich jetzt in einer kurzen Zeitspanne .... (3) qualifizieren.
5 Auch Julian Sander aus Würzburg entschied sich, sein Studium .... (4). Heute kann er über seine gut zwei Semester Studium lachen. Die Prüfungen waren nicht das Problem, die habe er immer ganz ordentlich .... (5). Aber er habe einfach
10 .... (6) des Studierens nicht mehr eingesehen. Seit April 2012 wird der ehemalige Student im nahe gelegenen Karlstadt .... (7) ausgebildet. Statt im .... (8) zu sitzen, steht er nun an einer Sägemaschine, fährt eine dau-
15 mendicke Holzplatte an das Sägeblatt und trägt die länglichen Quader, die vom Tisch herunterpurzeln, auf eine Arbeitsplatte.

Julians .... (9) ist in dem kleinen Betrieb höchst ungewöhnlich, unter .... (10) von Meister Fritz Schön ist Julian der einzige mit .... (11). Gemeinsam mit acht anderen Studienabbrechern bildet Julian den Versuchsjahrgang des .... (12) *Studienanschluss statt Studienabbruch* der Handwerkskammer Unterfranken. In dem Programm kann er nicht nur den Weg zur .... (13) verkürzen, sondern auch die Hälfte der Kurse .... (14), die er braucht, um Meister seines

.... (15) zu werden. Ein Jahr später schon könnte er den .... (16) in den Händen halten.
35 Einen solchen .... (17) aus dem Studium könnten viele der mehr als 2,5 Millionen Studenten in Deutschland gebrauchen. Laut OECD verlässt jeder Dritte die Hochschule ohne .... (18). Längst nicht alle aus Faul- oder Dummheit: „Ich habe
40 damals nur studiert, weil ich die Qualifikation dafür hatte. In Deutschland gilt: Wenn man nicht studiert, hat man nichts .... (19)", sagt Julian Sander heute. Doch beim Uni-Abschluss gilt: alles oder nichts. Wer .... (20), fällt auf Abiturniveau zu-
45 rück – oft ohne Plan, wie es weitergehen soll. Gleichzeitig wird .... (21) im Handwerk immer knapper: Deutschlandweit hatte 2011 jeder vierte Handwerksbetrieb .... (22) für Gesellen oder Meister. Allein in Unterfranken fehlen schon
50 jetzt 1 000 Meister. Und in den nächsten 15 Jahren stehen rund 6 000 unserer Handwerksbetriebe zur .... (23) an. .... (24) wird dringend gesucht.
Längst nicht jeder gute Schreiner tauge aber zum
55 .... (25): Wer Nachwuchs ausbilden will, braucht rhetorische Fähigkeiten. Wer eine Gewinn- und Verlustrechnung aufstellen muss, muss sich in die trockene Theorie der Bilanzierung einlesen. Julian hat eine viel schnellere .... (26) als andere Azu-
60 bis. Es ist eine Traumsituation, wenn sich höher .... (27) mit dem Schreinerberuf beschäftigen.

b) Information und Bericht

Eine sachliche Kurzinformation

Schreiben Sie eine sachliche Kurzinformation für die Zeitschrift *Du und Deine Karriere* über neue Möglichkeiten für Studienabbrecher (100–120 Wörter). Beziehen Sie sich dabei auf den Text *Vom Studenten zum Handwerksmeister* und nutzen Sie die Informationen aus dem Text.

Ein informativer Bericht

Verfassen Sie einen informativen Bericht (300–400 Wörter) über Berufs- und Studienchancen in Ihrem Heimatland. Beachten Sie dabei folgende Schwerpunkte:

◇ mögliche Schulabschlüsse in Ihrem Heimatland

◇ mögliche weitere Berufswege nach dem Schulabschluss

◇ beliebteste Berufe und Studiengänge

◇ Finanzierungsmöglichkeiten und Vergütungen (Stipendium, Lehrgeld usw.)

Arbeiten Sie auch statistisches Material (z. B. in Form einer Grafik) in Ihren Bericht ein.

A18 Rollenspiel
Wählen Sie eine Aufgabe aus und spielen Sie zu zweit.

1

Ihre Freundin/Ihr Freund ist ziemlich verzweifelt. Bereits seit fünf Jahren studiert sie/er und ein Ende ist noch immer nicht in Sicht. Lassen Sie sich die Situation genau schildern. Fragen Sie, wie es dazu kommen konnte, und denken Sie gemeinsam darüber nach, wie es jetzt weitergehen soll. Geben Sie Ihrer Freundin/Ihrem Freund nicht nur Tipps, sondern bieten Sie ihr/ihm auch Ihre Hilfe an.

2

Eine gute Freundin/Ein guter Freund hat Ihnen anvertraut, dass ihr/sein Sohn das Studium hingeschmissen hat. Der Sohn will auf keinen Fall mehr studieren, sondern für längere Zeit ins Ausland gehen. Ihre Freundin/Ihr Freund ist überhaupt nicht damit einverstanden – der Sohn soll wenigstens eine Berufsausbildung machen, bevor er ins Ausland geht. Sie haben Verständnis für den Sohn, wollen aber Ihrer Freundin/Ihrem Freund gern helfen.

3

Sie sind Leiterin/Leiter eines kleinen Teams. Laut der Unternehmensrichtlinien muss eine Mitarbeiterin/ein Mitarbeiter nun endlich den Master machen, sonst darf sie/er die derzeitige Arbeitsstelle nicht behalten. Die Person hat aber gute Gründe, weshalb sie in diesem Jahr mit der Ausbildung nicht beginnen kann. Sie müssen und wollen die Mitarbeiterin/den Mitarbeiter unbedingt zu diesem Karrieresprung überreden. (Entscheiden Sie bei der Vorbereitung, wie das Unternehmen heißt und welche Tätigkeit Sie und Ihr Team ausführen.)

A19 Berufe, Berufe, Berufe …
Hier sind waagerecht 26 und senkrecht 11 Berufsbezeichnungen versteckt. Finden Sie sie alle?

```
W  A  D  K  R  V  N  Z  S  U  G  L  X  F  R  I  S  E  U  R
I  B  P  R  I  I  N  K  Ä  U  F  E  E  R  K  F  M  L  N  A
R  Ü  I  P  F  R  O  G  B  I  B  L  I  O  T  H  E  K  R  X
T  R  O  E  T  D  X  P  Z  W  Ä  P  Z  T  I  C  H  T  A  R
S  O  K  T  S  K  C  O  E  K  E  R  I  I  S  T  J  I  R  K
H  U  G  D  A  C  O  T  I  K  E  R  G  M  L  W  K  H  E  L
A  F  A  E  N  C  T  R  K  E  R  O  R  O  T  W  O  R  I  E
F  M  B  F  W  R  A  E  S  Z  T  A  A  A  E  T  R  Y  H  M
T  A  D  E  A  M  R  A  C  L  H  D  L  F  E  E  R  A  R  P
S  N  U  L  L  M  E  C  H  A  N  I  K  E  R  K  K  T  B  N
P  R  S  I  T  S  C  H  M  I  E  D  O  E  R  U  I  E  K  E
Ü  C  G  J  K  C  H  M  I  E  D  E  R  G  R  S  K  J  E  R
F  B  W  L  E  U  A  N  I  E  D  Q  F  A  T  E  S  J  D  F
E  B  M  B  L  D  N  G  W  A  L  R  J  S  I  G  E  E  A  L
T  R  Y  S  K  A  T  C  B  I  N  D  I  R  T  U  C  H  M  I
I  Z  Z  O  A  C  H  N  K  O  N  D  R  R  T  N  H  V  D  E
S  S  T  M  U  Z  T  B  E  R  A  T  E  U  T  C  T  I  X  S
C  L  V  A  G  E  R  B  E  R  A  P  K  U  S  H  E  H  I  E
H  Ö  R  G  U  T  H  T  R  E  A  K  U  S  A  E  R  E  T  N
L  A  N  D  W  I  R  T  E  A  D  I  N  T  M  R  B  R  S  L
E  R  I  M  M  O  B  I  L  I  E  N  M  A  K  L  E  R  U  E
R                                                       R
```

waagerecht: ....
....
....
....

senkrecht: ....
....

A20 Das Ansehen der Berufe

a) Halten Sie einen Vortrag von ca. fünf Minuten über das Thema *Ansehen der Berufe*.

Beziehen Sie die folgende Grafik in Ihre Ausführungen ein. Berichten Sie, wie sich das Ansehen der Berufe im Vergleich zu früher verändert haben könnte. Nennen Sie mögliche Gründe. Sprechen Sie über die Konsequenzen, die einzelne Berufsgruppen Ihrer Meinung nach aus den Umfrageergebnissen ziehen müssten. Welche Ergebnisse würde diese Umfrage in Ihrem Heimatland erzielen?

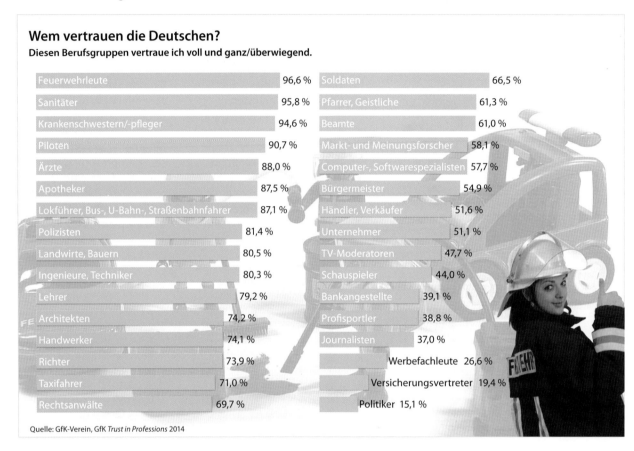

Wem vertrauen die Deutschen?

Diesen Berufsgruppen vertraue ich voll und ganz/überwiegend.

Berufsgruppe	Wert	Berufsgruppe	Wert
Feuerwehrleute	96,6 %	Soldaten	66,5 %
Sanitäter	95,8 %	Pfarrer, Geistliche	61,3 %
Krankenschwestern/-pfleger	94,6 %	Beamte	61,0 %
Piloten	90,7 %	Markt- und Meinungsforscher	58,1 %
Ärzte	88,0 %	Computer-, Softwarespezialisten	57,7 %
Apotheker	87,5 %	Bürgermeister	54,9 %
Lokführer, Bus-, U-Bahn-, Straßenbahnfahrer	87,1 %	Händler, Verkäufer	51,6 %
Polizisten	81,4 %	Unternehmer	51,1 %
Landwirte, Bauern	80,5 %	TV-Moderatoren	47,7 %
Ingenieure, Techniker	80,3 %	Schauspieler	44,0 %
Lehrer	79,2 %	Bankangestellte	39,1 %
Architekten	74,2 %	Profisportler	38,8 %
Handwerker	74,1 %	Journalisten	37,0 %
Richter	73,9 %	Werbefachleute	26,6 %
Taxifahrer	71,0 %	Versicherungsvertreter	19,4 %
Rechtsanwälte	69,7 %	Politiker	15,1 %

Quelle: GfK-Verein, GfK *Trust in Professions* 2014

Nutzen Sie für Ihren Vortrag die folgenden Redemittel.

Redemittel

◇ Man kann aus/anhand der Grafik/Statistik deutlich erkennen, dass …

◇ Der Grafik/Statistik kann man entnehmen, dass …

◇ Aus der Grafik/Statistik geht hervor/wird deutlich, dass …

◇ Die Grafik/Statistik zeigt …

◇ Der Grafik/Studie/Umfrage zufolge …

◇ Nach Ansicht der Befragten …

◇ An der Spitze/Auf Platz eins/zwei steht/liegt …

◇ Dahinter kommt/folgt …

◇ Die weiteren Plätze belegen …

◇ Das Schlusslicht ist/bildet …

◇ Am Ende der Skala befindet/befinden sich …

◇ Das größte/geringste Vertrauen genießt/genießen …

◇ Überrascht/Verwundert hat mich, dass …

◇ Bemerkenswert ist meiner Ansicht nach, dass …

◇ Interessant bei dieser Grafik ist, dass …

◇ Dieses Ergebnis habe ich erwartet/entspricht meinen Erwartungen.

◇ Das könnte daran liegen, dass …

◇ Die Ursachen dafür liegen wahrscheinlich/sicher in …

◇ Den Grund für dieses Ergebnis sehe ich in …

◇ Man könnte das Ergebnis damit erklären, dass …

◇ Es ergeben sich meines Erachtens folgende Konsequenzen: …

◇ Aus dem Ergebnis müssten/sollten sofort folgende Konsequenzen gezogen werden: …

◇ Das Ergebnis hat möglicherweise zur Folge, dass …

◇ Das Ergebnis könnte sich auf … negativ auswirken/könnte negative Auswirkungen auf … haben.

◇ Das mangelnde Vertrauen in die Berufsgruppe … könnte/wird sicher Einfluss auf … haben/ausüben.

b) Bilden Sie aus den vorgegebenen Wörtern Sätze im Präsens. Achten Sie auf eventuell fehlende Präpositionen und den richtigen Kasus.

◇ eine Studie – knapp 97 Prozent – Deutsche – die Feuerwehrleute – vertrauen

Einer Studie zufolge/Nach einer Studie vertrauen knapp 97 Prozent der Deutschen den Feuerwehrleuten.

1. auch Gesundheitsberufe – Ärzte, Krankenpfleger, Sanitäter und Apotheker – hohes Ansehen – genießen

....

2. Ansicht – Marktforschungsinstitut GfK – man – Menschen – besonders viel Vertrauen – schenken, – die – bereit sein – helfen

....

3. Piloten und Lokführer – ebenfalls – ein guter Ruf – sich freuen können

....

4. sie – eine große Verantwortung – die Sicherheit – viele Menschen – tragen

....

5. Ende – Beliebtheitsskala – der Berufsstand – Politiker – sich wiederfinden

....

6. nur 15 Prozent – Deutsche – die Politiker – noch Vertrauen – schenken

....

7. alles in allem – die Deutschen – ihr Staatswesen – sich zufrieden zeigen

....

8. Beamte – Lehrer und Richter – Mittelfeld – stehen, – das heißt, – der Glaube – eine funktionierende Justiz – noch – gegeben sein

....

(A21) Welche beruflichen Anforderungen werden heute an Arbeitnehmer gestellt und wie haben sich diese in den letzten Jahren verändert? Berichten Sie anhand Ihres Berufsfeldes oder eines Berufsfeldes Ihrer Wahl. Erarbeiten Sie eine Gedankenkarte (Mind-Map).

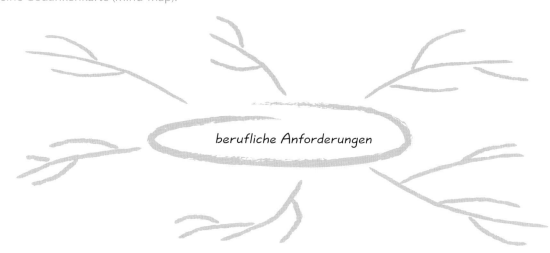

berufliche Anforderungen

Zur Erinnerung: Erstellung von Gedankenkarten (Mind-Maps)
◇ Schreiben Sie das Thema in die Mitte. Sie brauchen ein großes Stück Papier. Gedankenkarten kosten Platz.
◇ Von der Mitte aus wachsen wie an einem Baumstamm in alle Richtungen Äste, die die Hauptpunkte darstellen.
◇ Von den Ästen aus gehen Zweige ab, die für die Einzelheiten stehen, von denen wiederum Äste abgehen können für Beispiele oder weitere Einzelheiten.
◇ Die Schlüsselwörter werden auf die Äste und Zweige geschrieben. Sie können auch Bilder und Symbole benutzen.

Bei der Gedankenkarte steht der Ideenfluss im Vordergrund, nicht so sehr die lineare Struktur. Sollte die Gedankenkarte nicht Ihrer Arbeitsweise entsprechen, dann strukturieren Sie Ihre Ideen, wie Sie es gewöhnt sind.

Zusatzübungen und Tipps zur Prüfungsvorbereitung

B1 Modul Lesen, Aufgabe 3

Lesen Sie die folgende Geschichte aus dem Buch *Der brave Schüler Ottokar* von Ottokar Domma. Einige Textabschnitte fehlen. Setzen Sie die Abschnitte in den Text ein. Ein Textabschnitt passt nicht.

■ Die gefährliche Waffe

Die wichtigste Waffe unserer lieben Lehrer sind die Noten. Sie haben eine Zauberkraft. Sagt man zu Hause, heute bekam ich eine Eins, dann schreit die Mutter gleich: Nein, es ist nicht wahr, und sie muss es
5 gleich sehen. Erst dann glaubt sie es. Und es ist eine Stimmung wie bei einem Freudenfest.

◇ Textabschnitt: **1**

Bei Schweine-Sigi wirkt eine Vier wie im Märchen Knüppel-aus-dem-Sack, bei meinem Freund Harald dagegen ganz anders. Sein Vater hält meistens eine
10 lange Rede und spricht, dass er sich jetzt als Schulrat nicht mehr auf der Straße oder in der Schule blicken lassen darf, weil alle Leute denken, er kann nicht richtig erziehen.

◇ Textabschnitt: **2**

Wenn zum Beispiel unser Herr Kurz eine Arbeit
15 zensiert, sagen wir von einem Mädchen, dann packt unseren Herrn Kurz wegen des zarten Geschlechts ein Mitleid, und schon ist er milder. Oder wenn unser Herr Burschelmann mein Heft entdeckt, dann lacht er gleich grimmig und spricht: Da ist er ja! Und seinem
20 scharfen Adlerblick entgeht nichts.

Daran sieht man, wie schwer es ein Lehrer hat und woran er beim Zensieren denken muss.

◇ Textabschnitt: **3**

Ein Lehrer hat es auch viel schwerer als zum Beispiel ein Preisrichter. Ein Preisrichter nimmt seine Lis-
25 te, in welcher alle Preise drinstehen, und geht damit zum Konsum oder zum Bäcker oder zum Fleischer. Wenn die Verkäuferinnen nervös werden, dann bleibt er länger, und mit seiner Liste entdeckt er gleich jeden Schwindel. Ein Lehrer dagegen hat nur für das
30 Deutsch-Diktat und Mathematik und für Sport so eine Liste. Er braucht nur die Fehler zusammenzuzählen, und gleich weiß er, was für eine Zensur rauskommt.

◇ Textabschnitt: **4**

Wenn aber Herr Luschmil diktiert, dann geht es viel schneller und klingt so: „Blötzligammeinbisscher-
35 hunt." Und so kommt es, dass ein Lehrer manchmal vor einem großen Rätsel steht und fragt, wieso die eine Klasse wenig und die andere Klasse viele Fehler gemacht hat. Und sie werden manchmal raten müssen bis an ihr Lebensende. Auch ein Richter auf dem Ge-
40 richt hat es leichter als unsere Lehrer.

◇ Textabschnitt: **5**

Im Gegensatz dazu stehen unsere Lehrer ganz allein und haben keine Helfer beim Richten. Auch sagen sie, je strenger, desto besser. Und sie fragen nicht, ob wir mit der Vier oder Fünf zufrieden sind. Es gibt
45 auch verschiedene Ereignisse, welche unsere Zensuren verschlechtern oder vergüten. Wenn zum Beispiel Frau Seidenschnur in der sechsten Stunde zu uns kommt, und sie hat schon tolle Kopfschmerzen, dann ist Frau Seidenschnur mit unseren Leistungen nicht
50 so zufrieden wie in der ersten Morgenstunde, wo man noch frisch ist. Oder: Herr Luschmil hat sich die ganze Nacht in seinem Bett gewälzt und schwer geträumt, sagen wir von mir. Da kann es passieren, dass ihn am nächsten Tag mein Anblick verärgert, und schon hat
55 er mich, ausgerechnet dann, wenn ich schlecht vorbereitet bin.

Es kann aber auch anders sein. Als zum Beispiel unsere Fußballmannschaft gegen Jugoslawien gewonnen hat, kam Herr Brettl wohlgemut in die Klasse und
60 war ein milder Bio-Richter. Und so könnte man noch mehr Sachen aufzählen. Wenn wir zum Beispiel eine Fünf haben, dann schreibt das der Herr Klassenlehrer sofort dem Vater.

◇ Textabschnitt: **6**

Zum Beispiel: Ohne Fleiß kein Preis. Oder: Was du
65 heute kannst besorgen, das verschiebe nicht auf morgen, zum Beispiel Schularbeiten. Das ist wahr. Denn so entsteht eine Stoßschicht. Mein Vater kennt sie vom Betrieb, und er sagt, das kommt von der verfluchten Gammelei. Das Schlimmste an den Zensuren ist, dass sie
70 nicht ausgelöscht werden dürfen wie eine Gefängnisstrafe. Und man darf als Schüler keine Berufung einlegen wie bei einem Gericht. Deshalb bleibt uns armen Kindern nichts weiter übrig, als so viel zu lernen, bis unser Herr Direktor Keiler sagen kann: Es gibt ei-
75 ne Eins. Und das Sprichwort heißt jetzt: Mit Fleiß viel Preis, und es ist ein positives Sprichwort.

Textabschnitt A

Er hat es viel schwerer als zum Beispiel ein Kampfrichter. Ein Kampfrichter braucht nur zu messen, wer am schnellsten rennt oder am weitesten schleudert oder am höchsten springt. Dieser bekommt die meisten Punkte, und das ist so viel wie eine gute Zensur. In der Schule ist das ganz anders. Wenn ich zum Beispiel am schnellsten mit den Aufgaben fertig bin oder beim Singen am höchsten trällere, dann ist meine Zensur nicht immer gut.

Textabschnitt B

Wenn zum Beispiel ein Verbrecher geschnappt wird, und er hat, sagen wir, fünfmal geklaut, dann weiß der Herr Richter ganz genau, wie viel man ihm aufbrummen muss. Aber weil der Herr Richter Angst hat, dass er sich irren könnte, fragt er lieber gleich noch einige andere Richter oder auch Schöffen genannt. Und sie suchen dann meistens nach der mildesten Strafe, um dem Verbrecher zu zeigen, dass man es gut meint. Auch darf der Verbrecher am Schluss sagen, ob er damit zufrieden ist.

Textabschnitt C

Wenn ich eine Eins bekommen habe, schreibt er es nicht. Und so müssen manche Eltern auf diese Freude verzichten. Auch zensiert man auf dem ersten Halbjahreszeugnis strenger als auf dem zweiten, damit wir uns zusammenreißen. Unser Herr Direktor Keiler sagt aber, es liegt immer an uns, und wir müssen mal darüber nachdenken. Dazu nennt er verschiedene Sprichwörter.

Textabschnitt D

Alle Leute denken das nicht, aber unser Herr Lehrer Luschmil ganz bestimmt. Denn er glaubt, das Schulratskind Harald muss sich auch wie ein Schulrat benehmen. Für unsere lieben Lehrer ist es auch nicht leicht, diese gefährliche Waffe richtig zu gebrauchen. Ich kann mir denken, dass manche Lehrer schon gar nicht mehr richtig schlafen können, weil sie immerzu an diese Waffe denken müssen, und sie hat manchem wilden Knaben oder Mädchen ein Leids getan.

Textabschnitt E

Aber was nutzt die beste Zensurenliste, wenn unsere Lehrer unegal sprechen oder verschiedene Mundarten haben. Wenn zum Beispiel der Herr Burschelmann diktiert, dann spricht er, nehmen wir mal an, folgenden Satz so: „Plötzzzlich kaaam aiiinnn bissiegeeer Hunnnt, habt ihr?" Herr Burschelmann spricht meist sehr deutlich, und man weiß genau, was man anders schreiben muss.

Textabschnitt F

Sagt man aber zu Hause, heute hab ich eine Vier bekommen, dann ruft die Mutter, dass sie sich so was schon denken kann, und sie will sie gar nicht erst sehen. Eine Vier glaubt sie gleich, und es ist eine Stimmung wie an dem Tage, wenn Tante Mariechen zu Besuch kommt.

Textabschnitt G

Unser Herr Direktor Keiler ist der wichtigste und am schwersten belastete Lehrer. Auch wird er am meisten gegrüßt. Oft kommt unser Herr Direktor in die Klassen, wo er sich hinsetzt und zuhört, was wir und die Lehrer gelernt haben. An diesem Tage sind unsere Lehrer immer sehr freundlich zu den Kindern und sagen Bitte und Danke und machen auch gern ein Witzchen.

B2 Modul Lesen, Aufgabe 1
Lesen Sie den folgenden Text. Markieren Sie in den anschließenden Aufgaben die richtige Lösung.
Es gibt nur eine richtige Lösung.

■ German Strudel

Bäcker aus aller Welt studieren an einer Akademie in Weinheim deutsche Handwerkskunst. Als Bäckermeister erlebt Günter Franz gerade einen zweiten Frühling. Franz ist ein Mann mit Halbglatze und Goldkette, der vor 25 Jahren seine Meisterprüfung abgelegt hat, im Brotland Deutschland damals ein guter Beruf. Inzwischen ist Franz 49 Jahre alt, und das Backgeschäft hat sich verändert: Immer mehr Deutsche kaufen ihr Brot beim Discounter oder im Backshop, kleine Bäckereien müssen schließen. Die Hoffnungsmärkte für deutsches Backwerk liegen heute im Ausland, in Asien, Südamerika und Afrika, wo die Menschen allmählich wohlhabender werden und dem Lebensstandard der Industrienationen nacheifern. Dazu gehört auch Brot und deshalb will nun alle Welt das Backen vom Meister lernen. Für Günter Franz ist das gut, er ist einer der Lehrer für *The German Art of Baking*, die deutsche Kunst des Backens, an der Akademie Deutsches Bäckerhandwerk in Weinheim.

Fünf Wochen dauert der Kurs, gerade läuft die zweite Woche, schwäbische Dätscher, Apfelstrudel, Laugenbrezeln, Ciabatta und Berliner Landbrot stehen auf dem Stundenplan. In der Lernbäckerei steht Günter Franz jetzt vorne am Pult, er knetet den Ciabatta-Teig, *„soft as a pillow"*, sagt er, weich wie ein Kissen, das Headset überträgt seine Sätze in die Lautsprecher. Bis vor vier Jahren sprach Franz kein Wort Englisch, inzwischen geht er jeden Samstagmorgen zum Sprachunterricht, er ist auf der ganzen Welt unterwegs, gibt Backkurse in den USA, in Irland oder Indien.

Die 17 Teilnehmer sitzen ihm gegenüber, jeder von ihnen hat rund 4 000 Euro bezahlt, um hier zu sein und die Kunst des Backens zu lernen. Sie kommen von überall her, aus China, Ägypten, Russland oder Griechenland. Viele von ihnen haben lange nach einem solchen Kurs gesucht, in Frankreich und Italien werden ähnliche angeboten, aber die sind meistens nicht in Englisch. Aurora Rosas aus Mexiko hat einen Kurs in Spanien gemacht, aber die Deutschen, sagt sie, seien strukturierter, „Perfektionisten", von denen wolle sie lernen. Die deutsche Bäckerakademie hat die Marktlücke erkannt, inzwischen wird *The German Art of Baking* wegen der hohen Nachfrage sogar zweimal jährlich angeboten.

Über dem Pult hängt ein riesiger Spiegel, alle sollen sehen können, wie Franz das Muster in den Teig schnitzt. Die Bankreihen erinnern an einen Hörsaal, viele der Teilnehmer nehmen jeden Handgriff von Franz mit ihren Smartphones auf. Abdulmajeed Althiban aus Saudi-Arabien, den alle nur Abdul nennen, steht manchmal sogar auf und geht nach vorne zum Pult, er will den Teigklumpen und Franz' Hände groß auf dem Bildschirm haben.

Nach der Theorie sollen die Teilnehmer dann selbst kneten, rollen, formen. Abdul hat sich für das Berliner Landbrot entschieden. Vorsichtig knetet er den Teig. Roggenmehl Typ 1150 ist in Abduls Heimat Saudi-Arabien schwierig zu bekommen, er will trotzdem lernen, wie man damit backt. „Deutsches Brot", sagt er, „ist einfach das beste." Der 29-Jährige arbeitet als Informatiker, schon lange ist Backen sein Hobby, demnächst will er eine eigene Bäckerei aufmachen. In Saudi-Arabien ist Brot *made in Germany* eine Marke, ähnlich wie Mercedes oder Volkswagen. „Wir Saudis kopieren den europäischen Lifestyle", sagt Abdul. „Wir trinken italienischen Kaffee, essen französische Croissants und wollen deutsches Brot."

Weltweit soll es in Deutschland die meisten Brotsorten geben, die Zahl liegt irgendwo zwischen 300 und 3 000. Und nirgendwo sonst zählt Brot als vollwertige Mahlzeit. Im Grimm'schen Märchen Frau Holle kann das Brot sogar sprechen. „Ach, zieh mich raus, sonst verbrenn ich", ruft es aus dem Ofen. „Ich bin schon längst ausgebacken." 64 Kilogramm Brot und Backwaren aß jeder Deutsche durchschnittlich im vergangenen Jahr, der Umsatz des Bäckerhandwerks lag 2012 bei 13 Milliarden Euro. Trotzdem sinkt die Anzahl der deutschen Handwerksbäckereien stetig, in den vergangenen 60 Jahren um fast drei Viertel. Deutschlands große Bäcker heißen heute Back-Factory oder Edeka, das Unternehmen betreibt rund 2 500 Bäckereien, die in Berlin Thürmann heißen und in Mannheim K&U.

In der Lernbäckerei in Weinheim steht Ashish Agarwal aus Indien neben der großen Rührmaschine, er zerteilt einen Teighügel. Ashish gehören 40 Feinkostläden in Neu-Delhi, dort will er Schwäbisches Weißbrot anbieten, das Rezept hat er in dieser Woche gelernt. „Du musst dem Markt einen Schritt voraus sein", sagt er. Auch Tatiana Soboleva, 34, Finanzexpertin aus Russland, sieht in Brot einen Zukunftsmarkt. Sie war Chefin einer Bank, bis 2008

die Krise kam und sie arbeitslos wurde. Seitdem hält sie sich mit Gelegenheitsjobs über Wasser. Brot, sagt sie, dieses Geschäft werde es immer geben, weil die Leute immer Brot äßen. Dort, wo Tatiana lebt, in Toljatti, rund 1 000 Kilometer von Moskau entfernt, kaufen die Menschen das Brot in Supermärkten.   ⇨

„Das meiste ist tiefgefroren, die Qualität ist nicht besonders
160 gut", sagt sie. Doch das Konsumverhalten ändere sich. „Immer mehr Russen sind bereit, mehr Geld für frische Lebensmittel auszugeben."

165 Nicht nur Privatleute buchen den Kurs, auch manche ausländische Bäckerei schickt ihre Mitarbeiter nach Deutschland. Deutsches Brot zu verkaufen kann sich
170 lohnen. Die Japaner zum Beispiel gaben 2011 erstmals mehr Geld für Brot als für Reis aus, wobei man dazu sagen muss, dass Brot

und Brötchen dort wesentlich teu-
175 rer sind.

In Weinheim lernen die Teilnehmer mehr als einhundert Rezepte. Doch nicht alles lässt sich im Ausland backen. Lauge für die
180 Brezeln gibt es in Japan nicht zu kaufen. Bäckermeister Franz hat einen Ersatzstoff entwickelt, aus Salz und Natron. Abdul aus Saudi-Arabien, der gerade den Teig
185 für den Strudel ausrollt, überlegt, ob er anstatt der Äpfel nicht auch Datteln nehmen könnte. „Das könnte zu süß sein", meint Franz. „Aber probier es aus!"

190 Jeden Freitag müssen die Teilnehmer testbacken, Günter Franz und seine Kollegen bewerten anschließend die Produkte. Ist der Teig des Apfelstrudels weich ge-
195 nug? Ist das Berliner Landbrot aufgegangen? Zum Schluss bekommen die Teilnehmer ein Zertifikat, darauf das Emblem der Bäckerakademie, eine Brezel in Schwarz-
200 Rot-Gold. Wenn Aurora Rosas wieder zu Hause in Mexiko ist, wird sie sich das sofort in ihre Bäckerei hängen. „Mit einem Zeugnis aus Deutschland", meint sie,
205 „wird das Geschäft besser laufen."

1 Günther Franz

a) ☐ hat vor 25 Jahren die deutsche Kunst des Backens gelehrt.

b) ☐ hat die Backakademie in Weinheim gegründet.

c) ☐ ist heute bei einem Discounter tätig.

d) ☐ hat vor einem Vierteljahrhundert seine Meisterprüfung abgelegt.

2 Auf dem Stundenplan des fünfwöchigen Kurses

a) ☐ steht die Backkunst süßer und herzhafter Artikel.

b) ☐ steht jeden Samstagmorgen Englisch.

c) ☐ stehen ausschließlich Backwaren deutscher Prägung.

d) ☐ fehlt die Kunst des Kuchenbackens.

3 Die Kursteilnehmer

a) ☐ kneten, rollen und formen in der Theorie.

b) ☐ fotografieren jeden Teigklumpen.

c) ☐ haben alle lange nach einem solchen Kurs gesucht.

d) ☐ kommen aus aller Welt.

4 In Abduls Heimat

a) ☐ ist Berliner Landbrot sehr beliebt.

b) ☐ ist deutsches Brot genauso beliebt wie deutsche Autos.

c) ☐ wird europäischer Lebensstil nachgeahmt.

d) ☐ kann man kein Roggenmehl legal erwerben.

5 Die Zahl der Handwerksbäckereien geht zurück, weil

a) ☐ Großbäckereien immer mehr das Handelsgeschehen bestimmen.

b) ☐ die Feinkostläden den Bäckereien den Rang ablaufen.

c) ☐ weniger Brot gegessen wird.

d) ☐ Brot nicht mehr als vollwertige Mahlzeit zählt.

6 Tatiana Soboleva

a) ☐ sagt, dass die Russen bereit seien, viel Geld für Brot auszugeben.

b) ☐ hat momentan keinen festen Job.

c) ☐ lebt in einem kleinen Dorf bei Moskau.

d) ☐ findet tiefgefrorene Lebensmittel nicht akzeptabel.

7 Der Backkursus in Weinheim

a) ☐ erfreut sich vor allem bei den Japanern besonderer Beliebtheit.

b) ☐ wird sowohl von Privatleuten als auch von ausländischen Bäckereien gebucht.

c) ☐ macht die Teilnehmer mit mehr als hundert Brotrezepten bekannt.

d) ☐ wird mit einer Prüfung abgeschlossen.

8 Bäckermeister Franz hat einen Ersatzstoff aus Salz und Natron entwickelt,

a) ☐ weil es in Mexiko keine Hefe gibt.

b) ☐ damit der Strudel in Saudi-Arabien auch mit Datteln nicht so süß schmeckt.

c) ☐ um das Backen im Ausland überhaupt möglich zu machen.

d) ☐ weil man in Japan keine Lauge für Brezeln kaufen kann.

Strukturen zum Üben und Festigen

Partizipien als Adjektive

Der lernende Schüler sitzt in der letzten Reihe. (Partizip I)
Die gelernten Formeln wird er sicher nicht vergessen. (Partizip II)

▶ **Hinweise**

→ Partizipien als Adjektive werden attributiv verwendet.

→ Partizipien geben eine temporale Beziehung zur Haupthandlung wieder.

  ▸ Das **Partizip I** beschreibt Handlungen, Zustände oder Vorgänge, die gleichzeitig zur Haupthandlung laufen.
   Der lernende Schüler sitzt in der letzten Reihe. (= Der Schüler sitzt in der letzten Reihe und lernt.)

  ▸ Das **Partizip II** beschreibt in der Regel vergangene, abgeschlossene Handlungen, Zustände oder Vorgänge.
   Die gelernten Formeln wird er sicher nicht vergessen. (= Er wird die Formeln, die er gelernt hat, sicher nicht vergessen.)

→ Partizipien können mit verschiedenen Angaben **erweitert** werden.
   Die **gestern im Matheunterricht** gelernten Formeln wird er sicher nicht vergessen.
   Erweiterte Partizipien findet man vor allem in der Schriftsprache, z. B. in beschreibenden Texten oder in wissenschaftlichen Publikationen.

→ Das Partizip I in Verbindung mit *zu* bildet das sogenannte **Gerundiv**. Dieses Attribut ist eine Passiv-Ersatzform und kennzeichnet eine Notwendigkeit oder eine Möglichkeit.
   Die zu lernenden Vokabeln stehen auf Seite 50. (= Die Vokabeln, die gelernt werden müssen, stehen auf Seite 50.)
   Das ist ein nicht zu erklärendes Phänomen. (= Das Phänomen kann nicht erklärt werden.)

C1 Partizipien als Adjektive und Gerundive

a) Formen Sie die Verben um und verbinden Sie diese mit dem Nomen.

	Nomen	Verb	Partizip I als Gerundiv	Partizip II als Adjektiv
◇	Maßnahmen	treffen	*zu treffende Maßnahmen*	*getroffene Maßnahmen*
1.	Fertigkeiten	entwickeln		
2.	Grenzen	überschreiten		
3.	Ziele	abstecken		
4.	Förderung	anbieten		
5.	Daten	veröffentlichen		
6.	Schlussfolgerungen	verallgemeinern		
7.	Unterstützung	fordern		
8.	Thesen	beweisen		
9.	Lehrpläne	aufstellen		
10.	Fächer	abwählen		
11.	Regeln	abschaffen		
12.	Abschlüsse	anstreben		
13.	Zahlen	auflisten		
14.	Termine	vereinbaren		
15.	Probleme	lösen		
16.	Leistungen	vergleichen		

b) Wählen Sie insgesamt zehn Kombinationen aus a) (fünf zum Partizip I als Gerundiv,
   fünf zum Partizip II als Adjektiv) und bilden Sie Sätze wie in den Beispielen.

Partizip I als Gerundiv

Der Schulleiter hat <u>die zu lösenden Probleme</u>
unterschätzt.

Partizip II als Adjektiv

Außerdem konnte er all <u>die vereinbarten Termine</u>
nicht mehr einhalten.

C2 Prüfungsangst
Bilden Sie Partizipien als Adjektive oder als Gerundive.

■ Die letzten zum Abschluss des Schuljahres ....
.... (1) Klausuren (bevorstehen) erzeugen
Stress: Blackout, Licht aus, nichts geht mehr. Warum
löscht das Gehirn den .... (2) Stoff (lernen)
aus? Zu Hause waren die .... (3) Gleichun-
gen (lösen) noch ein Kinderspiel. Jetzt aber sausen letzte Bruchstücke binomischer Formeln durch das
.... (4) Gehirn (pochen) und lösen sich auf.
Nur noch .... (5) Leere (gähnen) im Kopf
und .... (6) Hände (zittern)! Die
.... (7) Frage des Lehrers (beantworten)
steht jetzt einsam im Raum.
Vor allem bei mündlichen Prüfungen fürchten sich viele Schüler und Studenten vor .... (8) Denkblockaden (drohen). Stellt man sich das Gehirn wie einen Computer vor, könnte man von einem plötzlich
.... (9) Datenverlust (eintreten) sprechen.
Und zwar genau in dem Moment, in dem die dringend
.... (10) Informationen (benötigen) abgeru-
fen werden müssten. Es handelt sich zwar nicht um
komplett .... (11) Informationen (verlieren),
aber sie sind in dem .... (12) Moment (wünschen) nicht parat. So als würde im .... (13)
Gehirn (vernebeln) ein Fenster erscheinen mit der Zeile
„Zugriff auf die Festplatte verweigert". Dann fährt das

fast vollständig .... (14) System (lahm-
legen) runter und schaltet sich ab. Nichts geht mehr.
Kaum sind die .... (15) Kinder und Jugendlichen (betreffen) wieder bei Sinnen und von der Schule
nach Hause gekommen, müssen sie sich auch noch
den .... (16) Fragen (bohren) der Eltern stellen. „Wie konnte das passieren? Wieso schaffst du eine
in der Schule .... (17) Aufgabe (stellen)
nicht, die du zu Hause lösen kannst?
.... (18) Vorwürfe (erheben) dieser Art helfen nicht weiter. Die oft .... (19) Schüler
(verzweifeln) können keine Antwort geben. Sie müssen
vielmehr damit leben, dass ihr Leiden ein im wissenschaftlichen Sinne nicht .... (20) Phänomen (existieren) ist. „Das oft .... (21) Wort
(benutzen) Blackout ist ein Eintopfbegriff, der alles Mögliche bedeuten kann", erklärt der Lernexperte Leo Still.
In der Forschersprache fehlt ein alles .... (22)
Begriff (verbinden) für das unangenehme Erlebnis. Wissenschaftler   benennen   nämlich   nur
.... (23) Zutaten (vereinzeln) des Eintopfs,
wie zum Beispiel „Aufmerksamkeits-Fokussierungsstö-
rung". Welcher   Mechanismus   dem   noch
.... (24) Gesamtphänomen (klären) zugrunde liegt, ist bis dato undeutlich.

C3 Formen Sie die Relativsätze in Partizipialkonstruktionen (Attribute) um.
Beachten Sie: Relativpronomen und Hilfsverben werden nicht in die Partizipialkonstruktion übernommen.

◇ Nach einer Studie, <u>die jüngst erhoben wurde</u>, ist Schummeln, also Abschreiben und Kopieren, an Universitäten
   und Hochschulen weit verbreitet.
   Nach einer jüngst erhobenen Studie ist Schummeln, also Abschreiben und Kopieren, an Universi-
   täten und Hochschulen weit verbreitet.

1. Experten diskutieren über die Konsequenzen, <u>die von Ethikkodexen bis zum Credit-Point-Entzug reichen</u>.

   ....

2. Die Liste der Prominenten, <u>die über Plagiatsvorwürfe gestolpert sind</u>, ist lang.

   ....

3. Doch auch viele Studenten, <u>die an deutschen Hochschulen und Universitäten eingeschrieben sind</u>, haben keine
   weiße Weste.

   ....

4. Nach einer Erhebung unter Studenten, <u>die kürzlich durchgeführt wurde</u>, haben 79 Prozent der Befragten in den
   sechs Monaten vor der Umfrage mindestens einmal zu unsauberen Tricks gegriffen.

   ....

   ....

5. Die Palette der Vergehen, <u>die oft schwer festzustellen sind</u>, reicht dabei vom Plagiieren über Abschreiben bis zu Laborergebnissen, <u>die gefälscht wurden</u>, und Spickzetteln.

   ....

6. Die Ursachen für das Fehlverhalten, <u>das recht erschreckend ist</u>, sind vielfältig.

   ....

7. Studenten, <u>die unter Stress und Leistungsdruck stehen</u>, betrügen eher als andere Studierende.

   ....

8. Viele Studierende hätten das Zitieren nicht ausreichend erlernt und ihnen fehle die Methodenkompetenz, meint der Experte Harald Danz, <u>der sich mit dem Thema *Plagiate* befasst</u>.

   ....

9. Lehrende an Universitäten befürworten deshalb transparente Zitierregeln, <u>die von einem Wissenschaftsgremium vereinheitlicht wurden</u>.

   ....

   ....

10. Die Strafen für Studenten, <u>die plagiieren</u>, sind derzeit zu lasch. Darüber herrscht unter den Dozierenden eine Einigkeit, <u>die überrascht</u>.

    ....

(C4) Anthroposophie in der Pädagogik
Bilden Sie aus den vorgegebenen Wörtern Sätze mit einem Partizipialattribut.
Achten Sie auf die Adjektivendungen, die Präpositionen und die angegebene Zeitform.

◇ die Anthroposophische Gesellschaft *(Köln – vor über 100 Jahren – gründen)* – Grundstein – Aufstieg einer spirituellen Weltanschauung – legen *(Präteritum)*

   Die vor über 100 Jahren in Köln gegründete Anthroposophische Gesellschaft legte den Grundstein für den Aufstieg einer spirituellen Weltanschauung.

1. die Bewegung *(basieren auf Ideen von Rudolf Steiner)* – heute – fester Kern von Anhängern – können – zählen *(Präsens)*

   ....

2. Rudolf Steiner – sein – Zeitgenosse Albert Einsteins und Sigmund Freuds – und – die Gründerfigur der Anthroposophie *(als umstritten gelten)* *(Präsens)*

   ....

3. seine Auffassung *(prägen durch Goethes naturwissenschaftliche Schriften)* sich wenden – gegen Kants Erfahrungsbegriff *(in der „Kritik der reinen Vernunft" formulieren)* *(Präteritum)*

   ....

   ....

4. aus anthroposophischer Sicht – sein – das Geistig-Übersinnliche – eine Dimension *(akzeptieren)* – und – Mensch – prinzipiell – zugänglich *(Präsens)*

   ....

5. der Mensch – einlassen – müssen – aber – Dimension, – und – dieses Einlassen zu lernen – sein – Ziel Steinerscher Anthroposophie *(stellen)* *(Präsens)*

   ....

6. die Spuren Steiners *(hinterlassen im pädagogischen Feld)* – am nachhaltigsten – Hinblick – Gesamterbe Steiners *(Präsens)*

   ....

7. 1919 – sich wenden – damaliger Direktor der Waldorf-Astoria-Zigarettenfabrik – Rudolf Steiner: – Steiner – sollen – Kinder seiner Fabrikarbeiter – Lehrinhalte *(beruhen auf den Grundsätzen der Anthroposophie)* – entwickeln *(Präteritum)*

   ....

   ....

8. Konzept – entstehen – die Waldorfschulen *(heute europaweit anerkennen und sich eines ständigen Zulaufs erfreuen) (Präteritum)*

....

9. viele Eltern – verbinden – Waldorfschulen – stressfreie Erziehung, die Förderung handwerklicher und musischer Fähigkeiten – sowie – Unterricht *(richten auf Natur und Umwelt)* – ohne – vermeintliche oder reale Zwänge einer öffentlichen Schule *(Präsens)*

....

....

10. heute – Waldorfschulen – besuchen – etwa – 80 000 – Kinder und Jugendliche *(in Deutschland leben)*, – die Zahl – aufweisen – Tendenz *(steigen) (Präsens)*

....

....

Nominalisierte Adjektive und Partizipien

> *Ein* hochbegabter *Schüler sollte zusätzliche Förderung und Aufmerksamkeit erhalten.*
> *Ein* Hochbegabter *sollte zusätzliche Förderung und Aufmerksamkeit erhalten.*

▶ **Hinweise**

→ Nominalisierte Adjektive dienen zur Bezeichnung von Personen oder Abstrakta.

→ Nominalisierte Adjektive und Partizipien werden wie attributiv verwendete Adjektive dekliniert:
auszubildend: der Auszubildende, ein Auszubildender • positiv: das Positive, etwas Positives

→ Wenn ein nominalisiertes Adjektiv oder Partizip nach einem anderen Adjektiv oder Partizip steht, haben beide dieselben Endungen *(parallele* Deklination).
der fleißige Freiwillige • ein fleißiger Freiwilliger

C5 Um was für eine Person handelt es sich?

a) Bilden Sie Nomengruppen wie im Beispiel.

◇ hochbegabt   *der hochbegabte Jugendliche*
jugendlich   *ein hochbegabter Jugendlicher*

1. jung
erwachsen   ....

2. neugewählt
vorsitzend   ....

3. leistungsstark
gleichaltrig   ....

4. ausländisch
studierend   ....

5. alt
bekannt   ....

6. freundlich
einheimisch   ....

7. kompetent
abgeordnet   ....

8. nah
verwandt   ....

9. hochdotiert
sachverständig   ....

10. eingebildet
krank   ....

11. langjährig
angestellt   ....

12. gestrandet
reisend   ....

13. fünfzehnjährig
heranwachsend   ....

b) Wählen Sie eine passende Nomengruppe aus a) aus und setzen Sie diese im richtigen Kasus, Genus und Numerus ein.

◇ Wusstest du, dass „*Der eingebildete Kranke*" der Titel eines Theaterstücks von Molière ist?

1. In allen Ländern des Kontinents sind wir...begegnet, die uns geholfen haben, wo sie konnten.

2. ....beneide ich nicht. Er muss jetzt auf dem zugigen Bahnhof übernachten.

3. Also nach dieser Antrittsrede bin ich wirklich tief enttäuscht von ....

4. Der Experte hat seine Sache vor Gericht wirklich gut gemacht. Das war zu erwarten, denn er gehört zu ....

5. Alle .... erhalten nächste Woche eine Geldprämie für treue Dienste in der Firma.

6. Für .... haben wir ein Gesamtpaket zusammengestellt, Essen in der Mensa und Fahrgeld sind hier auch inbegriffen.

7. Stell dir vor, ich habe gestern zufällig .... auf der Straße nach Jahren wiedergetroffen. Er heißt Martin und ist mein Cousin.

8. Zu diesem Zusatzkurs unserer Bildungseinrichtung werden nur .... zugelassen, damit schnelle Lernerfolge erzielt werden können.

9. Georg ist ein ...., wir sind schon zusammen zur Schule gegangen.

10. Ich kenne im Landesparlament ...., der ist aber Mitglied einer kleinen Partei.

C6 Vom Fehler zum Geistesblitz
Nominalisieren und ergänzen Sie die Adjektive und Partizipien.

◇ Eine falsche Lösung in Mathe sollte eigentlich nichts *Dramatisches (dramatisch)* sein.

1. Der kreativ .... *(lernend)* kann nämlich aus Fehlern einen gewaltigen Nutzen ziehen.

2. .... *(sachverständig)* plädieren seit geraumer Zeit für eine Wertschätzung des Fehlermachens.

3. Fehler zu machen ist etwas ...., ... *(unangenehm, ärgerlich)* und manchmal auch .... *(schmerzhaft)*, weil sich die .... *(lernend)* eingestehen müssen, dass sie es nicht besser wussten.

4. Wenn auch noch alle .... *(gleichaltrig)* den Patzer mitkriegen, kann daraus etwas fürchterlich .... *(peinlich)* entstehen.

5. Schon Erstklässlern dämmert: Fehler sind nichts .... *(gut)*.

6. Fabian Weiß, ein .... *(fachkundig)* aus Ludwigsburg, glaubt, dass Fehler Vorboten von Lösungen sein können.

7. Deshalb fordert Weiß von allen .... *(unterrichtend)* einen neuen Umgang mit Schülerfehlern.

8. Als .... *(lehrend)* bemängelt er, dass in der Schule bei dem behandelten Stoff der Weg zur richtigen Lösung oft schon feststehe.

9. Was nicht ins Schema passt, wird als etwas .... *(unrichtig)* bewertet.

10. In der Schule ist das vielleicht etwas .... *(einleuchtend)*, aber im späteren Leben sehen wir das durchaus etwas anders.

11. Da entstehen ständig offene Situationen mit neuen Problemstellungen, bei denen man oft nicht im .... *(allgemein)* entscheiden kann, was wohl das .... *(richtig)* und was das .... *(falsch)* ist.

12. Wenn eine Sache misslingt, weiß man hinterher immerhin, dass das .... *(angewandt)* in Bezug auf die Strategien, Konzepte oder Theorien in diesem Fall nicht funktioniert hat.

13. Manche .... *(unterrichtend)* nennen dieses Phänomen *Negatives Wissen*.

14. Wenn .... *(heranwachsend)* in der Schule rechnen, haben sie oft komplizierte Rechenoperationen im Kopf.

15. Auf dem Blatt steht nur das Ergebnis ihrer Bemühungen; das .... *(errechnet)*.

16. Sind zwei von zehn Divisionsaufgaben völlig daneben, fordern viele .... *(erziehungsberechtigt)* den .... *(heranwachsend)* auf, noch mal nachzurechnen.

17. Es sei aber besser, wenn der .... *(erziehungsberechtigt)* fragt, wie der oder die .... *(lernend)* zu diesem Ergebnis gekommen ist und sich die Vorgehensweise erklären lässt.

18. Dann wird aus etwas .... (falsch) plötzlich etwas .... *(produktiv)*.

19. Fabian Weiß rät den .... *(erwachsen)*, das .... *(errechnet)* nicht sofort als richtig oder falsch zu beurteilen.

20. Eltern sollten neugierig den Lösungsweg des Kindes untersuchen, das Problem aus verschiedenen Blickwinkeln gemeinsam beleuchten und das .... *(spielerisch)* und .... *(kreativ)* in den Vordergrund stellen.

Relativsätze

Ein Lehrer, der die Schüler für sein Fach begeistern kann, ist oft beliebt.

▶ **Hinweise**

→ Mit einem Relativsatz beschreibt man Personen oder Sachen näher. Der Relativsatz ist ein Nebensatz. Er wird mit einem Relativpronomen eingeleitet. Der Relativsatz wird durch ein Komma vom Hauptsatz getrennt.

→ Das Relativpronomen richtet sich in Genus und Numerus nach dem Bezugswort im Hauptsatz und im Kasus nach der Stellung im Relativsatz: Das ist der Lehrer, **dem** er vertraut hat.

→ Bei Relativsätzen mit präpositionalen Ausdrücken steht die Präposition vor dem Relativpronomen. Der Kasus richtet sich nach der Präposition: Das sind die Schüler, **für die** er sich einsetzt.

→ Die Relativpronomen entsprechen außer im Dativ Plural *(denen)* und im Genitiv *(dessen, deren)* den Formen des bestimmten Artikels: Das ist das Kind, **dessen** Eltern übervorsichtig sind.

(C7) Man lernt nie aus
Ergänzen Sie die fehlenden Relativpronomen und eventuelle Präpositionen in der richtigen Form.

Man lernt nie aus

Das Lernen hört auch im zwischenmenschlichen Bereich nicht auf und selbst Treue ist erlernbar – das jedenfalls ist die These, *die* (0) die Gruppe *Kinder gegen Scheidung* im US-Bundesstaat Colorado vertritt.
5 Deshalb hat sie nun eine Gesetzesinitiative gestartet, ...(1) zum Ziel hat, dass jeder, ...(2) heiraten will, einen kostenpflichtigen zehnstündigen Kurs absolvieren muss. In dem Kurs sollen sich Menschen, ...(3) Absicht es ist, demnächst den Bund der Ehe zu schließen, auf ihre neuen Rollen als Ehepartner
10 vorbereiten. Nur Paare, ...(4) den Kurs erfolgreich abschließen, erhalten am Ende eine Heiratslizenz. Für diejenigen, ...(5) bereits auf eine gescheiterte Ehe zurückblicken, reicht ein einfacher Kurs allerdings nicht aus. Sie müssen für jede Scheidung
15 zehn Extrastunden nachsitzen.
Neben dem Präventivangebot sind Aufbaukurse geplant, ...(6) Verheiratete während der Ehe teilnehmen können. Dafür sollen sie sogar einen Rabatt
20 erhalten, ...(7) sie in ihrer Steuererklärung gel-

tend machen können. Über den Inhalt, ...(8) in den Kursen vermittelt wird, schweigen sich die Initiatoren noch aus – ebenso darüber, ob und wie die Kandidaten, ...(9) sich während des Unterrichts als
25 eheuntauglich erweisen, aussortiert werden. Im Moment gibt es für das ambitionierte Vorhaben nur noch ein klitzekleines Problem: Lassen sich die Einwohner von Colorado überhaupt von Ehekursen überzeugen, ...(10) sie nicht einmal wissen, was ihr konkreter
30 Inhalt ist?
Colorado ist nämlich ein Bundesstaat, ... (11) man zum Beispiel für den Erwerb eines Führerscheins keinerlei Fahrstunden nachweisen muss. Oder anders ausgedrückt: Kursbesuche, ... (12) zur Weiter-
35 entwicklung im Privatleben dienen, sind für die Einwohner lerntechnisches Neuland. Deshalb sollten sich die Anbieter, ...(13) das Eheglück ihrer Mitmenschen so am Herzen liegt, vielleicht zunächst darüber Gedanken machen, wie sie die 86 000 Unterschriften
40 zusammenbekommen, ...(14) notwendig sind, um das Gesetz per Volksentscheid zu realisieren.

C8 Bilden Sie aus den Wörtern sinnvolle Relativsätze wie im Beispiel.

Ein guter Lehrer ist ein Mensch, …

◊ *dem man vertrauen kann.*   man – vertrauen können

1. .... gut – erklären können
2. .... ein Ohr haben – Schüler
3. .... man – reden können
4. .... solides Fachwissen – besitzen
5. .... Humor und Witz – nicht – fremd sein
6. .... über den Tellerrand – gucken können
7. .... gegen Vorurteile – kämpfen
8. .... man – haben können – Vorbild
9. .... man – lachen können
10. .... nichts – erschüttern können
11. .... schwere Situationen – bewältigen
12. .... eigene Fehler – zugeben
13. .... man – ernst nehmen können

C9 Zufrieden mit dem Studium?

Bilden Sie aus den in Klammern stehenden Wörtern Relativsätze. Beachten Sie: Nicht alle Wörter, die zum Relativsatz gehören, sind vorgegeben.

◊ 2009 gingen in Deutschland massenhaft Studierende, *(unzufrieden – Studienbedingungen und Lehrqualität)*, auf die Straßen.

2009 gingen in Deutschland massenhaft Studierende, die mit den Studienbedingungen und der Lehrqualität unzufrieden waren, auf die Straßen.

1. Seitdem haben Universitäten und Fachhochschulen laut eines aktuellen Studentenqualitätsmonitors gezielte Anstrengungen unternommen, *(spürbar – Früchte – tragen – inzwischen)*.

....

2. Im Bachelorstudium liegt der Anteil der Studenten, *(sehr zufrieden – Studienbedingungen)*, bei über 62 Prozent.

....

3. Der Monitor, *(teilnehmen – 26 000 Bachelorstudenten und 6 000 Masterstudenten)*, basiert auf regelmäßigen Online-Befragungen.

....

4. In den Bachelorstudiengängen, *(vor allem – kritisiert werden – die mangelnde Studierbarkeit)*, konnten seit den Bildungsstreiks im Jahr 2009 viele Fortschritte erzielt werden.

....

5. Die Mehrheit der Studierenden lobt die klaren Studien- und Prüfungsvorgaben, *(inhaltlich – jetzt – gut erfüllbar)*.

....

6. Die meisten Studenten beklagen jedoch die schlechten Kurswahlmöglichkeiten und die knappen zeitlichen Vorgaben, *(verbesserungswürdig – halten)*.

....

7. Die Lehrenden, *(Befragung – vergleichsweise – gut wegkommen)*, werden als engagiert und effizient bei der Vermittlung des Lehrstoffs bezeichnet.

....

8. Die Praxisbezüge, *(sich wünschen – 90 Prozent – Studierende)*, sehen 70 Prozent der Fachhochschüler in der Bachelor-Ausbildung und nur 44 Prozent der Studierenden an den Unis erfüllt.

....

9. Auch im Masterstudium, *(wichtig halten – 91 Prozent – Studierende – kontinuierliche Praxisbezüge)*, sehen dies nur 57 Prozent zufriedenstellend umgesetzt.

....

Forschung und Technik

Industrie

Technischer Fortschritt

A1 Was bedeutet für Sie *technischer Fortschritt*?
Diskutieren Sie in Kleingruppen und präsentieren Sie Ihre Ergebnisse anschließend im Plenum.

> technischer Fortschritt

A2 Die Bürste, die wach macht

■ Wenn es morgens schnell gehen muss

Na, heute verschlafen? Und was fiel dem zum Opfer: Morgenkaffee, Zahnhygiene oder der pünktliche Arbeitsbeginn? Das muss nicht sein – denn auch bei Ihnen gibt es noch morgendliches Rationalisierungspotenzial. Eine Innovation aus den USA könnte dafür genau das Richtige sein.

So schnell kann es gehen: Da hat man den Wecker nicht gestellt oder sich im Dienstplan verlesen (nochmal Entschuldigung an die Kollegen, ich dachte wirklich, ich habe Spätschicht), schon kommt es auf jede Minute an. Andere machen sogar einen Sport daraus, am Morgen bis zur letzten Sekunde zu schlafen und dann die morgendlichen Notwendigkeiten im Schnelldurchlauf zu erledigen: Das Brötchen kann man auch im Stehen essen, Waschen auch mal durch aufsprühbare Duftstoffe ersetzen. Aus dem Coffee to go wird der Coffee to run und Rasieren kann man sich auch im Rückspiegel – zumindest im Gesicht.

■ Koffein statt Karies

Bleibt die Dentalhygiene. Kaugummi bringt es da nur bedingt, der nächste Koffeinschub macht die Reinigungsbemühungen wieder zunichte – insbesondere, wenn er mit diversen Zucker- und Sirupbeigaben kombiniert wird. Kaffee-Kick und Zähneputzen verweigern sich leider bisher der Rationalisierung. Der Leistungsträger von heute wird aber auch hier bald wertvolle Sekunden einsparen können: Ein US-Chemiekonzern hat ein Patent für eine Zahnbürste eingereicht, die das Koffein direkt beim Bürsten verabreicht – auf Wunsch in verschiedenen Geschmacksvarianten. Auch Schmerzmittel, Diätpillen oder andere Arzneien können so eingenommen werden.

▪ Wenn es richtig reinhauen soll

Für den speziellen Kick haben die Forscher sogar eine Pfefferbürste entwickelt, die den gleichen Wirkstoff wie die einschlägig bekannten Hitzepflaster enthält. Ausreichend große, auch mit der Zunge ertastbare Symbole sollen dabei verhindern, dass man die verschiedenen Versionen verwechselt – und sich nicht etwa vor dem entscheidenden Meeting mit der Baldrianversion ins Nirvana bürstet. Immerhin: Ein paar Minuten kann die neue Erfindung jeden Morgen sparen. Doch das darf nur ein Anfang sein: So könnte die Morgenzeitung doch gleich vierlagig ausgedruckt aus dem Klopapierspender kommen, das Frühstück sicherlich auch irgendwie intravenös verabreicht werden. Sekundenkleber statt Haargel lässt die Frisur über Wochen weitgehend wartungsfrei sitzen. Oder man steht halt doch ein paar Minuten früher auf.

a) Beantworten Sie die Fragen.

◊ Um was für eine Textsorte handelt es sich?

◊ Worin besteht die Erfindung?

◊ Ist diese Zahnbürste Ihrer Meinung nach eine echte Erfindung?

◊ Halten Sie die Erfindung für sinnvoll?

b) Erklären Sie die unterstrichenen Satzteile mit eigenen Worten und nehmen Sie eventuell notwendige Umformungen vor.

1. Und was <u>fiel dem zum Opfer</u>: Morgenkaffee, Zahnhygiene oder der pünktliche Arbeitsbeginn?

....

2. Bleibt <u>die Dentalhygiene</u>.

....

3. Ausreichend große Symbole sollen dabei verhindern, dass man die verschiedenen Versionen verwechselt – und <u>sich</u> nicht etwa vor dem entscheidenden Meeting mit der Baldrianversion <u>ins Nirvana bürstet</u>.

....

4. Sekundenkleber statt Haargel <u>lässt</u> die Frisur über Wochen <u>weitgehend wartungsfrei sitzen</u>.

....

c) Was ist das? Erklären Sie die Adjektive wie im Beispiel.

◊ aufsprühbare Duftstoffe   *Duftstoffe, die aufgesprüht werden können*

1. mit Zucker und Sirup kombinierbare Koffeingetränke   ....

2. auf die Bürste auftragbares Koffein   ....

3. mit der Zunge ertastbare Symbole   ....

d) Recherchieren und präsentieren Sie eine Erfindung, die Sie für merkwürdig, überflüssig oder besonders nützlich halten.

A3 Kleine Dinge, die die Welt verändert haben
Welche sind Ihrer Meinung nach die drei wichtigsten Erfindungen?
Wählen Sie aus und schreiben Sie Texte aus den angegebenen Informationen.

Das erste Musikinstrument

ca. 37 000 Jahre – Schwäbische Alb – Flöte aus dem Flügelknochen eines Gänsegeiers – verschiedene Töne

1 Das erste Feuerzeug

32 000 Jahre – zwei Steine: ein Feuerstein + ein Stück Schwefelkies – Funken – Baumschwamm – Glimmen

2 Die erste Nähnadel

25 000 Jahre – Knochen – eine Öse – Faden: Tiersehne – Kleider aus Leinfasern

Das erste Musikinstrument wurde vor ca. 37 000 Jahren auf der Schwäbischen Alb hergestellt. Es war eine Flöte, die aus dem Flügelknochen eines Gänsegeiers geschnitzt wurde. Man konnte auf ihr verschiedene Töne spielen.

3 Die erste Fensterscheibe

1. Jahrhundert n. Chr. – Rom – Mischung aus Flusssand und dem Salz-Mineral Natron – Feuer – heiße zähflüssige Rohmasse – in 20 mal 30 Zentimeter große Rechtecke – grün oder blaugrün – Villen der Oberschicht

4 Das erste maschinell hergestellte Buch

1440 – erstes Massenprodukt der Menschheit – mediale Revolution – der deutsche Goldschmied Johannes Gutenberg – flexibles Drucksystem mit beweglichen Lettern – seine Druckerpresse – 3 600 Seiten pro Tag

5

Der erste Aufzug

1854 – Elisha Graves Otis – New York – am Anfang – große Sicherheitsbedenken – Idee: Feder auf dem Dach der Kabine – Stoppen der Aufzugskabine im Falle eines Tragseilrisses – automatisch

6

Die erste „richtige" digitale Kamera

1973 – Lust am Basteln – der Kodak-Angestellte Steven J. Sasson – ein tragbarer elektronischer Fotoapparat mit Playback-System – neu: Speicherung des Bildes auf einer Digitalkassette – Dauer: 23 Sekunden pro Bild

7

Der erste Hypertext

1989 – der Brite Tim Berners-Lee – ein System zur Übertragung von Forschungsergebnissen – CERN – Hypertext-Protokoll – Grundlage für ein weltweites Kommunikationsinstrument: das World Wide Web

A4 Der/Die/Das erste …
Bilden Sie kurze Passivsätze im Präteritum. Suchen Sie passende Verben.

◇ Wort – eine Mutter – Nordafrika – 1,5 Millionen Jahre – ein sanfter Zischlaut: *tsch, tsch, tsch* – sein

Das erste Wort wurde von einer Mutter in Nordafrika vor 1,5 Millionen Jahren gesprochen/gesagt und war ein sanfter Zischlaut: tsch, tsch, tsch.

1. Bronzezeit (2000 v. Chr.) – Schwert – Metall

   ....

2. Kunstwerk – 100 000 Jahre

   ....

3. Stadt – 12 000 Jahre – Berg Göbekli Tepe – Südosten der Türkei

   ....

4. Bier – 8 000 Jahre

   ....

5. Formular – 5 200 Jahre – Mesopotamien

   ....

6. verschlüsselte Botschaft – 5. Jahrhundert v. Chr. – Bote aus Sparta

   ....

7. 1783 – funktionsfähiges Dampfschiff – der Franzose Claude François Jouffroy d'Abbans

   ....

8. Seefracht-Container – 1956 – Schiff

   ....

Zusatzübungen zum Passiv ⇨ Teil C Seite 140

A5

■ Nicht im Sinne des Erfinders

„Anstandswidriges und geistesverwirrtes Betragen" wurde Karl Friedrich Drais zur Last gelegt – wegen seines 1817 erfundenen Laufrades, Grundlage des Fahrrades. Der Karlsruher Beamte verlor Job und Pensionsanspruch und starb völlig verarmt. Rudolf Diesel musste mit seiner Idee für einen effizienteren Motor jahrelang hausieren gehen, bis er endlich Finanziers fand. Der Dieselmotor wurde schließlich in der Industrie eingesetzt. Doch das Geld, das er mit dem Patent verdiente, verlor Diesel an der Börse. Als er 1913 Selbstmord beging, ahnte er nichts vom späteren überwältigenden Erfolg seiner Erfindung bei Lokomotiven und Autos. Und Johann Martignoni musste bis ins hohe Alter seinen Lebensunterhalt als Mechaniker verdienen. Noch heute werden in der ganzen Welt Spiralbohrer nach dem von ihm entwickelten Prinzip hergestellt. Extreme Beispiele, sicher. Doch in jedem Fall gilt, dass es mit einer guten Idee allein nicht getan ist – ein Erfinder braucht viel Geduld und auch ein bisschen Glück. Und manchmal kommt am Schluss sogar etwas völlig anderes heraus, als der Erfinder eigentlich im Sinn hatte.

Spencer Silver beispielsweise wollte Ende der 1960er-Jahre im Auftrag des US-Chemie-Konzern 3M einen Superklebstoff entwickeln. Bei einem der Versuche mischte er die Substanzen ein wenig unorthodox zusammen. ⇨

„Wenn ich vorher in der Fachliteratur nachgeschlagen hätte,
45 wie es sich gehört, hätte ich sicher die Finger von dem Experiment gelassen", sagte Silver später. Heraus kam ein Kleber, der zwar für eine Art Haftung sorg-
50 te, aber nicht für eine dauerhafte Klebebindung. Ein Fehlschlag also, der in irgendeiner Firmenschublade vergessen worden wäre, wenn der 3M-Mitarbeiter Art Fry nicht im Kirchenchor gesungen hätte. Ihn är-

gerte es, dass die Lesezeichen im-
60 mer aus dem Gesangbuch fielen. „Man müsste sie auf die Seiten kleben können", überlegte er. Dann erinnerte er sich an die scheinbar nutzlose Erfindung, die sein Kollege fünf Jahre zuvor ge-
65 macht hatte. Die beiden setzten sich zusammen, experimentierten – und entwickelten die „Post-it-Notes", die 1978 auf den ame-rikanischen und 1981 auf den eu-
70 ropäischen Markt kamen. Heute sind sie aus den Büros nicht mehr wegzudenken, übersäen Schreibunterlagen und Monitore, Telefone und Schreibtischlampen.
75   Auch die Karriere des Wunderstoffes Polytetrafluorethylen, bes-

ser bekannt unter dem Namen Teflon, verlief über viele Umwege. Viele Jahre wusste niemand et-
80 was damit anzufangen. Der Chemiker Roy Plunkett suchte in den 1930er-Jahren für DuPont ein neues Kältemittel für Kühlschränke. Eine Flasche Tetrafluorethylen
85 ließ er aus Versehen bei Zimmertemperatur stehen – und der Inhalt wurde zur festen Masse, die chemisch mit nahezu keiner Substanz reagierte. Doch erst 1943 erin-
90 nerte man sich bei DuPont an die Entdeckung und fünf Jahre später startete die Firma die kommerzielle Produktion von Teflon für Beschichtungen, Dichtungen und
95 Isolationsmaterial.

a) Fassen Sie den Text in etwa fünf Sätzen zusammen.

b) Erklären Sie die unterstrichenen Teile mit eigenen Worten und nehmen Sie notwendige Umformungen vor.

1. Rudolf Diesel musste mit seiner Idee jahrelang hausieren gehen.

....

2. Doch in jedem Fall gilt, dass es mit einer guten Idee allein nicht getan ist.

....

3. Und manchmal kommt am Schluss sogar etwas völlig anderes heraus, als der Erfinder im Sinn hatte.

....

4. Heute sind sie aus den Büros nicht mehr wegzudenken.

....

5. Auch die Karriere des Wunderstoffes Polytetrafluorethylen verlief über viele Umwege.

....

6. Viele Jahre wusste niemand etwas damit anzufangen.

....

7. Eine Flasche Tetrafluorethylen ließ er aus Versehen bei Zimmertemperatur stehen.

....

A6 Patentsprache

a) Der Weg einer Erfindung zum Patent
   Ergänzen Sie die Verben.

1
Eine Erfindung wird
.... (1)

2
Die Erfindung wird zum Patent
.... (2)
und diese Anmeldung wird beim Patentamt
.... (3)

3
Beim Patentamt wird die Erfindung auf Neuheit, erfinderische Tätigkeit und gewerbliche Anwendbarkeit
.... (4)

4
Vom Patentamt wird das Patent für die Erfindung
.... (5)

b) Lesen Sie die folgende zusammenfassende Original-
beschreibung einer Patentanmeldung und raten Sie,
um welches Gerät es sich handelt.

Die Erfindung betrifft .... mit
integriertem Milchaufschäumer mit einer ersten,
zum Transport von zum Durchströmen von Kaffee-
mehl vorgesehenen Flüssigkeit, insbesondere er-
hitztem Wasser, ausgebildeten Leitung, und einer
zweiten, zum Transport von zum Aufschäumen von
Milch vorgesehenem Flüssigkeitsdampf, insbesondere Wasserdampf, ausgebildeten Leitung, dadurch
gekennzeichnet, dass die Flüssigkeitsleitung und die
Dampfleitung durch Drehung einer Nockenwelle*
vermittels einer oder mehrerer, bevorzugt vermittels
genau zweier Nocke(n) der Nockenwelle ver-
schließbar sind.

* Nockenwelle = Maschinenelement in Form eines Stabes, auf
dem mindestens ein gerundeter Vorsprung (der Nocken) ange-
bracht ist

c) Versuchen Sie, die Zusammenfassung der
Patentanmeldung in verständlicher
Sprache wiederzugeben.

Die Tagnachtlampe

Korf erfindet eine Tagnachtlampe,
die, sobald sie angedreht,
selbst den hellsten Tag
in Nacht verwandelt.

Als er sie vor des Kongresses Rampe
demonstriert, vermag
niemand, der sein Fach versteht,
zu verkennen, daß es sich hier handelt –

(Finster wird's am hellerlichten Tag,
und ein Beifallssturm das Haus durchweht.)
(Und man ruft dem Diener Mampe:
„Licht anzünden!") – daß es sich hier handelt

um das Faktum: daß gedachte Lampe,
in der Tat, wenn angedreht,
selbst den hellsten Tag
in Nacht verwandelt.

Christian Morgenstern (1871–1914)

Umwelt und Umweltverschmutzung

Teil A

A7 Müll im Meer
Halten Sie einen Kurzvortrag von ca. drei Minuten zum Thema *Müll im Meer*.
Verwenden Sie dafür die Informationen aus der folgenden Grafik.

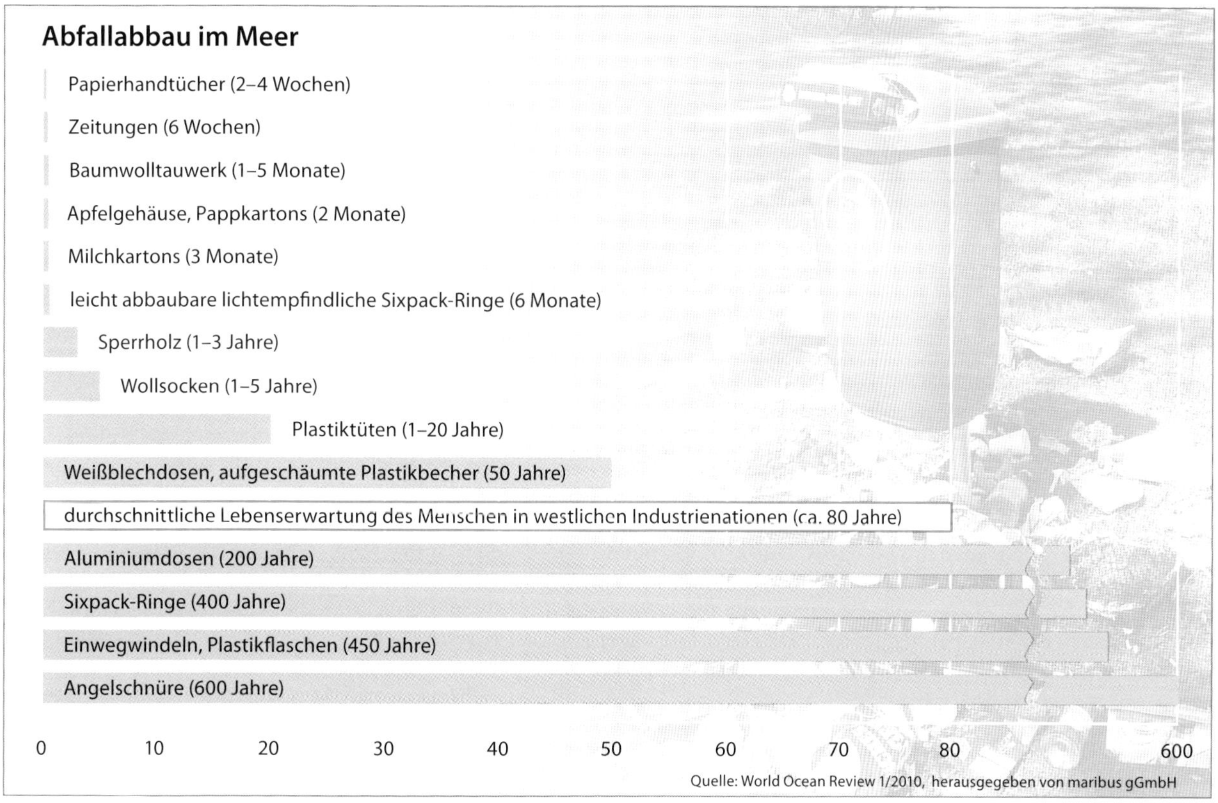

Abfallabbau im Meer

Papierhandtücher (2–4 Wochen)

Zeitungen (6 Wochen)

Baumwolltauwerk (1–5 Monate)

Apfelgehäuse, Pappkartons (2 Monate)

Milchkartons (3 Monate)

leicht abbaubare lichtempfindliche Sixpack-Ringe (6 Monate)

Sperrholz (1–3 Jahre)

Wollsocken (1–5 Jahre)

Plastiktüten (1–20 Jahre)

Weißblechdosen, aufgeschäumte Plastikbecher (50 Jahre)

durchschnittliche Lebenserwartung des Menschen in westlichen Industrienationen (ca. 80 Jahre)

Aluminiumdosen (200 Jahre)

Sixpack-Ringe (400 Jahre)

Einwegwindeln, Plastikflaschen (450 Jahre)

Angelschnüre (600 Jahre)

0   10   20   30   40   50   60   70   80   600

Quelle: World Ocean Review 1/2010, herausgegeben von maribus gGmbH

A8 Fertig zum Entern!

Lesen Sie den Einleitungstext und bilden Sie dann drei oder sechs Kleingruppen. Lesen Sie in Ihrer Gruppe ein oder zwei Textabschnitte. Suchen Sie für Ihren Textabschnitt/Ihre Textabschnitte die passende Teilüberschrift.

Gefährlicher Müll ◊ Überall Plastik ◊ Willkommen an Bord! ◊ Bergleute und Müllsammler ◊ Bis ans Ende der Welt ◊ Die Revolution des Raftings

■ Einleitung

Ein Lebensraum kaum größer als ein Stecknadelkopf, und doch lockt er massenweise Bewohner an. Die unzähligen kleinen Plastikteilchen, die als Zivilisationsmüll in den Weltmeeren treiben, scheinen ein echtes Dorado für Bakterien zu sein. Amerikanische Wissenschaftler staunten jedenfalls nicht schlecht, als sie solche Partikel mit feinen Netzen aus dem Nordatlantik fischten und unter die Lupe nahmen. Mit Elektronenmikroskop und Erbgutanalyse fanden sie darauf mindestens tausend verschiedene Typen von Bakterienzellen – darunter zahlreiche Arten, die sie erst noch identifizieren müssen. Offenbar hat eine vielfältige Crew von Mikroorganismen die winzigen Kunststoffflöße geentert und schippert nun damit über den Ozean. Und diese exzentrische Besatzung unterscheidet sich deutlich von den Lebensgemeinschaften des ringsum schwappenden Meerwassers.

1

Diese Erkenntnisse liefern ein paar neue Mosaiksteine für das Bild, das sich Forscher von den Folgen des Kunststoffbooms im Meer machen. Von den weltweit rund 245 Millionen Tonnen Plastik, die derzeit pro Jahr produziert werden, sollen schätzungsweise mehr als zehn Prozent in den Ozeanen landen. Der Müll wird von Schiffsbesatzungen über Bord geworfen und an den Küsten achtlos im Gelände verteilt, er kommt mit Flüssen aus dem Inland und mit dem Wind von Mülldeponien. Mit der Zeit wird das Material zwar oft zu winzigen Partikeln zerrieben, es verschwindet aber nicht. Und mit den Meeresströmungen reist es um die Welt. Plastikfreie Ozeanregionen dürfte es kaum noch geben.

Deutsche Wissenschaftler haben bei einer Bestandsaufnahme in der Nordsee 300 Plastikteile pro Quadratkilometer gezählt. Als Mitarbeiter des französischen Forschungsinstituts IFREMER in den 1990er-Jahren verschiedene europäische Küstengebiete untersuchten, fanden sie vor allem westlich von Dänemark, in der Keltischen See zwischen Irland und Großbritannien und entlang der Südostküste Frankreichs Müllansammlungen mit mehr als 100 000 Objekten auf einer Fläche von einem Quadratkilometer.

2

Nun mag es nicht verwundern, dass viel befahrene Ozeane mit dicht besiedelten Küsten ein Kunststoffproblem haben. Doch der Abfall erreicht mittlerweile auch die entlegensten Regionen. Jetzt sind Forscher selbst in der Tiefsee vor Spitzbergen auf reichlich Abfall gestoßen. Mithilfe eines Kamerasystems, das von Bord des Forschungseisbrechers Polarstern bis in 2 500 Meter Tiefe hinuntergelassen wurde, haben die Forscher dort in regelmäßigen Abständen den Meeresgrund fotografiert und festgestellt, dass die Abfalldichte zwischen 2002 und 2011 von gut 3 600 auf mehr als 7 700 Objekte pro Quadratkilometer Meeresgrund angestiegen ist. Fast 60 Prozent der entdeckten Teile bestanden aus Plastik.

Wie aber kommt der Abfall eigentlich auf den Meeresgrund? „Plastik schwimmt zwar zunächst an der Wasseroberfläche", erläutert der Forscher Lars Gutow vom Alfred Wegener Institut in Bremerhaven. „Doch mit der Zeit siedeln sich alle möglichen Organismen darauf an." Dadurch wird das Kunststofffloß irgendwann so schwer, dass es in die Tiefe sinkt. Bis es so weit ist, hat es allerdings oft schon eine weite Reise hinter sich, in deren Verlauf das Floß einen Teil seiner Passagiere in neue Lebensräume verfrachtet hat.

3

Die Idee, mit schwimmenden Objekten über das Meer zu reisen, ist in der Evolutionsgeschichte keineswegs neu. Für viele Tiere scheint eine auch „Rafting" genannte Floßreise die perfekte Gelegenheit, um neue Lebensräume zu erobern. So haben Fischer 1995 in der Karibik ein Dutzend grüner Leguane beobachtet, die ein Floß aus entwurzelten Bäumen verließen und auf der Insel Anguilla an Land gingen. Dort waren die Reptilien bis dahin nicht vorgekommen. Eines der spektakulärsten dieser künstlichen Flöße war ein zwanzig Meter langer und sechs Meter breiter Schwimmponton, den der verheerende Tsunami im März 2011 an der Küste Japans losgerissen hatte. Am 5. Juni 2012 trieb die Konstruktion nach 8 000 Kilometern Pazifikreise am Agate Beach im US-Bundesstaat Oregon an – beladen mit mehr als zwei Tonnen Schnecken und Muscheln, Seeigeln und Seesternen, Krabben und anderen Bewohnern der japanischen Küstengewässer.

4

So viele Passagiere kann eine Einkaufstüte oder Plastikflasche natürlich nicht befördern. Trotzdem spielen diese eher unscheinbaren modernen Flöße eine sehr große ökologische Rolle. „Das Auftreten von Plastikmüll hat das Rafting in den Meeren verändert", sagt Lars Gutow. Denn die Anhänger dieses Lebensstils finden heute so viele Transportgelegenheiten wie nie zuvor. Und zwar auch dort, wo treibende Objekte früher selten waren. Bisher gehörten die großen Algen, die vor allem in den mittleren und höheren Breiten vorkommen, zu den wichtigsten natürlichen Passagierfähren in den Weltmeeren. Der Plastikmüll hat nun aber auch in den Tropen Möglichkeiten für den großräumigen Transport von Organismen geschaffen. Zudem ist der Kunststoff deutlich beständiger als die meisten natürlichen Flöße und kann daher besonders weite Strecken zurücklegen.

Welche Organismen aber können die neuen Transportmöglichkeiten nutzen? „Ein erfolgreicher Rafter muss sich vor allem gut festhalten und auf dem Floß genügend Nahrung gewinnen können", erklärt Lars Gutow. Letzteres ist auf einem Stück Plastik allerdings gar nicht so einfach. Während treibende Algen oft von Schnecken oder kleinen Krebsen gleichzeitig als Floß und Reiseproviant genutzt werden, ist auf dem Kunststoff ein anderer Lebensstil gefragt. Dort finden sich eher fest am Untergrund verankerte Tiere wie Polypen oder Seepocken, die ihre Nahrung aus dem Wasser filtern.

Eine Assel namens *Idotea metallica* hat sich sogar komplett dem Floßleben verschrieben und kommt offenbar nirgendwo anders vor. Sie hat gelernt, sich am Plastikfloß festzuhalten und sich während der Reise ihre Fleischmahlzeiten aus dem Wasser zu holen. Neuerdings kommt diese Assel, die eigentlich die Wärme liebt, auch in der Nordsee vor. In Versuchen haben Wissenschaftler nachweisen können, dass die neue Assel wohl keine angestammten Arten verdrängt oder andere negative Folgen für die Umwelt hat. Das muss aber keineswegs für alle Passagiere gelten, die auf den Plastikflotten der Weltmeere unterwegs sind. Es ist durchaus möglich, dass die Kunststoffflöße auch für den Menschen unangenehme Organismen verbreiten.

a) Fassen Sie den Inhalt Ihres Textabschnitts/Ihrer Textabschnitte zusammen und informieren Sie die anderen Kursteilnehmerinnen/Kursteilnehmer darüber.

b) Entwerfen Sie gemeinsam aus allen Informationen des Textes eine Gedankenkarte zum Thema *Müll im Meer*.

5

So haben Wissenschaftler am Plastiktreibgut schon giftige Einzeller aus der Gruppe der Dinoflagellaten entdeckt. Diese Gifte können sich beispielsweise in Muscheln anreichern und für Meeresfrüchtefans gefährlich sein. Ein anderes untersuchtes Kunststoffpartikel war voller Bakterien der Gattung Vibrio, zu der die Erreger von Cholera und anderen Durchfallerkrankungen gehören.

Die Liste der Probleme, die mit dem Plastikmüll im Meer verbunden sind, ist damit wieder ein Stück länger geworden. Dabei war sie auch ohne riskante Floßbesatzungen schon umfangreich genug. Denn seit Langem ist bekannt, dass Schildkröten und Seevögel oft irrtümlich Plastiktüten und andere Kunststoffobjekte verschlingen. Mit müllgefülltem Magen aber fressen sie zu wenig richtige Nahrung und verhungern. Scharfkantige Gegenstände können außerdem die Verdauungsorgane von Tieren verletzen und die im Plastik enthaltenen Chemikalien können nach dem Verschlucken hormonartige Wirkungen entfalten und damit die Fortpflanzung der Tiere stören.

Ein großes Problem sind auch losgerissene Fischernetze aus Kunststoff, die jahrelang als sogenannte Geisternetze durch die Meere treiben und zahlreichen Vögeln, Fischen und Meeressäugern das Leben kosten. Plastikmüll am Meeresgrund erstickt das Leben darunter und beschädigt zerbrechliche Organismen wie die filigranen Seefedern. Und dann scheinen Plastikpartikel auch noch als Sammelstellen und Transportvehikel für verschiedene langlebige Schadstoffe zu wirken – mit bisher ungeklärten Folgen.

6

Was also tun? Einen kleinen Hoffnungsschimmer scheint es zu geben. Denn in den untersuchten Partikeln fanden sich mikroskopisch kleine Risse und Gruben, die nach Ansicht der Forscher durch die Aktivitäten bestimmter Bakterien entstehen. Das könnte bedeuten, dass die Mikroorganismen diese für ihre Langlebigkeit bekannten Materialien doch zersetzen. Solche Prozesse waren bisher nur an Land, nicht aber aus dem Meer bekannt. Amerikanische Forscher versuchen derzeit, die winzigen Müllbeseitiger zu kultivieren, um mehr über ihre Talente herauszufinden. Denn noch kann niemand sagen, wie schnell und effektiv diese Bakterien arbeiten.

Allein können sie das Problem aber nicht lösen. Und auch sonst gibt es bisher keine effiziente Methode, den Plastikmüll wieder aus dem Meer herauszuholen. Die Müllsammelaktionen, die Behörden und Naturschützer rund um die Welt organisieren, seien nur ein Tropfen auf einem heißen Stein, sagt Lars Gutow. Es gebe eigentlich nur eine Möglichkeit, das Problem anzugehen: Das Plastik darf erst gar nicht im Meer landen.

c) Suchen Sie aus dem Text alle Komposita mit *Müll-/-müll* und *Meer-/-meer*.
   Finden Sie noch weitere? Ergänzen Sie auch den richtigen Artikel.

Müll-/-müll   *Meer-/-meer*

der Zivilisationsmüll

....

....

....

....

....

....

d) Was passt zusammen? Bilden Sie Komposita, indem Sie aus jedem Vorgabekasten ein Wort verwenden.
   Formulieren Sie damit acht Sätze.

> Stecknadel ◇ Plastik ◇ Erbgut ◇
> Kunststoff ◇ Leben ◇ Schiff ◇
> Bestand ◇ Forschung ◇ Küsten *(Pl.)* ◇
> Elektronen *(Pl.)* ◇ Evolution ◇
> Einkauf ◇ Transport ◇ Reise ◇ Floß ◇
> Fischer ◇ Hoffnung ◇ Natur

der Stecknadelkopf, das Plastikteilchen ....

....

....

....

....

> Gelegenheit ◇ Teilchen ◇ Kopf ◇
> Gewässer ◇ Mikroskop ◇ Analyse ◇
> Proviant ◇ Schutz ◇ Floß ◇ Tüte ◇
> Gemeinschaft ◇ Besatzung ◇
> Treibgut ◇ Aufnahme ◇ Fahrt ◇
> Geschichte ◇ Flasche ◇ Partikel ◇
> Objekt ◇ Netz ◇ Schimmer ◇ Institut

....

....

....

◇   *Einige Plastikteilchen sind kleiner als ein Stecknadelkopf.*

(A9) Betonung des Vorgangs
   Formen Sie die Aktivsätze in Passivsätze um.

◇   Amerikanische Wissenschaftler nahmen aus dem Atlantik gefischte Partikel unter die Lupe.

   Aus dem Atlantik gefischte Partikel wurden (von amerikanischen Wissenschaftlern) unter die
   Lupe genommen.

1.   Bei den Analysen fanden sie auf den Plastikpartikeln mindestens tausend verschiedene Typen von Bakterienzellen.

   ....

2.   Offenbar hat eine vielfältige Crew von Mikroorganismen die winzigen Kunststoffflöße geentert.

   ....

3.   Schiffsbesatzungen werfen den Müll über Bord oder verteilen ihn achtlos an den Küsten.

   ....

4.   Deutsche Wissenschaftler haben bei einer Bestandsaufnahme in der Nordsee 300 Plastikteile pro Quadratkilo-
     meter gezählt.

   ....

5.   Mitarbeiter des französischen Forschungsinstituts IFREMER fanden vor allem westlich von Dänemark, in der
     Keltischen See und entlang der Südostküste Frankreichs Müllansammlungen mit mehr als 100 000 Objekten auf
     einer Fläche von einem Quadratkilometer.

   ....

   ....

6. Zahlreiche Tiere und Organismen besiedeln im Meer umherschwimmende Kunststofffflöße.

....

7. Tiere nutzten schon immer gerne schwimmende Objekte als Transportgelegenheit.

....

8. Der verheerende Tsunami 2011 in Japan hat einen sechs Meter breiten Schwimmponton mit Bewohnern der japanischen Küstengewässer 8 000 Kilometer weit nach Agate Beach im US-Bundesstaat Oregon getrieben.

....

....

9. Schnecken und kleine Krebse nutzen treibende Algen gleichzeitig als Floß und Reiseproviant.

....

10. Der Plastikmüll hat nun auch in den Tropen Möglichkeiten für den großräumigen Transport von Organismen geschaffen.

....

11. In Versuchen haben Wissenschaftler nachweisen können, dass die neue Assel keine angestammten Arten verdrängt.

....

12. Doch der schwimmende Müll kann auch Menschen und Tieren Schaden zufügen.

....

13. Scharfkantige Gegenstände können die Verdauungsorgane der Tiere verletzen.

....

14. Plastikmüll erstickt das Leben am Meeresgrund.

....

Zusatzübungen und Hinweise zu Umformungen von Aktiv- und Passivsätzen ⇨ Teil C Seite 139

(A10)   Formen Sie die Relativsätze in Partizipialattribute um.

◇ Die unzähligen Plastikteilchen, die als Zivilisationsmüll in den Weltmeeren treiben, scheinen ein echtes Dorado für Bakterien zu sein.

Die unzähligen, als Zivilisationsmüll in den Weltmeeren treibenden Plastikteilchen scheinen ein echtes Dorado für Bakterien zu sein.

1. Amerikanische Wissenschaftler, die den Müll untersuchten, staunten jedenfalls nicht schlecht, als sie mindestens tausend verschiedene Typen von Bakterienzellen als Müllbewohner entdeckten.

....

....

2. Darunter befanden sich zahlreiche Arten, die noch identifiziert werden müssen.

....

3. Von den weltweit 245 Millionen Tonnen Plastik, die pro Jahr produziert werden, landen mehr als zehn Prozent in den Ozeanen.

....

....

4. Der Müll, der von Schiffsbesatzungen über Bord geworfen wird, wird zwar oft zu winzigen Partikeln zerrieben, aber er verschwindet nicht.

....

....

5. Mithilfe eines Kamerasystems, das von Bord des Forschungseisbrechers Polarstern bis in 2 500 Meter Tiefe hinuntergelassen wurde, haben die Forscher dort in regelmäßigen Abständen den Meeresgrund fotografiert und eine Zunahme der Abfalldichte festgestellt.

....

....

6. Die Idee, Objekte, <u>die im Meer herumschwimmen</u>, zu entern, ist nicht neu und für viele Tiere die perfekte Gelegenheit zur Entdeckung neuer Lebensräume.

....

....

7. Ein künstliches Floß, <u>das aus dem fernen Japan stammte</u>, landete nach dem Tsunami 2011 mit vielen Tieren beladen an der Küste des Bundesstaates Oregon.

....

....

8. Allerdings können die Passagiere, <u>die auf den Plastikflotten der Weltmeere reisen</u>, auch Gefahren für andere Tiere und Menschen mit sich bringen.

....

....

9. Auf einigen Kunststoffpartikeln, <u>die untersucht wurden</u>, wurden Krankheitserreger und Gifte nachgewiesen.

....

10. Die Liste der Probleme, <u>die mit dem Plastikmüll im Meer verbunden sind</u>, ist damit wieder ein Stück länger geworden.

....

....

11. Es gibt eigentlich nur eine Möglichkeit, die Verschmutzung der Weltmeere, <u>die immer weiter ansteigt</u>, zu stoppen: Plastikabfälle dürfen erst gar nicht im Meer landen.

....

....

Zusatzübungen zu Relativsätzen und Partizipialkonstruktionen ⇨ Kapitel 4, Teil C Seite 109 und 113

(A11) Umweltprobleme

a) Was fällt Ihnen noch ein, wenn Sie das Wort *Umweltprobleme* hören?
Sammeln Sie in Gruppen Beispiele und präsentieren Sie Ihre Diskussionsergebnisse im Plenum.

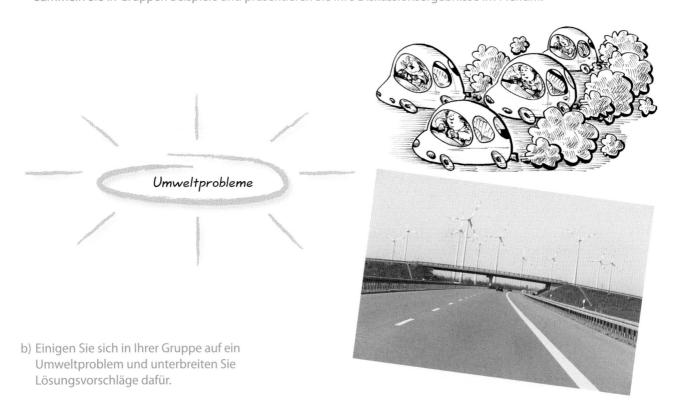

b) Einigen Sie sich in Ihrer Gruppe auf ein Umweltproblem und unterbreiten Sie Lösungsvorschläge dafür.

A12 „Mehrspurige Straßen brauchen wir nicht." 8

a) Sie hören ein Interview mit dem Architekten Friedrich von Borries über Nachhaltigkeit und Design. Entscheiden Sie, ob die folgenden Aussagen mit dem Inhalt des Interviews übereinstimmen oder nicht. Hören Sie das Interview einmal.

	ja	nein
1. Design und Nachhaltigkeit hängen unmittelbar zusammen.	☐	☐
2. Das Auto gehört zum deutschen Lebensbild – diese Einstellung lässt sich auch mit Design nicht verändern.	☐	☐
3. Wenn Politiker die Straßen zurückbauen lassen würden, würden die Menschen automatisch auf andere Verkehrsmittel umsteigen.	☐	☐
4. Im Moment gibt es in öffentlichen Verkehrsmitteln zu wenig Platz für Fahrräder.	☐	☐
5. Die Frage nach der Lebensqualität findet bei der gestalterischen Planung von Infrastruktur kaum Berücksichtigung.	☐	☐
6. Einige Großstädte setzen auf den Ausbau von Grünflächen.	☐	☐
7. Kunst kann das Bewusstsein der Menschen nicht beeinflussen.	☐	☐

b) Erklären Sie die folgenden Wörter und Wendungen.

1. klimagerechtes Leben ....
2. Nachhaltigkeit ....
3. wiederverwertbare Handys ....
4. gleichwertige Alternative ....
5. Straßenrückbau ....
6. lärmbelastete Straßen ....
7. motorisierter Individualverkehr ....

A13 Passivsätze und Passiv-Ersatzmöglichkeiten
Markieren Sie die Passiv-Ersatzformen und bilden Sie dann Sätze im Passiv.

◇ Dieser Stuhl lässt sich auseinandermontieren.
Dieser Stuhl kann auseinandermontiert werden.

1. Die verschiedenen Materialien sind trennbar und wiederaufbereitbar.
....

2. Es ist nicht die Lösung, ein wiederverwertbares Handy zu entwickeln.
....

3. Lässt sich daran etwas ändern?
....

4. Die alten Infrastrukturen sind zu überdenken.
....

5. Busse und Straßenbahnen sind für den Fahrradtransport umzubauen.
....

6. Mehr Grünflächen sind anzulegen.
....

7. Die Anzahl der Fahrradstellplätze ist zu erhöhen.
....

8. Das Bewusstsein der Menschen ist durch Kunst beeinflussbar.
....

Zusatzübungen zu Passiv-Ersatzformen ⇨ Teil C Seite 143

Reaktion auf eine Fernsehsendung

Sie haben im Fernsehen eine Diskussion zum Thema *Umweltfreundliches Leben in der Großstadt* gesehen und möchten Ihre Meinung dazu sagen. Schreiben Sie eine ausführliche E-Mail, in der Sie sich auf die folgenden drei Aussagen der Sendung beziehen.

2
Das Umsetzen neuer umweltfreundlicher Konzepte kostet Geld. Die meisten Großstädte sind aber pleite.

1
Umweltfreundliches Leben erfordert ein Umdenken bei Politikern und in der Bevölkerung.

3
Bei steigender Armut geht es bei vielen Menschen in erster Linie um die Bewältigung des Alltags, nicht um den Umweltschutz.

Schreiben Sie etwa 350 Wörter. Nehmen Sie sich dafür etwa 60 Minuten Zeit.
Achten Sie auf eine klare Strukturierung und einen angemessenen Wortschatz.

 Diskussion: Umweltsteuer
Sie sind zu einer Diskussionsrunde eingeladen und gehen mit Ihrer Gesprächspartnerin/Ihrem Gesprächspartner der Frage nach, ob die Einführung einer Umweltsteuer zur Lösung der vorhandenen Umweltprobleme beitragen könnte. Entscheiden Sie sich für eins der folgenden Statements und beginnen Sie mit der Diskussion.

1

Pro

Umweltpolitik, die etwas erreichen will, kostet Geld. Mit der Einführung einer Umweltsteuer für alle werden die Lasten gerecht verteilt und gleichzeitig wird ein Umweltbewusstsein geschaffen.

2

Kontra

Die Belastungen für die Umwelt, die von privaten Haushalten ausgehen, sind gering. Die Hauptumweltverschmutzer sind Betriebe und die sollten auch die Kosten für Umweltschäden tragen.

Zum Ablauf der Diskussion

◇ Diskutieren Sie zu zweit: Eine Person vertritt Aussage 1, die andere Aussage 2.

◇ Verteidigen Sie Ihre Position. Versuchen Sie, Ihre Gesprächspartnerin/Ihren Gesprächspartner von Ihren Argumenten zu überzeugen. Nennen Sie auch Beispiele.

◇ Gehen Sie auf die Argumente Ihrer Gesprächspartnerin/Ihres Gesprächspartners ein.

Buchtipp • Buchtipp • Buchtipp • Buchtipp

Flugasche
Von *Monika Maron*

Die Journalistin Josefa Nadler fährt nach B., um über diese Stadt und ihr überaltertes und umweltgefährdendes Kraftwerk eine Reportage zu machen. Was aber soll sie schreiben? Josefa entscheidet sich für die Wahrheit und sie fordert, dass das neue Kraftwerk im Interesse der dort arbeitenden und wohnenden Menschen endlich fertiggestellt wird. Josefa muss sich vor den Kollegen und der Partei rechtfertigen. Als es ihr nicht gelingt, ihren – persönlichen und politischen – Standpunkt klarzumachen, zieht sie sich zurück.
(Fischer Taschenbuch Verlag)

Kapitel 5

Altes und Neues aus der Medizin

A16 Zehn Entdecker des Körpers

Seit der Antike erforscht der Mensch den Körper und den Kampf gegen Krankheiten.
Zehn Wissenschaftler haben durch ihre Experimente und Beobachtungen die Welt verändert.
Lesen Sie die Kurzbeschreibungen und ordnen Sie das jeweilige Jahr und den Namen zu.

A 1503 – Leonardo da Vinci

B 1628 – William Harvey

C 1796 – Edward Jenner

D 1906 – Charles Sherrington

E 1865 – Gregor Johann Mendel

F 1895 – Wilhelm Konrad Röntgen

G 1961 – Heinrich Matthaei und Marshall Nirenberg

H 1902 – William Bayliss und Ernest Starling

I 1858 – Rudolf Virchow

J 1876 – Robert Koch

1

1796 – Edward Jenner   **C**

Es war die schlimmste Seuche des 18. Jahrhunderts: 40 Millionen Menschen erkrankten an Pocken, jeder dritte starb daran. In England behandelte ein Arzt täglich Patienten, die über Fieber, Schüttelfrost und eitrige Bläschen am Körper klagten. Dabei bemerkte der Arzt, dass Mägde, die sich früher mit Kuhpocken infiziert hatten, von der Krankheit verschont blieben. Er impfte daraufhin einen achtjährigen Jungen mit Kuhpocken und infizierte ihn anschließend mit Pocken. Der Junge blieb gesund – die Impfung wurde entdeckt. Millionen Menschen können nun gegen bekannte Erreger Antikörper bilden.

2

Mit Beginn der Renaissance rückte der Mensch in den Mittelpunkt des Weltbildes. In einem Hospital in Florenz wurden tote Menschen geöffnet und ihre Organe, Muskeln und Knochen freigelegt. In seinen Anatomiestudien entdeckte der Wissenschaftler und Künstler den Blinddarm und er fand heraus, dass das Herz ein Muskel ist. Seine Zeichnungen zeigten ein neues, realistisches Bild vom Körper des Menschen.

3

Der Augustinermönch führte in seinem Klostergarten Experimente mit Erbsen und Bohnen durch, um den Geheimnissen der Vererbung auf die Spur zu kommen. Ihm fiel auf, dass sich die Merkmale einer Erbsengeneration nach bestimmten Gesetzmäßigkeiten vererben und dass es für jedes Merkmal einer Erbse zwei Erbinformationen gibt: eine von der Mutter- und eine von der Vaterpflanze. Er veröffentlichte seine Beobachtungen und begründete damit eine neue Wissenschaft: die Genetik.

4

Als er mit seinen Forschungen begann, wusste man noch wenig über das Nervensystem. Jahrzehnte verbrachte der Neuropsychologe damit, die Reflexe von Tieren zu studieren. Ihn interessierte, wie Gehirn und Rückenmark Nervenimpulse an Muskeln senden. Es gelang ihm, erstmals das komplexe Zusammenspiel der Nervensignale mit dem Körper zu beschreiben.

5

Nachdem er 1 000 Leichen seziert und ihre Organe unter dem Mikroskop untersucht hatte, fand ein Pathologe heraus, dass körperliche Beschwerden durch krankhaft veränderte Zellen ausgelöst werden können. Mithilfe seiner Erkenntnisse können Tumore bis heute klassifiziert und chirurgisch entfernt werden.

6

Am 27. Mai um 3 Uhr morgens konnte eins der größten Rätsel der Medizin gelöst werden: die Entschlüsselung eines der 64 Grundbausteine der DNS, des menschlichen Erbguts. Ein Eiweißbaustein der DNS wird gebildet aus einer Kombination aus drei der vier Basen Adenin, Thymin, Guanin und Cytosin. Der Grundstein für die Gentechnik war gelegt.

7

Ein Arzt untersuchte Gewebeproben von Tieren, die an Milzbrand erkrankt waren. Im Gewebe der erkrankten Tiere entdeckte er stäbchenförmige Bakterien, die er zunächst isolierte. Später infizierte er damit gesunde Tiere und konnte erstmals erklären, wie Infektionskrankheiten entstehen.

8

Bis ins 17. Jahrhundert glaubten Mediziner, dass das Blut im Körper unentwegt verbraucht und in der Leber neu produziert wird. Ein englischer Arzt entdeckte in Tierversuchen, dass das Herz das Blut in die Arterien pumpt und dass es einen Blutkreislauf im Körper gibt.

9

In der Nacht zum 8. November machte ein deutscher Physiker eine folgenreiche Beobachtung: Bei der Leitung von Elektrizität in Gasen entsteht eine Strahlung, mit der man das Innere des Körpers durchleuchten kann. In weiteren Experimenten fotografierte er mit der neuen Methode die Hand seiner Frau und zeigte so zum ersten Mal einen durchleuchteten Körperteil.

10

In einem Tierexperiment wurden sämtliche Nervenbahnen, die zur Bauchspeicheldrüse führen, getrennt. Doch ein Wunder geschah, das Organ arbeitete trotzdem weiter. Einige Experimente später konnten dafür chemische Botenstoffe verantwortlich gemacht werden, die im Körper viele wichtige Abläufe steuern: Einer der englischen Physiologen nennt sie *Hormone*.

A17 Was gehört zu welchem Oberbegriff? Ordnen Sie zu.

Pocken ◊ Schüttelfrost ◊ Erreger ◊ Organe ◊ Muskeln ◊ Knochen ◊ Blinddarm ◊ Herz ◊ Nervensystem ◊ Reflexe ◊ Nervensignale ◊ Rückenmark ◊ Gehirn ◊ Zellveränderung ◊ Tumor ◊ Gewebeproben ◊ Antikörper ◊ stäbchenförmige Bakterien ◊ Infektionen ◊ Milzbrand ◊ Klassifizierung ◊ chirurgischer Eingriff ◊ Entschlüsselung der DNS ◊ Fieber ◊ Erbgut ◊ Leber ◊ Blut ◊ Arterien ◊ Blutkreislauf ◊ Tierversuche ◊ Bauchspeicheldrüse ◊ chemische Botenstoffe ◊ Anatomiestudien ◊ eitrige Bläschen ◊ Impfung

Krankheit	menschlicher Körper	Wissenschaft und medizinische Behandlung

A18 Bilden Sie Sätze im Präteritum bzw. in der in Klammern angegebenen Zeitform.
Achten Sie auf fehlende Präpositionen und den richtigen Kasus.

◇ 40 Millionen Menschen – 18. Jahrhundert – Pocken – erkranken

40 Millionen Menschen erkrankten im 18. Jahrhundert an Pocken.

1. jeder Dritte – Seuche – sterben

   ....

2. England – Patienten – Fieber und Schüttelfrost – klagen

   ....

3. Mägde, – die – früher – Kuhpocken – sich infizieren *(Plusquamperfekt)*, – Krankheit – verschont bleiben

   ....

4. Edward Jenner – achtjähriger Junge – Kuhpocken – impfen

   ....

5. Entdeckung der Impfung – Menschen – Pockenerreger – Antikörper – bilden können

   ....

6. Wissenschaftler – auffallen, – dass – Merkmale einer Erbsengeneration – bestimmte Gesetzmäßigkeiten – sich vererben

   ....

7. Beginn der Forschungen – man – noch wenig – Nervensystem – wissen

   ....

8. Jahrzehnte – Neuropsychologe Charles Sherrington – Studium von Tierreflexen – verbringen

   ....

9. er – komplexes Zusammenspiel der Nervensignale – Körper – sich interessieren

   ....

10. ein Eiweißbaustein der DNS – Kombination – drei der vier Basen Adenin, Thymin, Guanin und Cytosin – bilden *(Passiv Präsens)*

    ....

11. Heinrich Matthaei und Marshall Nirenberg – Grundstein – Gentechnik – legen

    ....

12. reibungsloses Funktionieren der Organe – Experiment – chemische Botenstoffe – verantwortlich machen *(Passiv)*

    ....

13. englischer Physiologe – Botenstoffe – Hormone – bezeichnen

    ....

A19 Was können Selbstheilungskräfte?
Diskutieren Sie in Gruppen und präsentieren Sie Ihre Diskussionsergebnisse im Plenum.

Selbstheilungskräfte

A20   Kennen Sie Ihren inneren Arzt?

Bilden Sie mit fünf Kursteilnehmerinnen/Kursteilnehmern eine Lesegruppe. Jede Person liest einen Abschnitt des Textes.

Teil A

Der rote Kreis auf dem Bildschirm wird für einen kurzen Moment größer, dann schrumpft er wieder. Es ist ein seltsam altmodisches Computerspiel, mit dem sich Christian P. beschäftigt, ohne Action und optische Raffinessen. Der 31-Jährige sitzt in der Praxis eines Münchner Facharztes, an seinem Kopf befinden sich links und rechts an den Schläfen Elektroden, die über ein Kabel mit einem Gerät und dem Bildschirm verbunden sind. Christian soll den roten Kreis so klein wie möglich werden lassen – allein durch die Kraft seiner Gedanken. Er hat das in mehreren Sitzungen geübt, und inzwischen funktioniert es ganz gut. Wenn der Kreis kleiner wird, heißt das: Die Schläfen-Arterien werden enger, lassen weniger Blut passieren – und Christians Kopfschmerzen verschwinden. Um das zu erreichen, stellt der Patient sich zum Beispiel vor, dass er im kalten Schnee liegt. Dann ziehen sich die Blutgefäße an seinen Schläfen zusammen, ebenso wie der rote Kreis auf dem Bildschirm, als sichtbare Erfolgskontrolle.

Mit dieser Methode, sie heißt Neurofeedback, kann man die eigene Gehirntätigkeit kontrollieren und gezielt beeinflussen. Kein Herumsitzen im vollen Wartezimmer, keine Medikamente, keine Nebenwirkungen – stattdessen das Gefühl: Ich helfe mir selbst. Wie erstaunlich wirksam diese Kräfte sind, die in uns schlummern, beginnt die Wissenschaft in jüngster Zeit immer besser zu verstehen. Bekannt ist, dass in unserem Körper täglich unzählige Heilungsprozesse ablaufen. Von den meisten merken wir gar nichts, andere sehen wir als selbstverständlich an: Unser Immunsystem bekämpft gefährliche Viren und Bakterien, der Blutstrom einer offenen Wunde versiegt, Milliarden von Zellen erneuern sich, Enzyme reparieren Defekte in der Erbsubstanz DNS, eine schmerzhafte Verletzung verheilt. Und manchmal wachsen gebrochene Knochen wieder zusammen.

Teil B

Selbstheilung findet täglich statt, nicht nur in einigen spektakulären Fällen, die ab und zu durch die Presse geistern. In unserem Organismus achtet das Immunsystem darauf, dass eine Balance besteht zwischen entzündungsfördernden Prozessen, die Krankheitserreger töten, und gegenteiligen Prozessen, die diese Entzündungen wieder auf das Normalmaß zurückbringen. Seelische Belastungen können dazu führen, dass diese Balance aus dem Gleichgewicht gerät – im Extremfall entstehen dann chronische Krankheiten.

Umgekehrt kann seelische Entspannung dafür sorgen, dass die Balance wiederhergestellt wird. „Die Psyche und der Körper sind eine Einheit", sagt Andreas Meyer-Lindenberg, ärztlicher Direktor des Zentralinstituts für Seelische Gesundheit in Mannheim. Diese Erkenntnis ist nicht ganz neu, aber in Krankenhäusern wird sie kaum befolgt. Eine der wenigen Ausnahmen: die Klinik für Naturheilkunde und Integrative Medizin in Essen. Hier werden neben einer klassisch-medizinischen Behandlung unter anderem Gespräche, Ernährungsberatung, Massagen, Entspannungsübungen

und Bewegung angeboten – alles unter dem Begriff *Mind-Body-Medizin* (Leib-Seele-Medizin). In Essen wird viel Wert darauf gelegt, dass die Patienten lernen, wie man Stress vermeidet oder abbaut. Denn erst in der Entspannung lassen sich die Selbstheilungskräfte wecken.

Als besonders wirksame Methode der Stressreduktion hat sich die Meditation herausgestellt: Die Diplom-Psychologin Britta Hölzel erforschte in den USA an der Harvard Medical School, wie sich das Gehirn von Menschen verändert, die täglich 25 Minuten lang meditieren. Ergebnis: Schon nach acht Wochen sinkt das subjektive Stressempfinden deutlich. Und im Bereich des Hippocampus (Bestandteil des Gehirns) nimmt die Dichte der sogenannten grauen Substanz zu. Es scheint so, als ob das Gehirn sich hier regeneriere und sogar ein Stresspolster zulege.

Teil C

Ein britischer Allgemeinmediziner wollte wissen, wie man Selbstheilungskräfte von Patienten mobilisieren kann, und machte ein Experiment. Er teilte 200 Frauen und Männer, die mit gängigen Beschwerden wie Husten, Halsweh, Bauch- oder Rückenschmerzen in seine Praxis kamen, in zwei Gruppen ein. Gegenüber der einen Gruppe äußerte er sich positiv („Das ist nichts Schlimmes, das geht bald vorbei."), die andere Gruppe bekam negative Botschaften zu hören („Das müssen wir genauer untersuchen.").

Als der Arzt die Patienten zwei Wochen später befragte, stellte sich heraus, dass es 64 Prozent von denen, die positive Äußerungen erhalten hatten, besser ging. Die andere Gruppe kam nur auf 39 Prozent. „Worte können nachweislich wie Medikamente wirken", sagt der Physiologieprofessor Johann Caspar Rüegg. Das Gleiche gilt für freundliche Gesten und ein offenes Ohr, also die bloße Zuwendung.

Teil D

Ohne Zweifel gibt es segensreiche Medizin, die schon viele Menschenleben gerettet hat. Dennoch zeigen zahlreiche Versuche, dass es oft nicht nur die ärztliche Behandlung ist, die heilt, sondern der Patient selbst. Als der amerikanische Arzt Henry Beecher im Zweiten Weltkrieg Soldaten im Lazarett versorgte, gingen die Morphium-Vorräte zu Ende. In seiner Not gab Beecher den Verwundeten, die vor Schmerzen schrien, Spritzen mit einer Kochsalzlösung und ließ sie in dem Glauben, er würde ihnen Morphium spritzen. Der Feldarzt staunte, bei wie vielen Soldaten er auf diese Weise die Schmerzen lindern konnte. Beecher nutzte den sogenannten Placebo-Effekt. Darunter versteht man Wirkungen, die nicht auf der pharmazeutischen Substanz eines Mittels beruhen, sondern eher darauf, was man landläufig „Einbildung" nennt. Bisher wurde angenommen, dass Placebos nur wirken, wenn die Patienten der Meinung sind, ein echtes Medikament zu erhalten.

In drei neueren Studien wurde nun festgestellt: Die Scheinmedikamente können sogar dann helfen, wenn die Betreffenden wissen, dass sie Placebos bekommen. Was wir denken und wie wir fühlen, beeinflusst entscheidend die Reaktionen unseres Körpers. Einige Medizinforscher empfehlen deshalb, die Kraft der eigenen Gedanken zu nutzen. Es konnten nachweislich Erfolge erzielt werden, wenn man sich im Krankheitsfall in einer entspannten Haltung intensiv die gewünschte Heilwirkung vorstellt und sie bildlich vor dem inneren Auge erscheinen lässt.

Teil E

Es ist verblüffend, wozu die Selbstheilungskräfte des Körpers und der Seele fähig sind, wenn die Betreffenden von der jeweiligen Methode überzeugt sind. Und wenn sie auch sonst die richtige Einstellung haben. Eine in der Fachzeitschrift *Neuropsychopharmacology* veröffentlichte Studie zeigt, dass die Wirkung einer Schmerzbehandlung mit Placebos auch von der Persönlichkeit der Patienten abhängt. Wer seelisch stabil und verträglich ist, profitiert besonders, Menschen mit einem eher reizbaren Wesen, die sich oft beklagen, sprechen dagegen nicht so gut auf die Behandlung an. Auch im Gehirn zeigt sich dieser Unterschied: An den Rezeptoren der positiv eingestellten Patienten werden mehr Endorphine ausgeschüttet, deren Wirkung unter anderem darin besteht, Wohlgefühl zu erzeugen und Schmerzen zu vermindern.

Selbst die Bundesärztekammer, bislang eher konservativ und an Medikamenten orientiert, hat inzwischen die Kraft der Selbstheilung entdeckt – und sich ausdrücklich für den Einsatz von Scheinpräparaten in der Therapie ausgesprochen: „Da die experimentelle Placebo-Forschung zeigt, welchen Nutzen der Patient aus einer Placebo-Gabe ziehen kann", heißt es in einer Erklärung, werde ihre bewusste Anwendung „durchaus für vertretbar gehalten". Vielleicht werden also Schulmediziner in Zukunft nicht mehr ungläubig abwinken, wenn sie hören, dass ein Patient mit einer scheinbar obskuren Methode geheilt wurde. Der Glaube an die Wirksamkeit mag eingebildet sein – aber die Wirkung ist es nicht.

a) Geben Sie den Inhalt Ihres Textteils in Ihrer Lesegruppe wieder. Formulieren Sie dann gemeinsam eine Zusammenfassung für den gesamten Text.

b) Was sagt der Text aus? Markieren Sie gemeinsam die richtige Lösung.

1. Die Selbstheilung des Körpers
   - a) ☐ ist ein normaler, alltäglicher Prozess.
   - b) ☐ erspart den Gang zum Arzt.
   - c) ☐ ist erlernbar.

2. Der Selbstheilungsprozess
   - a) ☐ kann durch verschiedene Methoden unterstützt werden.
   - b) ☐ basiert auf der Verwendung von Scheinmedikamenten.
   - c) ☐ funktioniert nur, wenn der Patient daran glaubt.

3. Die integrative Medizin
   - a) ☐ konzentriert sich auf Entspannungsübungen wie Meditation.
   - b) ☐ bezieht die Psyche in ihre Behandlungsmethoden mit ein.
   - c) ☐ sieht im Stress die Ursachen für viele Krankheiten.

4. Eine Schmerzbehandlung mit Scheinmedikamenten
   - a) ☐ wirkt nur, wenn der Patient davon ausgeht, dass er richtige Medikamente bekommt.
   - b) ☐ verzeichnet bei positiv eingestellten Patienten bessere Resultate.
   - c) ☐ wirkt immer.

5. Die Bundesärztekammer
   - a) ☐ steht einer Placebo-Behandlung ablehnend gegenüber.
   - b) ☐ hat ihre negative Einstellung gegenüber der Behandlung mit Placebos revidiert.
   - c) ☐ fördert den Einsatz von Placebos.

c) Finden Sie Antonyme.

1. erkranken ↔ ....
2. Die Infektion heilt. ↔ ....
3. Die Knochen wachsen zusammen. ↔ ....
4. Etwas kann die Schmerzen verstärken. ↔ ....
5. ein Medikament verbieten ↔ ....
6. Stress vermeiden ↔ ....
7. Zuwendung erhalten ↔ ....
8. Menschen mit verträglichem Wesen ↔ ....
9. die Reaktion des Körpers entscheidend beeinflussen ↔ ....
10. Veränderung ↔ ....

d) Ergänzen Sie die fehlenden Verben in der richtigen Form.

■ Der rote Kreis auf dem Bildschirm wird für einen kurzen Moment größer, dann .... (1) er. Es ist ein seltsam altmodisches Computerspiel, mit dem sich Christian P. .... (2). An seinem Kopf
5 .... (3) sich links und rechts an den Schläfen Elektroden, die über ein Kabel mit einem Gerät und dem Bildschirm .... (4) sind. Christian soll den roten Kreis mithilfe seiner Gedanken .... (5). Er hat das in mehreren Sitzungen
10 .... (6), und inzwischen .... (7) es ganz gut. Wenn der Kreis kleiner wird, heißt das, dass sich die Schläfen-Arterien .... (8) und Christians Kopfschmerzen .... (9). Um diesen Zustand zu .... (10),
15 muss sich der Patient eine besondere Situation .... (11), zum Beispiel, dass er im kalten Schnee .... (12). Mit dieser Methode (Neurofeedback) kann man die eigene Gehirntätigkeit .... (13) und gezielt .... (14).
20 Wie erstaunlich wirksam diese Kräfte sind, die in uns .... (15), beginnt die Wissenschaft in jüngster Zeit immer besser zu .... (16). Bekannt ist, dass in unserem Körper täglich unzählige Heilungsprozesse .... (17). Die meisten .... (18) wir gar nicht, andere .... (19) wir für selbstverständlich: Unser Immunsystem .... (20) gefährliche Viren und Bakterien, Verletzungen .... (21), Milliarden von Zellen .... (22) sich, gebrochene
30 Knochen .... (23).

e) Nominalisieren Sie die Verben und bilden Sie Komposita. Erklären Sie die Bedeutung.

◇ Patienten + Betreuung   *die Patientenbetreuung = die Betreuung von Patienten*
sich um Patienten kümmern

1. ernähren + beraten

....

....

2. entspannen + üben

....

....

3. bewegen + Therapie

....

....

4. heilen + Prozess

....

....

5. behandeln + Methode

....

....

6. regenerieren + Phase

....

....

7. verletzen + Dauer

....

....

8. untersuchen + Zimmer

....

....

9. Schmerz + lindern

....

....

10. Stress + vermeiden

....

....

f) Ergänzen Sie die fehlenden Informationen. Orientieren Sie sich inhaltlich am Lesetext A20, Teil B.

■ Selbstheilung findet jeden Tag statt. Unser Immunsystem schafft im Körper ein .... (1) zwischen den Prozessen, die Entzündungen fördern, um Krankheiten zu töten, und den Prozessen, die
5 Entzündungen .... (2). Seelische Belastungen können eine .... (3) dafür sein, diese Abläufe zu stören. Die alte Erkenntnis, dass Psyche und Körper eine Einheit sind, wird leider in den meisten Krankenhäusern nicht in die Praxis
10 ....(4).
Die Klinik für Naturheilkunde und Integrative Medizin in Essen ist eine...................(5)...........................(6) der Klinik umfasst neben einer klassisch-medizini-

schen Behandlung auch Gespräche, Ernährungsbera-
15 tung, Massagen, Entspannungsübungen und Bewegungstherapie. Unter anderem erlernen die Patienten neue Methoden.....................(7) von Stress.
Neuen .... (8) zufolge zeigen sich Veränderungen im Gehirn von Menschen, die täg-
20 lich 25 Minuten lang meditieren. Meditation dient .... (9) des subjektiven Stressempfindens und .... (10) der Selbstheilungskräfte. Außerdem konnte eine Zunahme der Dichte der sogenannten grauen Substanz im Hippocampus
25 ....(11), was bedeutet, dass das Gehirn stressbeständiger wird.

g) Formen Sie die Sätze um, indem Sie die in Klammern angegebenen Wörter in der passenden Form einarbeiten.

1. Ein britischer Allgemeinmediziner wollte wissen, wie man Selbstheilungskräfte von Patienten mobilisieren kann. *(interessieren)*

....

2. Als die Patienten später befragt wurden, stellte sich heraus, dass es 64 Prozent von denen, die positive Äußerungen erhalten hatten, besser ging. *(Befragung)*

....

3. Worte können nachweislich wie Medikamente wirken. *(Wirkung)*

....

4. Ähnliches gilt für freundliche Gesten und ein offenes Ohr. *(Effekt)*

....

5. Unser Denken und Fühlen beeinflusst entscheidend die Reaktionen unseres Körpers. *(Einfluss)*

....

6. Es ist verblüffend, wozu die Selbstheilungskräfte des Körpers und der Seele fähig sind. *(können)*

....

7. Eine im Februar dieses Jahres veröffentlichte Studie zeigte, dass die Wirkung einer Schmerzbehandlung mit Placebos auch von der Persönlichkeit der Patienten abhängt. *(laut)*

....

....

8. Selbst die konservative Bundesärztekammer hat sich ausdrücklich für den Einsatz von Scheinpräparaten in der Therapie ausgesprochen. *(zustimmen)*

....

....

9. Vielleicht werden Schulmediziner in Zukunft anders reagieren, wenn sie hören, dass ein Patient mit einer scheinbar obskuren Methode geheilt wurde. *(Reaktion – Heilung)*

....

....

10. Der Glaube an die Wirksamkeit ist möglicherweise eingebildet – aber die Wirkung ist es nicht. *(mögen)*

....

....

A21 Eine unterschätzte Kraft …
Lösen Sie das Rätsel. Die Buchstaben in den farbigen Kästchen ergeben ein Kompositum als Lösungswort.

◊ die Pest im 18. Jahrhundert
1. Verfahren
2. Es fließt durch die Adern.
3. erhöhte Körpertemperatur
4. das Gegenteil von Wirkungslosigkeit
5. Medikament
6. die „Pumpe" im Körper
7. Organ, das der Entgiftung dient
8. Zentrum für das Bewusstsein
9. „kaputte" Stelle im oder am Körper
10. vorbeugende Maßnahme gegen Infektionskrankheiten
11. Es kommt von Personen und unterstützt die Genesung.
12. Ansammlung von Zellen ähnlicher Bauart und Funktion

◊   S E U C H E
1.
2.
3.
4.
5.
6.
7.
8.
9.
10.
11.
12.

A22 Gesundheitsversorgung

a) Ergänzen Sie die fehlenden Präpositionen und den bestimmten, unbestimmten oder demonstrativen Artikel, wenn nötig.

Wie oft gehen die Deutschen zum Arzt?

Nach einem (0) Bericht des Zentralinstituts .... (1) kassenärztliche Versorgung .... (2) Deutschland suchten Männer .... (3) Schnitt 14-mal jährlich einen niedergelassenen Mediziner auf und Frauen 20-mal, sodass sich ein Durchschnitt .... (4) 17 Arztbesuchen pro Person ergibt. Ein Viertel der gesetzlich versicherten Kassenmitglieder geht allerdings höchstens viermal .... (5) Jahr .... (6) Arzt. Ein zweites Viertel kommt .... (7) höchstens zehn Arztbesuche und ein drittes Viertel........................(8) 22. Die 25 Prozent der Versicherten .... (9) meisten Arztbesuchen sitzen dagegen 40-mal .... (10) Wartezimmer eines Arztes. Angaben des Zentralinstituts........................(11) neh-

men damit rund 16 Prozent der Versicherten die Hälfte aller Arztkontakte........................(12) Anspruch. Chronisch Nierenkranke, Menschen, die .... (13) transplantierten Organ leben, Krebspatienten und andere .... (14) langwierigen Leiden Betroffene fallen .... (15) Gruppe. Die Analyse zeigt, dass der Mittelwert entscheidend .... (16) kleinen Patientengruppe .... (17) besonderem Versorgungsbedarf beeinflusst wird.

.... (18) internationalen Vergleich liegt Deutschland........................(19) 17 Arztkontakten pro Jahr........................(20) Spitzenplatz.

b) Berichten Sie über das medizinische Versorgungssystem in Ihrem Heimatland. Sprechen Sie über Allgemeinmediziner (Hausärzte), Fachärzte, Krankenhäuser und Krankenversicherungen. Was sehen Sie positiv, was eher negativ?

A23 Formen Sie den Text um, indem Sie die auf der rechten Seite angegebenen Wörter unverändert in den Text einarbeiten. Nehmen Sie alle notwendigen Umformungen vor.

Die Deutschen werden immer älter

Die Lebenserwartung in Deutschland ist <u>höher geworden</u>. Ein neugeborener Junge kann heute damit rechnen, durchschnittlich 77 Jahre und neun Monate <u>alt zu werden</u>, Mädchen werden 82 Jahre. Das <u>teilte</u> das Statistische Bundesamt <u>mit</u>. Damit <u>leben</u> Neugeborene im Schnitt zwei	gestiegen Alter Angaben
5 bis drei Monate <u>länger</u> als Kinder, die ein Jahr früher zur Welt kamen. <u>Grundlage</u> für das Rechenmodell sind die sogenannten aktuellen Sterbetafeln, in denen die Daten der Sterbefälle der letzten drei Jahre registriert werden. Gegliedert nach Alter und Geschlecht wird daraus die sogenannte Sterbewahrscheinlichkeit <u>errechnet</u>.	höhere Lebenserwartung basiert ergibt
10 Seit etwa 170 Jahren werden die Menschen in den Industrieländern immer älter. <u>Nach</u> neuesten wissenschaftlichen Untersuchungen steigt die Lebenserwartung in Deutschland bei Männern alle fünf Jahre um ein Jahr, bei Frauen um zehn Monate. Die Wissenschaftler <u>gehen</u> zwar davon <u>aus</u>, dass es irgendwann eine Grenze gibt, die sei aber bislang noch nicht	 wie Ansicht
15 in Sicht. Welchen Einfluss die Lebensumstände auf das Lebensalter haben, <u>zeigt</u> eine Studie, die das Deutsche Institut für Wirtschaftsforschung (DIW) und das Robert-Koch-Institut (RKI) kürzlich <u>veröffentlicht haben</u>. Reiche haben demnach eine deutlich höhere Lebenserwartung als Arme: Frauen aus armen Haushalten <u>sterben</u> dreieinhalb Jahre früher, arme Männer fünf	nachzulesen veröffentlichten (Adjektiv) leben
20 Jahre. Es <u>gebe</u> einen eindeutigen Zusammenhang zwischen Lebenserwartung und Einkommen, meinen die Wissenschaftler vom DIW. Zwei Gründe könnten <u>dafür verantwortlich sein</u>: Dass sich Arme Gesundheitsförderung und -versorgung <u>nicht leisten können</u> oder dass sie einen ungesünderen Lebenswandel führen. Bei armen Männern	bestehe Ursachen zu teuer
25 scheint zudem eine geringere Bildung und höhere körperliche Belastung im Beruf die Lebenszeit zu verkürzen, bei Frauen <u>spielt</u> die psychische Belastung durch Geldnot <u>eine Rolle</u>.	 leiden

A24 Krankheiten vorbeugen

a) Beschreiben Sie die Grafik.

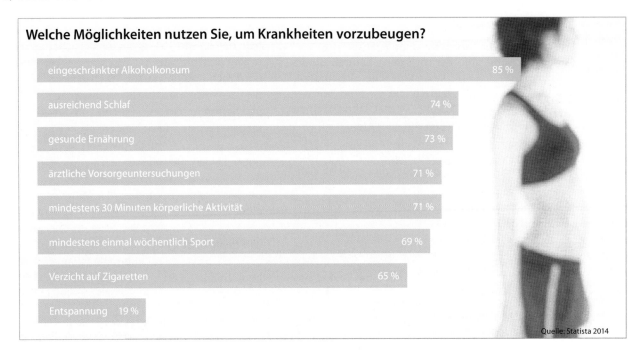

Welche Möglichkeiten nutzen Sie, um Krankheiten vorzubeugen?

eingeschränkter Alkoholkonsum	85 %
ausreichend Schlaf	74 %
gesunde Ernährung	73 %
ärztliche Vorsorgeuntersuchungen	71 %
mindestens 30 Minuten körperliche Aktivität	71 %
mindestens einmal wöchentlich Sport	69 %
Verzicht auf Zigaretten	65 %
Entspannung	19 %

Quelle: Statista 2014

b) Im Auftrag der Regierung sollen Sie Vorschläge erarbeiten, wie die Menschen länger gesund leben können. Bilden Sie Arbeitsgruppen und präsentieren Sie die Ergebnisse im Plenum. Einigen Sie sich am Ende auf mindestens fünf Maßnahmen.

 A25 Leserbrief an eine Zeitschrift

Sie haben in der Zeitschrift *Der Spiegel* einen Bericht zum Thema *Vergreisung der Gesellschaft* gelesen. Schreiben Sie einen ausführlichen Leserbrief an die Redaktion. Beziehen Sie sich dabei auf die folgenden drei Aussagen und äußern Sie auch Ihre Meinung dazu.

1

Im Jahr 2050 wird in Deutschland die Zahl der Älteren größer sein als die der Kinder. In Ländern mit hohem Wohlstand wie in den europäischen Ländern oder Japan ist die demografische Alterung am intensivsten.

2

Die finanziellen Belastungen für Pensionen und die medizinische Versorgung für die Rentner steigen. Dieses Geld müssen die jungen Menschen erwirtschaften.

3

Das Bild der hinfälligen, pflegebedürftigen Greise stimmt nicht mehr. Auch ältere Menschen können und müssen sich noch in die Gesellschaft einbringen.

sentimental journey

als ich 20 war
als ich 20 war

als ich 30 war
als ich 30 war

als ich 40 war
als ich 40 war

als ich 50 war
als ich 50 war

als ich 60 war
als ich 60 war

jetzt
bin ich gespannt

Ernst Jandl (1925–2000)

Schreiben Sie etwa 350 Wörter. Nehmen Sie sich dafür etwa 60 Minuten Zeit. Achten Sie auf eine klare Strukturierung und einen angemessenen Wortschatz.

Zusatzübungen und Tipps zur Prüfungsvorbereitung

B1 Modul Schreiben, Aufgabe 1

Formen Sie den Text um, indem Sie die auf der rechten Seite angegebenen Wörter unverändert in den Text einarbeiten. Nehmen Sie alle notwendigen Umformungen vor.

Tipp: Achten Sie in der Prüfung darauf, dass die Wörter in unveränderter Form in den Text eingearbeitet werden.

■ Die Fachzeitschrift *Nature* <u>ist eine der</u> mächtigsten Institutionen in den Naturwissenschaften. <u>Wer</u> in der Zeitschrift <u>publiziert</u>, <u>gewinnt</u> an Status und <u>hat</u> bessere Karrierechancen.	zählt Publikation ziehen nach sich
Bisher <u>wurde</u> die Ehre der Publikation eines Fachartikels oder eines 5 Begleitkommentars meistens Männern <u>zuteil</u>.	hatten
Auf diesen Missstand hingewiesen, hat sich *Nature* jetzt zu einem mutigen <u>Schritt</u> entschieden:	Maßnahmen
In einem Editorial führten die Herausgeber für ihre Mitarbeiter neue Verhaltensregeln ein. Jeder müsse sich fortan <u>fragen</u>, welche fünf Frauen	nachdenken
10 zuerst angeschrieben werden, bevor der Auftrag an einen Mann <u>geht</u>.	erteilt
Die neue Regel <u>gilt</u> für alle Kommentare und für Begutachter von eingereichten wissenschaftlichen Arbeiten vor der Publikation.	trifft zu
<u>Angestoßen</u> wurde die Entwicklung durch Forschungsergebnisse von zwei Wissenschaftlern der Universität Lund in Schweden.	Ausgangspunkt
15 Sie hatten sich die Zahl der Autorinnen und Autoren <u>angeschaut</u> und dabei das Ungleichgewicht der Geschlechter <u>festgestellt</u>. Ihre Resultate <u>reichten</u> sie dann bei *Nature* <u>ein</u>.	untersucht gestoßen schickten
Die <u>Antwort</u> der Zeitschrift, es gebe einfach nicht genügend qualifizierte Frauen, konnten die schwedischen Wissenschaftler mit Zahlen widerle-20 gen.	Einwand
Eine Forschergruppe der amerikanischen Universität Yale <u>kam</u> jüngst zu einem ähnlichen Ergebnis. Die Forscher <u>verschickten</u> ausgefüllte <u>Bewerbungsunterlagen</u> für die Stelle eines Laborleiters. Die Bewerbungsunterlagen waren identisch bis auf den Namen, der einmal John und einmal	erzielte bewarben
25 Jennifer lautete. Interessanterweise <u>hielten</u> sowohl Männer als auch Frauen John für fachlich besser als Jennifer.	Beurteilung

B2 Modul Sprechen, Aufgabe 2

Diskussion: Master-Studiengänge für Naturwissenschaften auf Englisch

Sie gehen mit Ihrer Gesprächspartnerin/Ihrem Gesprächspartner der Frage nach, ob naturwissenschaftliche Master-Studiengänge an deutschen Universitäten nur auf Englisch angeboten werden sollten.

Entscheiden Sie sich für eins der folgenden Statements und beginnen Sie die Diskussion.

Pro

Fast alle naturwissenschaftlichen Veröffentlichungen sind auf Englisch. Studenten sollten an der Uni gleich den richtigen Fachwortschatz lernen.

Kontra

Die deutsche Sprache sollte auch in den Naturwissenschaften gefördert werden.

Zum Ablauf der Diskussion

◇ Diskutieren Sie zu zweit: Eine Person vertritt Aussage 1, die andere Aussage 2.

◇ Verteidigen Sie Ihre Position. Versuchen Sie, Ihre Gesprächspartnerin/Ihren Gesprächspartner von Ihren Argumenten zu überzeugen. Nennen Sie auch Beispiele.

◇ Gehen Sie auf die Argumente Ihrer Gesprächspartnerin/Ihres Gesprächspartners ein.

Nutzen Sie dazu die folgenden Tipps und Redemittel.

Tipps

Sie führen mit der Prüferin/dem Prüfer eine kontroverse Diskussion zu einem Thema.
Es werden zwei mögliche Standpunkte vorgegeben, Sie müssen sich für einen Standpunkt entscheiden.

◇ Im Gespräch sollen Sie Ihren Standpunkt begründen und Ihre Gesprächspartnerin/Ihren Gesprächspartner mit vielen guten Argumenten überzeugen.

◇ Der Standpunkt, den Sie auswählen, muss nicht unbedingt Ihr eigener Standpunkt sein. Wählen Sie den Standpunkt, bei dem Ihnen die meisten und besten Argumente einfallen.

◇ Reagieren Sie auch bei provokanten Fragen ruhig und angemessen. Lassen Sie sich nicht durcheinanderbringen.

Das Gespräch eröffnen   **(1)**

◇ Es geht heute um das Thema …
◇ Ich vertrete zu diesem Thema folgenden Standpunkt: …

Nach der Meinung anderer fragen   **(3)**

◇ Was halten Sie von …?
◇ Wie beurteilen Sie …?
◇ Wieso glauben Sie, dass …?
◇ Was sind Ihrer Meinung nach die wichtigsten Gründe für …?
◇ Was sind Ihres Erachtens die wichtigsten Gründe für …?

Jemandem widersprechen/Zweifel anmelden   **(5)**

◇ Ich glaube eher, dass …
◇ Das sehe ich ganz anders.
◇ In diesem Punkt habe ich eine ganz andere Meinung.
◇ Ich kann mir nicht vorstellen, dass …
◇ Ich befürchte, dass …
◇ Ich bezweifle, dass …
◇ Man sollte bedenken, dass …
◇ Ihre Argumente können mich nicht ganz/vollständig überzeugen.
◇ Sie sagen, dass … Aber in Wirklichkeit verhält es sich anders: …
◇ Gibt es für Ihre Behauptung auch (wissenschaftliche) Beweise?
◇ Meinen Sie wirklich, dass …?
◇ Ich kann Ihre Argumentation nicht ganz nachvollziehen.

Argumente einleiten und strukturieren   **(7)**

◇ Mir fallen dazu gleich einige Argumente ein: …
◇ Zunächst muss man sagen/feststellen, dass …
◇ Dazu kommt noch …
◇ Ein weiterer Aspekt ist sicherlich …
◇ Außerdem muss man berücksichtigen, dass …
◇ Man darf nicht vergessen, dass …
◇ Wissenschaftliche Studien haben belegt, dass …
◇ Aus Erfahrung weiß ich, dass …

Die eigene Meinung ausdrücken   **(2)**

◇ Meiner Meinung nach …
◇ Meines Erachtens …
◇ Ich bin der Auffassung/Meinung/Überzeugung, dass …
◇ Ich bin davon überzeugt, dass …
◇ Ich bin mir sicher, dass …

Das Wort ergreifen   **(4)**

◇ Lassen Sie mich dazu bitte gleich etwas sagen.
◇ Ich möchte gerne noch ergänzen, dass …
◇ Ich wollte noch hinzufügen, dass …
◇ Darf ich Sie mal kurz unterbrechen?

Pro- und Kontra-Argumente nennen   **(6)**

◇ Auf der einen Seite/Einerseits kann ich Ihre Argumente nachvollziehen, auf der anderen Seite/andererseits …
◇ … spricht dafür, … spricht dagegen.
◇ Ein Vorteil ist …, das gebe ich zu. Aber die Nachteile liegen auch auf der Hand …
◇ Die Vorteile/Nachteile sind nicht zu übersehen: …

Beispiele anführen   **(8)**

◇ Ich möchte Ihnen ein Beispiel geben: …
◇ Lassen Sie mich folgendes Beispiel anführen: …

Strukturen zum Üben und Festigen

Passiv

Vorgangspassiv:	*Die Pflanzen* werden untersucht.
	Die Pflanzen wurden untersucht.
	Die Pflanzen sind untersucht worden.
Zustandspassiv:	*Die Untersuchungsergebnisse* sind **bereits** veröffentlicht.
	Die Untersuchungsergebnisse waren **bereits** veröffentlicht.

▶ **Hinweise**

→ Im Passivsatz steht die Handlung im Vordergrund, nicht die handelnde Person.
   Aktiv: Wissenschaftler untersuchen die Pflanzen.
   Passiv: Die Pflanzen werden untersucht.

→ Wir unterscheiden **Vorgangspassiv** und **Zustandspassiv**, wobei das Vorgangspassiv viel häufiger verwendet wird.
   Das Vorgangspassiv beschreibt Vorgänge und Handlungen in Vergangenheit, Gegenwart und Zukunft.
   Das Zustandspassiv beschreibt das Ergebnis einer vorausgegangenen abgeschlossenen Handlung:
   Die Untersuchungsergebnisse sind veröffentlicht worden. (**Vorgang**) → Die Untersuchungsergebnisse sind bereits
   veröffentlicht. (**Zustand**)

→ Einige Verben können kein Passiv bilden. Das sind unter anderem
   ▸ *haben* und *sein* als Vollverben (z. B. *Angst haben, weg sein*)
   ▸ Verben der Zustandsveränderung (z. B. *verblühen, sterben*)
   ▸ Verben des Erhaltens und Wissens (z. B. *bekommen, erhalten, besitzen, kennen, wissen*)
   ▸ Verben mit Reflexivpronomen (z. B. *sich verlieben, sich sonnen*)
   ▸ unpersönliche Verben des Geschehens (z. B. *Es regnet.*)
   ▸ Verben in modalverbähnlicher Verwendung (z. B. *stehen bleiben*)

→ Das Passiv mit Modalverben wird im Passiv Perfekt und Passiv Plusquamperfekt immer mit *haben* gebildet. Nach dem
   Partizip II stehen *werden* und das Modalverb im Infinitiv: Die Pflanzen haben untersucht werden müssen.

▶ **Hinweise zur Umformung von Aktivsätzen in Passivsätze**

Aktiv	Passiv	Erläuterungen
Der Wissenschaftler untersucht die Pflanzen.	Die Pflanzen werden untersucht.	Die Akkusativergänzung des Aktivsatzes wird zum Subjekt (Nominativ) im Passivsatz.
Die Regierung erhöht die Steuern.	Die Steuern werden von der Regierung erhöht.	Man kann das Subjekt des Aktivsatzes in den Passivsatz übernehmen, wenn man es besonders betonen möchte. Dabei stehen Personen, Institutionen und Gegenstände in der Regel mit *von* + Dativ.
Der Ball traf Otto am Kopf.	Otto wurde von einem Ball am Kopf getroffen.	
Mücken übertragen die Krankheit Malaria.	Die Krankheit Malaria wird durch Mücken übertragen.	*Durch* + Akkusativ verwenden wir bei Vorgängen, Instrumenten, Überträgern und Überbringern. Ebenso bei Nomen, die Bereiche voneinander trennen.
Die Grenze trennte viele Familien.	Viele Familien wurden durch die Grenze getrennt.	
Die Politiker haben vier Jahre über die Pflegeversicherung diskutiert.	Es wurde vier Jahre über die Pflegeversicherung diskutiert./Über die Pflegeversicherung wurde vier Jahre diskutiert.	Wenn es im Passivsatz kein Subjekt gibt, steht *es* oder ein anderes Satzglied an Position I.
Man arbeitet hier oft bis Mitternacht.	Hier/Es wird oft bis Mitternacht gearbeitet.	

Aktiv	Passiv	Erläuterungen
Der Heilpraktiker hat **mir** geholfen.	**Mir** wurde (von einem Heilpraktiker) geholfen.	Dativ bleibt Dativ.
Der Patient **will**, dass die Krankenkasse die Behandlungskosten übernimmt.	Die Krankenkasse **soll** die Behandlungskosten übernehmen.	*Wollen* wird zu *sollen*, wenn sich der Wunsch auf andere Personen bezieht.

C1 Der Nocebo-Effekt
Formen Sie die Aktivsätze in Passivsätze um, wenn möglich.

◇ In der Medizin bezeichnet man das Gegenstück zum Placebo-Effekt als Nocebo-Effekt.
   In der Medizin wird das Gegenstück zum Placebo-Effekt als Nocebo-Effekt bezeichnet.

1. Wissenschaftler entdeckten das Phänomen bei der Untersuchung der Wirksamkeit eines Arzneimittels.

   ....

2. <u>Man stellte bei den Patienten Krankheitssymptome fest</u>, die ausschließlich auf einer negativen Erwartungshaltung basierten.

   ....

3. <u>Apotheker und Ärzte empfehlen ihren Patienten immer</u>, den Beipackzettel zu den verschriebenen Medikamenten genau zu lesen.

   ....

   Zu Risiken und Nebenwirkungen lesen Sie den Beipackzettel.

4. Die Informationen auf dem Beipackzettel sollen die Patienten schützen und über Risiken aufklären.

   ....

5. Die Pharmaindustrie muss jede jemals aufgetretene Nebenwirkung auf der Packungsbeilage listen.

   ....

6. Aber wer liest überhaupt den Beipackzettel?

   ....

7. Eine Studie der Krankenversicherung AOK fand heraus, <u>dass 90 Prozent aller Patienten vor der Medikamenteneinnahme den Beipackzettel lesen</u>.

   ....

8. Laut AOK-Studie verunsichert das Lesen des Beipackzettels ein Drittel aller Patienten.

   ....

9. Können Nebenwirkungen tatsächlich auftreten, <u>nur weil man sie erwartet</u>?

   ....

10. Zahlreiche Studien haben das getestet.

    ....

11. Man teilte Probanden in eine Medikamentengruppe und eine Placebogruppe ein und befragte die Gruppen nach den auftretenden Nebenwirkungen.

    ....

12. Interessanterweise berichtete jeder Vierte in der Placebogruppe über Nebenwirkungen, <u>obwohl die Teilnehmer den Wirkstoff gar nicht eingenommen hatten</u>.

    ....

13. Das bedeutet, dass die Nebenwirkungen nur eintraten, <u>weil man mit ihnen gerechnet hatte</u>.

    ....

14. Doch wie weit kann man gesunde Menschen manipulieren?

    ....

15. Wissenschaftler an der Uni in Kiel testeten, <u>ob ganz gewöhnliche Schokolade Kopfschmerzen auslösen kann</u>.

    ....

16. Man teilte die Testpersonen, die nach eigenen Aussagen nie unter Kopfschmerzen leiden, in zwei Gruppen ein.

    ....

17. Beide Gruppen bekamen dieselbe Schokolade.

    ....

18. Einer Gruppe teilte man mit, dass die Schokolade im Verdacht stehe, Kopfschmerzen zu verursachen, der anderen Gruppe, dass die Schokolade keine Schmerzen hervorrufe.

    ....

19. Anschließend mussten die Testpersonen ein Schmerzprotokoll führen.

    ....

20. Das Protokoll ergab, dass 34 Prozent der Testpersonen, die glaubten, die „böse" Schokolade gegessen zu haben, Kopfschmerzen plagten.

    ....

C2 Passiv mit Modalverben
Formen Sie die Aktivsätze in Passivsätze um.

◇ Der Stadtrat will die Stadt attraktiver machen.
   Die Stadt soll attraktiver gemacht werden.

1. Der Umweltverantwortliche will, dass die Gemeinde mehr Grünflächen schafft.

   ....

2. Einige Wohngebiete muss man komplett neu gestalten.

   ....

3. Einige Straßen muss man zurückbauen.

   ....

4. Aber irgendjemand muss das Vorhaben bezahlen.

   ....

5. Der Stadtkämmerer soll die erwarteten Steuereinnahmen schätzen.

   ....

6. Vor zwei Jahren musste man aus finanziellen Gründen das Schwimmbad schließen.

   ....

7. Man könnte die Parkgebühren in der Innenstadt erhöhen oder überall Blitzgeräte aufstellen.

   ....

8. Damit könnte man Geld in die Stadtkasse spülen.

   ....

9. Der Bürgermeister will, dass man ihn über die Finanzlage auf dem Laufenden hält.

   ....

C3 Umweltschutz
Formulieren Sie Empfehlungen (a) und nachträgliche Feststellungen (b) im Passiv.

◇ sofort Maßnahmen gegen den übermäßigen Anstieg der globalen Durchschnittstemperatur ergreifen
   a) *Es sollten sofort Maßnahmen gegen ... ergriffen werden.*
      oder: *Maßnahmen gegen ... sollten sofort ergriffen werden.*
   b) *Es hätten sofort Maßnahmen gegen ... ergriffen werden sollen.*
      oder: *Maßnahmen gegen ... hätten sofort ergriffen werden sollen.*

1. Ausstoß an Treibhausgasen senken
   a) ....
   b) ....

2. erneuerbare Energien fördern

    a) ....

    b) ....

3. Einleitung von ungeklärten Abwässern in Flüsse und Seen verhindern

    a) ....

    b) ....

4. Zugang zu sauberem Wasser für alle sicherstellen

    a) ....

    b) ....

5. Löcher in maroden Wasserleitungen abdichten

    a) ....

    b) ....

6. Abholzung von Regenwäldern kontrollieren

    a) ....

    b) ....

7. bedrohte Tierarten schützen

    a) ....

    b) ....

8. Umweltabkommen von allen Ländern unterzeichnen und einhalten

    a) ....

    b) ....

C4 Die Krankenschwester hat alles schon erledigt …
Beantworten Sie die Fragen im Zustandspassiv.

Schwester Maria, könnten Sie bitte …

◇   den Patienten impfen?   *Der Patient ist schon geimpft.*

1.   die Betten im Zimmer 106 machen?   ....

2.   den Arzneischrank aufräumen?   ....

3.   Herrn Müller für die Operation vorbereiten?   ....

4.   bei Frau Kaiser Blutdruck messen?   ....

5.   die Behandlungsprotokolle für die Versicherung schreiben?   ....

6.   die Medikamente für Zimmer 104 bereitstellen?   ....

7.   die neuen OP-Termine in den Kalender des Oberarztes eintragen?   ....

8.   neues Verbandsmaterial bestellen?   ....

C5 Bilden Sie kurze Sätze im Zustandspassiv.

a) schlimme Zustände

◇   die Zerstörung der Natur   *Die Natur ist zerstört.*

1.   die Bedrohung vieler Tierarten   ....

2.   die Verseuchung von Flüssen   ....

3.   die Verschmutzung der Weltmeere   ....

4.   die Verpestung der Luft durch Abgase   ....

5.   die Vermüllung öffentlicher Plätze   ....

6.   die Abholzung großer Teile der Regenwälder   ....

7.   die Unterbrechung der Verhandlungen   ....

b) gute Zustände

1. die sichere Entsorgung von Atomabfällen ....
2. die Reinigung der Flüsse ....
3. die Aufforstung der Wälder ....
4. die Reduzierung des CO_2-Ausstoßes ....
5. die Beseitigung des Mülls ....
6. die Sicherung der Trinkwasserversorgung ....
7. die Wiederaufnahme der Verhandlungen ....

Passiv-Ersatzformen

Vorgangspassiv: *Die Energieprobleme können/müssen gelöst werden.*

Passiv-Ersatzformen: *Die Energieprobleme lassen sich lösen.*
Die Energieprobleme sind lösbar.
Die Energieprobleme sind zu lösen.
Es sind zu lösende Probleme.

▶ **Hinweise**

→ Passiv-Ersatzformen umschreiben Passivkonstruktionen. Sie stehen im Aktiv und werden (vor allem in der mündlichen Kommunikation) häufiger verwendet als das Passiv.

→ Passiv-Ersatzformen haben oft eine **modale Funktion**. Sie drücken z. B. eine Möglichkeit, Notwendigkeit oder eine negative Empfehlung aus.
  ▸ Möglichkeit: Das Problem lässt **sich lösen**. Das Problem **ist lösbar**. Das Problem **ist zu lösen**. Es **ist** ein **zu lösendes** Problem.
  ▸ Notwendigkeit: Das Problem **ist zu lösen**. Es **ist** ein **zu lösendes** Problem.
  ▸ negative Empfehlung: Das Problem **ist nicht zu unterschätzen**.

→ Bestimmte Nomen-Verb-Verbindungen können auch als Passiv-Ersatzformen fungieren. Sie haben keine **modale Funktion**.
Die Vorschläge **wurden abgelehnt**. → Die Vorschläge **stießen auf Ablehnung**.

 Formen Sie die Passivsätze um, indem Sie die folgenden Passiv-Ersatzformen verwenden: *sich lassen* + Infinitiv, *sein* + *zu* + Infinitiv oder *sein* + Adjektiv auf *-bar*.

◇ Der Schrank muss jeden Abend abgeschlossen werden.
Der Raum ist jeden Abend abzuschließen.

1. Die Fenster können nicht gekippt werden.

....

2. Der Mailanhang konnte nicht geöffnet werden.

....

3. Der Feuerlöscher darf nur im Notfall verwendet werden.

....

4. Die Bedienungsanleitung muss in fünf Sprachen übersetzt werden.

....

5. Der Entwurf muss noch mal gründlich überarbeitet werden.

....

6. Das neu entwickelte Gerät kann bei Regen nicht eingesetzt werden.

   ....

7. Der leitende Ingenieur konnte nicht erreicht werden.

   ....

8. Die neuen Sicherheitsmaßnahmen müssen unverzüglich umgesetzt werden.

   ....

9. Die Patentansprüche müssen angepasst werden.

   ....

10. Das Recht auf geistiges Eigentum darf nicht verletzt werden.

    ....

C7 Finden Sie passende Adjektive auf *-bar* und *-lich*.

◇ Das Verhalten des Politikers kann nicht erklärt werden.　Das Verhalten ist *unerklärlich*.

1. Die Krankheit kann geheilt werden.　　　　　　　　Die Krankheit ist ....
2. Der Patient kann noch nicht angesprochen werden.　　Der Patient ist noch nicht ....
3. Singen im Treppenhaus kann nicht bestraft werden.　　Singen im Treppenhaus ist nicht ....
4. Dieser Beamte lässt sich bestechen.　　　　　　　　Der Beamte ist ....
5. Der Fehler ist nicht zu entschuldigen.　　　　　　　Der Fehler ist ....
6. Der Mitarbeiter kann zurzeit nicht belastet werden.　Der Mitarbeiter ist zurzeit nicht ....

C8 Formen Sie die Passivsätze in Aktivsätze um, indem Sie die in Klammern angegebenen Wörter als Nomen-Verb-Verbindungen verwenden. Beachten Sie eventuell fehlende Präpositionen.

◇ Die Vorschläge der Grünen wurden von der Regierung abgelehnt. *(Ablehnung – stoßen)*

　Die Vorschläge der Grünen stießen bei der Regierung auf Ablehnung.

1. Seine Forschungsergebnisse wurden auf der Konferenz besonders beachtet. *(Beachtung – finden)*

   ....

2. Die Ideen des Wissenschaftlers und Weltverbesserers wurden wenige Jahre nach seinem Tod vergessen. *(Vergessenheit – geraten)*

   ....

3. Der zu spät eingereichte Antrag kann nicht mehr berücksichtigt werden. *(Berücksichtigung – finden)*

   ....

4. Die mutmaßlichen Umweltsünder wurden seit Tagen von der Küstenwache beobachtet. *(Beobachtung – stehen)*

   ....

5. Das Thema *Müll im Meer* wurde auf der Konferenz ebenfalls diskutiert. *(Diskussion – stehen)*

   ....

6. Seine Bemühungen um eine Lösung des Problems wurden auf der ganzen Welt anerkannt. *(Anerkennung – finden)*

   ....

7. Die Verbesserungsvorschläge wurden sofort in der Praxis angewendet. *(Anwendung – kommen)*

   ....

8. Geheime Berichte über ein Atommülllager wurden gestern veröffentlicht. *(Öffentlichkeit – gelangen)*

   ....

9. Die Vertragsverhandlungen über eine weltweite Schadstoffbegrenzung wurden erfolgreich abgeschlossen. *(Abschluss – finden)*

   ....

10. Der Erfolg des Abkommens wird nicht bezweifelt. *(Zweifel – stehen)*

    ....

klavier spielen

Besonderes und Gewöhnliches

Besondere Fähigkeiten

A1 Was sind für Sie *Besondere Leistungen*? Sammeln Sie Ideen und präsentieren Sie diese anschließend im Plenum.

....

....

....

....

....

....

....

Will das Glück nach seinem Sinn
dir was Gutes schenken,
Sage Dank und nimm es hin
Ohne viel Bedenken.
Jede Gabe sei begrüßt,
doch vor allen Dingen:
Das, worum du dich bemühst,
Möge dir gelingen.

Wilhelm Busch (1832–1908)

A2 Interview
Stellen Sie zwei Gesprächspartnerinnen/Gesprächspartnern die folgenden Fragen und berichten Sie anschließend.

Name .... **Name** ....

Besitzen Sie besondere Fähigkeiten bzw. besondere Talente?
Wenn ja, in welchen Bereichen?

Haben Sie in Ihrem Freundes-
oder Bekanntenkreis Menschen,
die etwas besonders gut können?
Wenn ja, berichten Sie darüber.

Was ist Ihrer Meinung nach
Talent?

■ Ist Talent nur ein Mythos?

Unter *Talent* verstehen wir heute eine besondere Begabung auf einem bestimmten Gebiet. Der eine tut sich leicht mit Ma-5 thematik, der andere hat ein geniales Ballgefühl. Manche sind besonders musikalisch, andere nicht. Das Talent, so denken wir, ist uns schon in die Wiege gelegt. Kaum 10 zufällig sprechen wir von *Naturtalent*. Früher hielt man die Anlagen eines Menschen für ein Gottesgeschenk. Heute glauben wir, dass Talent irgendwie in unseren 15 Genen steckt. Zwar müssen auch die begabtesten Menschen üben, um Spitzenleistungen zu erbringen, doch die Talentierten haben einfach bessere Voraussetzungen 20 als der Rest. Aber immer mehr Wissenschaftler bestreiten heute diese Sicht. Viele halten die Rolle der Gene für maßlos überbewertet. Und einige bezweifeln sogar, 25 dass es Talent überhaupt gibt.

Der Mythos vom Naturtalent geht auf den britischen Naturforscher Francis Galton zurück. Beeinflusst durch das Werk seines 30 Cousins Charles Darwin entwickelte Galton eine Theorie zur Vererbung geistiger Anlagen. Seine Sicht war denkbar einfach: Es gibt keine natürliche Gleichheit 35 zwischen den Menschen. Nicht nur Körpergröße und andere körperliche Eigenschaften werden vererbt, sondern auch besondere Begabungen. Und so, wie wir die 40 Nase oder die Sommersprossen von einem Elternteil haben, so erben wir auch musikalisches oder mathematisches Talent. Galton belegte seine Theorie mit Hunder-45 ten Fallstudien von Malern, Dichtern und Sportlern, bei denen sich die einschlägige Begabung quer durch die Familiengeschichte zog. Auch wir kennen scheinbar besonders talentierte Menschen, denen bestimmte Dinge leichter fallen als anderen. Immer wieder hören wir von „Wunderkindern", die

schon als Dreijährige lesen oder 55 rechnen können. Und natürlich denken wir an die großen Genies, an Michelangelo, Einstein oder Mozart, an Menschen mit überragenden Fähigkeiten. Da fällt es 60 uns schwer, nicht an eine besondere Gabe zu glauben, die diese Menschen von Geburt an von uns unterscheidet.

Doch der nüchterne Blick der 65 Wissenschaft ergibt ein anderes Bild. Mehrere neue Studien haben gezeigt, dass sich bei den meisten Menschen, die auf einem bestimmten Gebiet besonders erfolg-70 reich sind, in der frühen Kindheit keine Anzeichen einer Hochbegabung finden. Bis heute haben die Forscher kein Gen entdeckt, das für ein bestimmtes Talent verant-75 wortlich wäre. Das heißt natürlich nicht, dass es solche Gene nicht geben könnte, aber bislang fehlt der Beweis. Ebenso wenig entscheidet offenbar die Intelligenz 80 über den Lebenserfolg. Nicht selten erbringen Menschen mit mittelmäßigem IQ große Leistungen, während Menschen mit hohem IQ oft nur mittelmäßig abschneiden. 85 Aber welche Faktoren begünstigen außergewöhnliche Leistungen tatsächlich?

In wissenschaftlichen Versuchen mit Musikern und Schach-90 spielern stellte sich heraus, dass die Anzahl der Übungsstunden einen großen Beitrag zum Erfolg leistet. An der Berliner Hochschule für Musik teilten Profes-95 soren Violine-Studenten in drei Gruppen ein: eine Gruppe mit dem Potenzial einer Weltkarriere als Solisten, eine zweite Gruppe mit guten Studenten und eine 100 dritte Gruppe, die nach Meinung der Fachleute höchstens Musiklehrer werden könnten. Bei näherem Hinsehen stellte sich heraus, dass die Mit-105 glieder der „Star-Gruppe" im Alter von 20 Jahren be-

reits auf rund 10 000 Übungsstunden kamen, die der zweiten Gruppe auf 8 000 und die der dritten 110 Gruppe auf nur 4 000 Stunden. Es gab kein einziges Talent, das es mit wenig Übung an die Spitze brachte. Das Gleiche gilt für Schachspieler. Ein Schachspie-115 ler braucht mindestens zehn Jahre intensiven Trainings, um in die Weltklasse vorzustoßen, auch sogenannte Schachgenies bilden hier keine Ausnahme.

120 Die zweite Komponente, die als Schlüssel zum Erfolg dient, ist ein stimulierendes Umfeld. Wie der US-Autor Malcom Gladwell in Untersuchungen herausfand, geht 125 es um einen altbekannten Effekt, den schon das Matthäus-Evangelium beschreibt: Wer hat, dem wird gegeben. Wer schon erfolgreich ist, bekommt weitere Chancen, 130 die weiteren Erfolg fördern. Die besten Studenten bekommen die beste Förderung, die besten Fußballer die besten Trainingsmöglichkeiten. Auch die Erziehung 135 spielt eine große Rolle. Wer in einer Physikerfamilie aufwächst, erfährt zu Hause mehr über Naturwissenschaften als andere, und wer aus einer Sportlerfamilie 140 kommt und die nötigen körperlichen Voraussetzungen mitbringt, hat gute Chancen, erfolgreich zu sein. Hartes Training immer vorausgesetzt. Der dritte und wich-145 tigste Faktor aber ist die Einstellung. Dazu gehört neben Disziplin und Motivation auch ein flexibles Weltbild. Etwas lernen wollen, sich weiterentwickeln, Scheitern 150 als Chance begreifen. Vielleicht mag die optimale Kombination all dieser Faktoren Glückssache sein, aber einen Teil davon kann jeder von uns beeinflussen.

a) Fassen Sie den Text mit eigenen Worten zusammen. Gehen Sie dabei auf folgende Punkte ein:

1. Was versteht man üblicherweise unter *Naturtalent*?
2. Woher kommt der Mythos vom Naturtalent?
3. Welche Erkenntnisse hat die heutige Wissenschaft?

b) Was begünstigt besondere Leistungen? Ergänzen Sie.
   Legen Sie anschließend Ihre Meinung dazu dar.

1. ....

2. ....

3. ....

c) Erklären Sie die unterstrichenen Teile mit eigenen Worten und nehmen Sie
   eventuell notwendige Umformungen vor.

1. Der andere hat ein geniales Ballgefühl.

   ....

2. Das Talent ist uns schon in die Wiege gelegt.

   ....

3. Viele halten die Rolle der Gene für überbewertet.

   ....

4. Der Mythos vom Naturtalent geht auf den britischen Naturforscher Francis Galton zurück.

   ....

5. Galton belegte seine Theorie mit Hunderten Fallstudien.

   ....

6. Besonders talentierten Menschen fallen bestimmte Dinge leichter als anderen.

   ....

7. Aber welche Faktoren begünstigen außergewöhnliche Leistungen tatsächlich?

   ....

d) Formen Sie die Sätze um, indem Sie die in Klammern angegebenen Wörter in der passenden Form einarbeiten.

◊ Talent bedeutet eine besondere Begabung auf einem bestimmten Gebiet. *(verstehen)*
  Unter Talent verstehen wir/versteht man eine besondere Begabung auf einem bestimmten Gebiet.

1. Der eine tut sich leicht mit Mathematik, der andere mit Sprachen. *(leichtfallen)*

   ....

2. Früher hielt man die Anlagen eines Menschen für ein Gottesgeschenk. *(annehmen)*

   ....

3. Aber immer mehr Wissenschaftler bestreiten heute diese Sicht. *(zweifeln)*

   ....

4. Bei den meisten erfolgreichen Menschen sind in der frühen Kindheit keine Anzeichen einer Hochbegabung zu
   finden. *(Erfolg – zurückführen lassen)*

   ....

5. Das heißt natürlich nicht, dass es nicht besondere Gene geben könnte, aber bislang fehlt der Beweis. *(erbringen
   können)*

   ....

6. In wissenschaftlichen Versuchen mit Musikern und Schachspielern stellte sich heraus, dass die Anzahl der
   Übungsstunden einen großen Beitrag zum Erfolg leistet. *(zeigen – beitragen)*

   ....

7. Bei näherem Hinsehen wurde deutlich, dass die Mitglieder der „Star-Gruppe" im Alter von 20 Jahren bereits auf
   rund 10 000 Übungsstunden kamen. *(betrachten)*

   ....

8. Der wichtigste Faktor ist die Einstellung. *(erweisen)*

   ....

e) Ergänzen Sie die passenden Verben. Manchmal passen mehrere Verben.

◇   eine Theorie *entwickeln/aufstellen*

1.   über ein besonderes Talent ....

2.   eine besondere Gabe ....

3.   Spitzenleistungen ....

4.   als Schlüssel zum Erfolg ....

5.   Chancen ....

6.   Anzeichen einer Hochbegabung
....

7.   keine Ausnahme ....

8.   einen Beitrag zum Erfolg ....

9.   notwendige körperliche Voraussetzungen
....

10. reine Glückssache ....

A4 Ergänzen Sie alles, was Ihnen einfällt.
Vergleichen Sie anschließend Ihre Ergebnisse mit denen Ihrer Nachbarin/Ihres Nachbarn.

Das kann ich besonders gut: *faulenzen,*...

Das mag ich: ....

Das soll ich oft machen: ....

Das muss ich unbedingt tun: ....

Das darf ich nicht: ....

Zusatzübungen zu Modalverben in der Grundbedeutung   ⇨   Teil C Seite 167

A5 Die unglaublichen Fähigkeiten der Tiere
Formulieren Sie aus den Informationen kurze Texte und ordnen Sie die richtigen Tiere zu. Die vorgegebenen Wörter können bei der Textproduktion verändert und weitere hinzugefügt werden.

> Tintenfisch ◇ Laubenvogel ◇ Katze ◇ Ameise ◇ Floh ◇ Wanderfalke ◇ Gepard ◇ Hund ◇ Erdmännchen

der Gepard
schnellstes Landtier – Kurzstrecke – Höchstgeschwindigkeit: 112 km/h – Vergleich: Mensch – 100 Meter: 43,9 km/h

1
....
Welt in Geruchsbildern – 120 bis 220 Millionen Riechzellen – Vergleich: Mensch – 5 bis10 Millionen Riechzellen – gezielte Abrichtung – bestimmte Gerüche – Polizeiarbeit

2
....
Verwandlungskünstler – Nachahmung von Stachelrochen, Seeschlangen oder Rotfeuerfisch – Vortäuschung von Gefährlichkeit

3
....
kreativer Architekt – Kunstwerke – Eindruck auf Weibchen – Nester aus Reisig – Schmuck: Blumen, Beeren, Schneckenhäuser, Schmetterlingsflügel – individuelles Dekor – Malerei aus Beerensaft

4
....
gute Lehrer – Nachwuchs – Schule mit Stundenplan – 1. Stunde: Entfernung des Giftstachels am toten Skorpion – 2. Stunde: Übung am unschädlich gemachten Skorpion – 3. Stunde: Entfernen des Giftstachels beim lebenden Skorpion

5
....
besondere Wahrnehmung – Erdstrahlen, Vibrationen, geomagnetische Schwingungen – Beispiel: kurz vor Erdbeben – Beförderung der Jungen ins Freie – 2. Weltkrieg – Bombenalarm – rechtzeitiges Verlassen der später zerstörten Häuser

6
....
enorme Gewichte – das 50-Fache des eigenen Körpergewichts

7
....
Sprunghöhe – das 200-Fache der Körperlänge

8
....
Geschwindigkeitsrekord im Tierreich – 350 km/h – Sturz auf Beute

A6 Viele Formen von Intelligenz

a) Ergänzen Sie die fehlenden Nomen.

> Netzwerke ◊ Werkzeuge ◊ Problemlösung ◊ Verhaltensweisen ◊ Formen ◊ Fähigkeiten ◊ Lage ◊ Situationen ◊
> Denkprozess ◊ Ampeln ◊ Größe ◊ Probleme ◊ Beachtung ◊ Autos

■ In der Tierwelt ist nicht jede scheinbar kluge *Problem-lösung* (0) automatisch mit einem.........................(1) verbunden. Viele .... (2), die uns bei Tieren intelligent erscheinen, sind genetisch vor-
5 bestimmt. Wissenschaftler unterscheiden zwischen der handwerklichen, der ökonomischen und der ökologischen Intelligenz. Bei der ökologischen In-telligenz wird untersucht, wie verschiedene Tiere .... (3) in ihrer spezifischen Umwelt
10 meistern. Eine Fledermaus benötigt andere kognitive ....(4) als ein Seeigel.
Auch die emotionale und die soziale Intelligenz von Tieren findet in der Wissenschaftswelt immer mehr ....(5). Es gibt beispielweise Tiere, die
15 in der .... (6) sind zu erkennen, was ihr Gegenüber im Schilde führt. Manche von ihnen können .... (7) vorab im Kopf durch-spielen und dann entsprechend reagieren. So wur-den einige Rabenkrähen in Tokio dabei beobach-

20 tet, wie sie Nüsse auf die Straße warfen, um sie von ....(8) überfahren zu lassen. Die Vögel deponierten die Nüsse ausschließlich dann, wenn die ....(9) auf Rot standen. In der nächsten Grünphase beobachteten sie lediglich, wie die Rei-
25 fen die Nussschalen aufbrachen, um schließlich beim nächsten Rot seelenruhig zu ihrem Snack zu spazie-ren. Über eine große soziale Intelligenz verfügen zum Beispiel auch Schimpansen und Hunde.
Dabei ist die .... (10) des Gehirns
30 nicht entscheidend. Oft reichen einfache neuronale ....(11) aus, um intelligent zu handeln. Inzwischen gesteht man sogar Seesternen, Krebsen und Blutegeln eine ökologische und soziale Intel-ligenz zu. Sie benutzen nämlich – genauso wie die
35 Schimpansen in Westafrika – .... (12), können Verwandte individuell erkennen und betrei-ben ausgeklügelte .... (13) der Brut-pflege.

b) Fassen Sie den Inhalt des Textes kurz zusammen.

A7 Die Einsteins unter den Tieren   *g*
Sie hören neue Erkenntnisse von Wissenschaftlern zum Thema *Wie klug sind Tiere?*
Entscheiden Sie, ob die Aussagen mit dem Textinhalt übereinstimmen oder nicht.

	ja	nein
Delfine haben ein ausgezeichnetes Gedächtnis		
1. Der amerikanische Forscher Jason Buck untersuchte die Erinnerungsleistungen von Delfinen mithilfe von Signaturpfiffen anderer Delfine.	☐	☐
2. Die Tiere sollten zeigen, ob sie in der Lage sind, die Signalpfiffe ehemaliger Spielkameraden oder Verwandter nach vielen Jahren Trennung wiederzuerkennen.	☐	☐
3. Das Gedächtnis der Delfine ist, bezogen auf das Speichern von Lauten, deutlich besser als beim Menschen.	☐	☐
4. Delfine brauchen ihr Erinnerungsvermögen, um in freier Wildbahn die richtigen Gruppen zu bilden.	☐	☐
Geschickte Papageien		
1. Aufgabe der Papageien war es, einen komplexen Mechanismus zu verstehen und einen Lösungsweg zu finden.	☐	☐
2. Dabei mussten sie Werkzeuge verwenden, die Papageien normalerweise nicht benutzen.	☐	☐
3. Alle Tiere, die an dem Experiment teilnahmen, konnten die Aufgaben lösen.	☐	☐
Können Affen lesen?		
1. Affen können kurze Sätze lesen und verstehen.	☐	☐
2. Im Experiment wurde getestet, ob Paviane die Wörter inhaltlich verstehen.	☐	☐
3. Die Paviane merkten sich die Reihenfolge der Buchstaben in kurzen Wörtern.	☐	☐
Zählende Katzen		
1. Katzen können zählen, wenn sie Töne hören.	☐	☐
2. Katzen können die Zahlen 1 bis 4 unterscheiden.	☐	☐

A8 Geben Sie die folgenden Angaben als wissenschaftliche Erkenntnisse wieder.
Nutzen Sie dafür die nebenstehenden Redemittel.

◇ verschiedene Tiere – unterschiedliche kognitive Fähigkeiten –
benötigen

*Es ist seit Langem bekannt, dass verschiedene Tiere unter-
schiedliche kognitive Fähigkeiten benötigen.*

Redemittel

◇ Neuesten Untersuchungen
zufolge …

◇ Laut neuen Erkenntnissen …

◇ Wissenschaftler haben herausgefunden, dass …

◇ Untersuchungen ergaben,
dass …

◇ Anhand von Experimenten
konnte bewiesen werden,
dass …

◇ Es ist seit Langem bekannt,
dass …

1. einige Tiere – Lage – sein, – Situationen – vorab – Kopf – durchspielen –
oder – Gedanken – andere Tiere – erahnen

....

....

2. Größe des Gehirns – intelligentes Verhalten – Tiere – kein Einfluss –
haben

....

3. sogar – Seesterne, Krebse und Blutegel – Werkzeuge – benutzen –
ausgeklügelte Brutpflege – betreiben

....

....

4. Delfine – erstaunliches Erinnerungsvermögen – verfügen

....

5. Tümmler – selbst nach 20 Jahren – Artgenossen – Namenspfiff –
erkennen

....

....

6. Affen – die richtige Aufeinanderfolge – Buchstaben – kurze Wörter –
erkennen

....

....

7. Papageien – komplexe Strategien – Lösungsfindung – anwenden

....

8. Katzen – können – bis vier – zählen

....

A9 Was wissen Sie noch über Intelligenz und Gefühle von Tieren?
Tragen Sie Ihr Wissen in Kleingruppen zusammen und berichten Sie dann im Plenum.

A10 Tiere
Fragen Sie Ihre Nachbarin/Ihren Nachbarn und berichten Sie selbst.

1
Welche Tiere haben Sie in der
freien Natur oder im Zoo schon
gesehen?

2
Hatten oder haben Sie ein Haustier? Wenn ja, was für eins?

3
Aus welchen Gründen sollte man
sich Ihrer Meinung nach ein Haustier bzw. kein Haustier halten?

A11 E-Mail an eine Radioredaktion

Sie haben im Radio einen Beitrag zum Thema *Haustiere in der Großstadt* gehört. Nach der Sendung wurden die Zuschauer um ihre Meinung gebeten. Schreiben Sie eine ausführliche E-Mail an die Redaktion (ca. 350 Wörter), in der Sie sich auf die drei folgenden Aussagen beziehen und Ihre Meinung dazu äußern.

1 Haustiere erfüllen eine wichtige soziale Funktion.

2 Die Kosten für die lebenslange Haltung eines mittelgroßen Hundes betragen durchschnittlich 8 000 Euro. Das können sich manche Leute nicht leisten.

3 Tiere brauchen soziale Kontakte und die freie Natur. In Großstädten müssen sie aber oft in kleinen Wohnungen leben und werden tagsüber allein gelassen.

Nehmen Sie sich 60 Minuten Zeit. Achten Sie auf eine klare Gliederung und eine adäquate Wortwahl.

Buchtipp • Buchtipp • Buchtipp

Herr Mozart wacht auf
Von *Eva Baronsky*

Am Vorabend noch hat er auf dem Sterbebett gelegen. Nun erwacht Wolfgang Amadé Mozart an einem unbekannten Ort und – wie ihm nach und nach klar wird – in einer fremden Zeit. Die Ungeheuerlichkeit seiner Zeitreise ins Jahr 2006 kann er sich nur mit einem göttlichen Auftrag erklären: Er soll endlich sein Requiem beenden. Als wunderlicher Kauz und lebender Anachronismus irrt Wolfgang durch das moderne Wien, scheitert an U-Bahn-türen und fehlenden Ausweisen. Einzig die Musik dient ihm als Kompass, um sich in der erschreckend veränderten Welt zu orientieren. (Aufbau Verlag)

Gefühle

A12 Suchen Sie sich zwei Lesepartnerinnen/Lesepartner und teilen Sie die Textabschnitte unter sich auf. Lesen Sie Ihre Abschnitte und finden Sie passende Teilüberschriften.

■ Wann funkt es?

Sich zu verlieben, ist eines der schönsten Gefühle, die es gibt. Aber wovon hängt es eigentlich ab, ob wir Feuer fangen? Und mit wem?

1

Es war der Sommer 1989, als sich das Politikerpaar Michelle und Barack Obama verliebte. Der Beginn ihrer Romanze in einer Anwaltskanzlei ist weltweit bekannt. Beide sind Mitte 20, in einfachen Verhältnissen aufgewachsen, beide haben sich das Jurastudium an der Uni Harvard erkämpft und beide gehören dann zu den wenigen farbigen Anwälten in ihrer Kanzlei. Gleich und Gleich gesellt sich gern, so lautet ein altes Sprichwort. „Ähnlichkeit ist ein treibender und immens wichtiger Faktor bei der Partnersuche", meint die Hamburger Psychologin Julia Peirano. Ob beim Online-Dating oder beim Flirt in einer Bar: Blitzschnell scannen wir Kandidaten danach ab, ob ihre Lebensumstände mit unseren übereinstimmen. Fast immer soll ein Partner aus einem ähnlichen sozialen Milieu stammen, ähnlich gut aussehen, dieselben Wertvorstellungen vertreten und ähnlichen Humor besitzen. 61 Prozent der deutschen Paare haben den gleichen Bildungsabschluss, mit steigender Tendenz.

2

Online-Dating ist in den Industrieländern inzwischen eine der beliebtesten Methoden, einen Partner zu finden. Und überhaupt scheint die Bereitschaft zu steigen, dem Glück auf die Sprünge zu helfen. Ein kurioses Beispiel ist das New Yorker Kuppler-Taxi von Ahmed Ibrahim. Einsamen Herzen, die bei ihm einsteigen, bietet er die Aufnahme in sein dickes Single-Sammelalbum an – und verkuppelt sie dann nach Gefühl. Von etwa hundert arrangierten Treffen sollen dreißig zu einer festen Beziehung geführt haben, behauptet Ibrahim. Das wäre eine beachtliche Quote. In Berlin hingegen sind die Verkehrsbetriebe davon überzeugt, dass Amor regelmäßig in Bus und Bahn mitfährt. Auf ihrer Homepage *Meine Augenblicke* können deshalb Verliebte Suchanzeigen aufgeben: „Nicht nur dein Schal hat mich zum Lächeln gebracht, heute in der S1, von Witzleben bis Wedding. Erinnerst du dich? Sehr gut, dann sollten wir einen Kaffee trinken gehen …"

3

Die Deutschen sind nun mal Romantiker: Mehr als die Hälfte glaubt an Liebe auf den ersten Blick, rund 41 Prozent erklären gar, sie sei ihnen selbst schon widerfahren. Das ist das Ergebnis des kürzlich veröffentlichten „Trendchecks Verlieben", einer von Jacobs-Kaffee beauftragten repräsentativen Umfrage. Die US-Anthropologin Helen Fisher, eine der weltweit bekanntesten Liebesexpertinnen, sagt, dass sich vor allem Männer Hals über Kopf vergucken – weil sie deutlich empfänglicher für visuelle Reize sind, während Frauen länger abwägen. Aber auch das Gegenteil der Spontanliebe tritt häufig ein: In einer von Fisher durchgeführten Umfrage erklärte mehr als ein Drittel der Befragten, sie hätten sich schon mal in jemanden verliebt, den sie anfangs überhaupt nicht anziehend fanden. Tatsächlich verstärken sich Reize, mit denen wir immer wieder konfrontiert werden. Lieder im Radio, die wir anfangs nur ganz nett finden, entwickeln sich durch häufiges Hören zum Ohrwurm. Und auch ein Kollege, den man immer wieder trifft, kann dadurch irgendwann attraktiv wirken – falls der Zeitpunkt passt.

5

Alles scheint zu passen – und trotzdem funkt es nicht? Vielleicht liegt es an einem unterschätzten, aber wichtigen Detail: am Geruch. Bei einer bekannten Studie der Universität Bern schnupperten Studentinnen an getragenen T-Shirts von Männern. Instinktiv waren ihnen diejenigen am sympathischsten, deren „Immungene" des MHC*-Komplexes sich am stärksten von den eigenen unterschieden. Spätere Studien zeigten, dass auch Männer erstaunlich genau diese Genunterschiede erschnüffeln. Möglicherweise schützt die Natur uns so vor Inzucht – und trägt dazu bei, dass spätere Kinder sich dank einer großen MHC-Bandbreite besser gegen Krankheiten wehren können.

7

Verliebte können sich kaum vorstellen, dass ihre Leidenschaft einmal abflauen könnte – doch wir sind nicht gemacht für einen fortwährenden Liebesrausch. Ratten finden sich nur für Sekunden attraktiv, Elefanten sind etwa drei Tage „verliebt", und bei uns Menschen dauern die heftigen Gefühle durchschnittlich neun Monate bis drei Jahre. Danach wird alles ruhiger. Das Schmetterlingsgefühl versickert. Doch niemand sollte gering schätzen, was an die Stelle der Verliebtheit treten kann. Es ist etwas Ruhigeres, Ausgeglicheneres, Stabileres. Die Liebe! Und wenn man Glück hat, hält sie vielleicht für den Rest des Lebens.

4

Die Hängebrücke über den Capilano Canyon schwankte bedrohlich und die männlichen Versuchsteilnehmer waren froh, als sie am anderen Ufer ankamen. Dort hatte ein US-Psychologe eine hübsche Interviewerin hingestellt. Sie machte angeblich für ihr Studium eine Befragung – und gab den Männern ihre Telefonnummer, falls diese später mehr über das Projekt erfahren wollten. Flussabwärts wiederholte er den Versuch mit anderen Teilnehmern, die diesmal aber über eine solide Betonbrücke bummelten. Nur jeder zehnte Mann aus dieser Gruppe rief die Studentin an – aber jeder zweite von denen, die mit Herzklopfen die Wackelbrücke überquert hatten.

Sind wir körperlich gefordert, führen wir das nämlich unbewusst oftmals nicht auf die wahren Ursachen zurück, sondern übertragen es, wie in dem Experiment, auf die hübsche Interviewerin. Wenn also beim wilden Tanzen auf einer Party Adrenalin durch den Körper braust, kann der Mann oder die Frau neben uns plötzlich deutlich attraktiver wirken. Aber selbst ein perfekter Partner wird nicht wahrgenommen, wenn man nicht psychisch bereit dazu ist, jemanden an sich ranzulassen. Laut Untersuchungen verliebt man sich besonders leicht, wenn man gerade aus vertrauten Zusammenhängen herausgerissen wurde und sich neu orientieren muss: nach einem Umzug etwa, am Beginn des Studiums oder nach dem Ende einer Beziehung.

6

Neurowissenschaftler vom University College London haben als erste das Gehirn von Verliebten untersucht. Das Ergebnis war verblüffend: Vier verschiedene, eng begrenzte Areale leuchteten im Magnetresonanztomografen auf – und zwar im limbischen System, das eine wichtige Rolle für das Entstehen von Glücksgefühlen und die Verarbeitung von Emotionen spielt. Dieselben Regionen sind aktiv, wenn ein Kokainsüchtiger seine Droge sieht. Noch spannender war die Erkenntnis, dass diese Regionen die höchste Dichte an Rezeptoren für die Hormone Oxytozin und Vasopressin aufweisen. Die auch als Nähe-Hormone bezeichneten Stoffe erhöhen das Vertrauen in den anderen und stärken so die Bindung. Zusätzlich zu den Nähe-Hormonen durchschwemmen große Mengen Endorphine den Körper und machen die Verliebten euphorisch. Gleichzeitig sind Gehirnareale, die normalerweise bei der Entstehung von Angst, Aggressionen und Depressionen eine Rolle spielen, stillgelegt. Zudem zeigten sich Areale auffällig ruhig, die beteiligt sind, wenn wir andere kritisch beurteilen.

* MHC: Major Histocompatibility Complex – Gene, die für Gewebeverträglichkeit und immunologische Individualität wichtig sind

a) Welche Aussage entspricht dem Text?
   Markieren Sie gemeinsam die richtige Lösung.

1. Das Gefühl der Verliebtheit
   a) ☐ ist ein lang anhaltender Zustand.
   b) ☐ versetzt Menschen in einen rauschähnlichen Zustand.
   c) ☐ schärft das Urteilsvermögen gegenüber anderen Personen.
   d) ☐ kann immer entstehen.

2. Immer mehr Menschen
   a) ☐ setzen auf soziale Netzwerke bei der Suche nach einem Partner.
   b) ☐ lassen sich von anderen helfen, ihre große Liebe zu finden.
   c) ☐ verlieben sich beim Tanzen oder in öffentlichen Verkehrsmitteln.
   d) ☐ suchen ihren Traumpartner am Arbeitsplatz.

3. Die Deutschen
   a) ☐ zweifeln an der Existenz der großen Liebe.
   b) ☐ glauben mehrheitlich an die Liebe auf den ersten Blick.
   c) ☐ halten die Liebe, die sich langsam entwickelt, für stabiler.
   d) ☐ sind überkritisch bei der Partnersuche.

Die Dauer des Glücks

Ein Falter hatte einer
Eintagsfliege einen
Heiratsantrag gemacht.
„Ich will es mir überlegen",
sagte die nach einigem Zögern;
„gewähren Sie mir
bitte drei Tage Bedenkzeit."

Wolfdietrich Schnurre

b) Ergänzen Sie die Aussagen des Textes. Arbeiten Sie in Kleingruppen.

Was begünstigt den Umstand, sich zu verlieben?

....

....

Es funkt!   ....

....

....

....

....

Welchen Einfluss hat der Zustand der Verliebtheit auf den Menschen?

....

....

....

....

....

....

Verliebtheit

....

c) Bilden Sie aus den vorgegebenen Wörtern Sätze.

◇ Gleich und Gleich – gern – sich gesellen
   Gleich und Gleich gesellt sich gern.

1. es – Bereitschaft – steigen – scheinen, – Liebe – Sprünge – helfen

   ....

2. Verliebte – Berliner Verkehrsbetriebe – Suchanzeige – aufgeben können

   ....

3. mehr als die Hälfte der Deutschen – Liebe – erster Blick – glauben

   ....

4. Männer – eher – Hals – Kopf – Frauen – vergucken

   ....

5. Männer – empfänglicher sein – visuelle Reize – scheinen, – Frauen – länger abwägen

   ....

6. man – aber – bereit sein müssen, – Nähe – zulassen, – um – sich verlieben

   ....

7. wenn – bestimmte Zeit – vergehen, – Schmetterlingsgefühl – wieder – versickern

....

8. Menschen – fortwährender Liebesrausch – nicht gemacht sein

....

9. Stelle – Verliebtheit – Liebe – später – treten können

....

(A13) Diskussion: Online-Partnersuche
Sprechen Sie mit Ihrer Gesprächspartnerin/Ihrem Gesprächspartner über das Thema *Online-Partnersuche*.
Entscheiden Sie sich für einen der beiden Standpunkte und beginnen Sie mit der Diskussion.

①

Pro
Die Online-Partnersuche ist für Menschen, die zeitlich stark eingebunden sind oder abseits der Städte wohnen, eine gute Gelegenheit, den Partner fürs Leben zu finden.

②

Kontra
Die Online-Suche nach dem immer noch besser passenden, attraktiveren Partner lässt eine Shopping-Mentalität entstehen, die von vornherein verhindert, dass man sich vorbehaltlos verliebt.

Zum Ablauf der Diskussion

◇ Diskutieren Sie zu zweit: Eine Person vertritt Aussage 1, die andere Aussage 2.

◇ Verteidigen Sie Ihre Position. Versuchen Sie, Ihre Gesprächspartnerin/Ihren Gesprächspartner von Ihren Argumenten zu überzeugen. Nennen Sie auch Beispiele.

◇ Gehen Sie auf die Argumente Ihrer Gesprächspartnerin/Ihres Gesprächspartners ein.

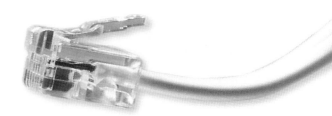

(A14) Manchmal fehlen einem die Worte
Ergänzen Sie die passenden Nomen in der richtigen Form.

:...:
: Zugriff ◇ Folgen ◇ Ende ◇ Tippfehler ◇ Nutzer ◇ Lebensfragen ◇ Telefon ◇ Liebe ◇ Trennungswillige ◇
: Lebensabschnittspartner ◇ Beziehung ◇ Licht ◇ Wunsch ◇ Neuigkeit ◇ Verflossene ◇ Beziehungsleben ◇
: Abschiedssermon ◇ Auswahlmöglichkeiten
:...:

■ Heute gibt es genügend literarische, lyrische und sogar Online-Vorlagen, um die einzig wahre *Liebe* (0) zu gestehen. Aber was ist, wenn diese nun doch einmal zu .... (1) geht? Der moderne Mensch
5 kann nun das machen, was er auch sonst bei allen entscheidenden .... (2) tut: sein .... (3) konsultieren. .... (4) brauchen sich nur „Breakup-Text" auf das Smartphone zu laden – und schon kann
10 der .... (5) online abgeschossen werden. Allzu viele Optionen hat der .... (6) allerdings nicht: Die App lässt ihn lediglich darüber entscheiden, ob die .... (7) etwas Ernstes oder eher locker war und was denn dabei schiefgegangen
15 ist. Die eher obskuren .... (8) – „habe Interesse verloren", „liebe jemand anderen" oder „bin vom Bär gefressen worden" – werfen dabei allerdings ein eigenartiges .... (9) auf das .... (10) der App-Programmierer.

20 Hat man sich entschieden, ist alles ganz einfach: Drei Klicks – schon wird ein launiger .... (11) formuliert und abgeschickt. Auf
25 .... (12) verbindet die App den frischgebackenen Single direkt darauf mit den einschlägigen sozialen Netzwerken, um dort die .... (13) zu ver-
30 künden.
Aber Vorsicht: Bevor das Programm einen Satz formuliert, verlangt es erst einmal .... (14) auf alle Kontakte, die im Telefon gespeichert sind. Ein kleiner .... (15) kann also fatale
35 .... (16) haben. Schnell hat man statt der .... (17) der Mutti, dem Chef oder der Kollegen-Mailingliste erklärt, dass man nichts mehr mit ihnen zu tun haben will.

A15 Aus und vorbei: Die folgenden Paare haben sich getrennt
Formulieren Sie Sätze mit Adverbien oder Modalverben, in denen Sie vermuten, warum sich die Paare getrennt haben.

So könnten Sie formulieren:

◊ Eva und Paul

Eva könnte sich mit Paul gelangweilt haben.
Vielleicht hat sich Eva mit Paul gelangweilt.
Eva dürfte endlich bemerkt haben, dass Paul
ein Langweiler ist.

1. der Chef und seine Sekretärin

   ....

2. der Minister und seine fünfte Frau

   ....

3. Sabine und Klaus

   ....

4. meine Nachbarn

   ....

5. Herr und Frau Kaiser

   ....

6. die Fernsehmoderatorin und ihr Mann

   ....

7. Eberhard und Erika

   ....

8. Martin und Martina

   ....

Das könnten mögliche Gründe sein:

◊ sich mit jemandem langweilen
◊ ein Langweiler sein
◊ sich immer streiten
◊ Probleme mit der Schwiegermutter haben
◊ es nur aufs Geld des anderen abgesehen haben
◊ noch andere Freundinnen/Freunde haben
◊ jemanden nur ausnutzen
◊ sich mit jemandem schmücken
◊ jemanden nicht wirklich lieben
◊ im Haushalt nichts tun
◊ immer mit der Mutti telefonieren
◊ nur Liebesfilme im Fernsehen gucken
◊ das ganze Geld für teure Schuhe ausgeben
◊ nur arbeiten
◊ ein Angeber sein

Zusatzübungen zu Modalverben in der Vermutungsbedeutung ⇨ Teil C Seite 168

A16 Suchen Sie in Gruppen weitere Wörter und Wendungen zu den folgenden beiden Gefühlen. Vergleichen Sie am Ende Ihre Ergebnisse.

sich himmelhoch jauchzend fühlen

sehr glücklich sein

zu Tode betrübt sein

A17 Glücksforschung: Der perfekte Tag

a) Wie würde für Ihre Nachbarin/Ihren Nachbarn der perfekte Tag aussehen? Geben Sie Tätigkeiten und deren Dauer an. Berichten Sie anschließend über Ihre Vermutungen.

Redemittel

◊ Ich vermute, dass meine Nachbarin/mein Nachbar ihre/seine Zeit am liebsten mit … verbringt.
◊ Die zweitliebste Tätigkeit könnte … sein.
◊ Wahrscheinlich würde es meine Nachbarin/meinen Nachbarn auch glücklich machen, wenn sie/er …
◊ Ich könnte mir außerdem vorstellen, dass …

◊ *essen: 120 Minuten*
◊ *Computer spielen: 180 Minuten*
◊ *arbeiten: 10 Minuten*
◊ *…*

b) Ergänzen Sie die fehlenden Verben in der richtigen Form.

■ **Der perfekte Tag für Frauen**

Den ganzen Tag shoppen *gehen* (0)? Stundenlang mit
der besten Freundin .... (1)? Oder sich
im Spa .... (2) lassen? ....(3)
das eine Frau glücklich? Weit gefehlt. Eine wissen-
5 schaftliche Studie hat .... (4), der perfekte Frauentag ist vor allem eines: nämlich abwechslungsreich.
Zwei deutsche Wissenschaftler haben in einer Studie über den perfekten Tag Daten von über 900
10 berufstätigen Frauen .... (5). Aus
den Ergebnissen .... (6) die Wissenschaftler den perfekten Tagesablauf für eine Frau.
Überraschend ist, dass die positiven Dinge nicht
den Großteil des Tages .... (7), son-
15 dern dass viele verschiedene Aktivitäten den Ablauf
des perfekten Tages .... (8). An der
Spitze .... (9) die sozialen Kontakte. 106 Minuten wollen Frauen mit ihrem Partner
........................(10) und 82 Minuten Zeit haben, um
20 Freunde zu .... (11). Auch Sport (68 Minuten) und Essen (75 Minuten) sollten nicht zu kurz

.... (12).
Ruhe und Entspannung
.... (13)
25 ebenfalls einen ho-
hen Stellenwert
.............(13): Frau-
en wollen an ih-
rem perfekten Tag
30 einen Mittagsschlaf
.... (14)
(46 Minuten) und sich 78 Minuten zusätzlich
.... (15). Auch das Arbeiten
.... (16) zum perfekten Tag, allerdings
35 nur 36 Minuten.
Der Zeitplan sollte nicht als Rezept .... (17)
werden, das man .... (18) muss,
um glücklich zu werden. Die Wissenschaftler
.... (19) die Studie als wissenschaftlich
40 fundiertes Gedankenexperiment, das Aufschluss darüber .... (20), welche Prioritäten Menschen .... (21) würden, könnten sie ihren Tag selbst ....(22).

c) Formen Sie die Sätze mit Vermutungsbedeutung um, indem Sie ein Modalverb verwenden.

◇ Es ist möglich, dass sich die Studie auch auf Männer übertragen lässt.

Die Studie könnte sich auch auf Männer übertragen lassen.

1. Allerdings ist es wahrscheinlich, dass der Männertag zum Teil andere Aktivitäten beinhaltet.

....

2. Männer verbringen vermutlich mehr Zeit vor dem Fernseher.

....

3. Bei einigen steht sicherlich die Arbeit ganz weit oben.

....

4. Die gemeinsame Zeit mit Freunden spielt wahrscheinlich auch eine große Rolle.

....

A18 Lesen Sie zum Abschluss des Themas zwei Gedichte.
Gibt es in Ihrer Muttersprache ein Gedicht zum Thema *Liebe*, das Sie besonders mögen oder das sehr bekannt ist?
Wenn ja, berichten Sie darüber.

Morgens und abends zu lesen

Der, den ich liebe
Hat mir gesagt
Dass er mich braucht.
Darum
Gebe ich auf mich Acht
Sehe auf meinen Weg und
Fürchte von jedem Regentropfen
Dass er mich ihm erschlagen könnte.

Bertolt Brecht

Erwartung

Morgens steh ich auf und frage:
Kommt feins Liebchen heut?
Abends sink ich hin und klage:
Aus blieb sie auch heut.

In der Nacht mit meinem Kummer
Lieg ich schlaflos, wach;
Träumend, wie im halben Schlummer,
Wandle ich bei Tag.

Heinrich Heine

Schöner Wohnen

 A19 Die Traumwohnung

a) Beschreiben Sie Ihre Traumwohnung/Ihr Traumhaus.

b) Sie suchen eine Wohnung/ein Haus und finden Objekte mit folgenden Beschreibungen in einer Zeitungsanzeige bzw. im Internet. Welche Informationen würden Sie als positiv, neutral oder negativ interpretieren? Begründen Sie Ihre Aussagen.

1. Biotop im Garten
2. traumhafter Blick über Pferdekoppeln und Weideland
3. jugendliches Ambiente
4. in unberührter Natur
5. idyllische Hanglage

6. seriöses Umfeld
7. zentrale Lage
8. Landhausbauweise
9. wohnlich ausgebautes Souterrain
10. Designer-Top-Ausstattung
11. außergewöhnliche Architektur

A20

■ Verlockend klingende Immobilien-Lyrik

Wer eine Wohnung oder gar ein Haus kaufen will, ist nicht zu beneiden. Hektische Suche in der Zeitung, endlose Telefonate mit dem Makler, stundenlange Suche im Internet. Doch das ist nicht das Schlimmste: Denn wer das Traumhaus schon in Reichweite wähnt, stolpert leicht über die Immobilien-Lyrik der Anbieter. Von „absolut ruhiger Wohnlage" oder „Biotop im Garten" ist gern die Rede – „nicht ganz so laut wie üblich" und „Schlammtümpel" lauten mögliche Übersetzungen für Uneingeweihte.

„Es kommt weniger auf das an, was in der Annonce steht. Bedeutsam ist, was nicht drin steht", sagt der Düsseldorfer Rechtsanwalt Frank-Georg Pfeifer, der seine Übersetzungen bewusst leicht überzeichnet. „Wenn man ein paar Tage die Zeitungen durchsieht, kugelt man sich vor Lachen. Das ist wie bei Heiratsanzeigen." Der Fachmann hat die überschwängliche Verkaufs-Lyrik im Merkblatt „Augen auf beim Hauskauf" für den Eigentümerverband *Haus & Grund* zusammengefasst. Die Formulierungen stammten aus Zeitungsinseraten in ganz Deutschland. „Es ist eine aufgeblähte Sprache, das kommt aus der Werbung. Leider fallen viele darauf herein."

Hilfreich sei, einen seriösen Makler und „keinen Jungdynamiker" zu suchen. Oft komme es zu Fehlentscheidungen bei den Käufern. Wer sich nicht genau informiere, mache wegen der Klausel „gekauft, wie es steht und liegt, unter Ausschluss jeder Gewährleistung" eine bittere Erfahrung. *Haus & Grund*-Präsident Rüdiger Dorn: „Jeder Fehler, der später ans Licht kommt, geht zu Lasten des Käufers."

Potenzielle Eigentümer sollten sich deshalb über die eigenen Bedürfnisse, die Lage und

Beschaffenheit sowie die Finanzierung klar werden. Baumängel, hohe Preise oder schlechte Aufteilung gebe es in der Anzeigenwerbung nicht, erklärt Pfeifer. Stattdessen eigentlich nur „ideale Superschnäppchen" – nach Einschätzung des Experten werden Schnäppchen aber gar nicht erst inseriert, sondern gehen eher unter der Hand weg.

Mit Vorsicht zu genießen seien auch die oft romantischen Beschreibungen: „Traumhafter Blick über Pferdekoppeln und Weideland" übersetzt der Fachmann mit „von Straßen keine Rede; glücklich der Erwerber, der über einen Geländewagen verfügt". Aus „jugendlichem Ambiente" wird „Kneipenviertel", „in unberührter Natur gebaut" bedeute manchmal „mitten auf dem Acker" und „idyllische Hanglage" kündigt in der Übersetzung „Feuchtigkeit gratis" eher ungemütliches Wohnen an. Auch sachlichere Beschreibungen werden gnadenlos entzaubert: „Seriöses Umfeld" bedeute „Bankenviertel, abends tote Gegend", „zentrale Lage" ziehe nur den an, der es laut und schmutzig mag. Zentral gelegen und gleichzeitig ruhig sei allerdings wohl nur der Hauptfriedhof.

Wer auf den Stil seiner neuen Behausung Wert legt, bekommt häufig malerische Angebote: Verlockend klingt „Landhausbauweise", weniger sympathisch dagegen schon die Übersetzung „ausgebauter Geräteschuppen". „Wohnlich ausgebautes Souterrain" verschleiert nach Pfeifers Einschätzung den ehemaligen Kohlenkeller, eine „Designer-Top-Ausstattung" lasse den Verdacht auf unverputzte Ziegelwände aufkommen. Bei der Beschreibung „außergewöhnliche Architektur" sollten die Alarmglocken schrillen – gemeint sei wohl eher eine geschmackliche Verirrung.

a) Fassen Sie den Text mit eigenen Worten zusammen.

b) Finden Sie synonyme Wendungen.

1. <u>nicht zu beneiden sein</u> ....
2. das Traumhaus schon <u>in Reichweite wähnen</u> ....
3. die Übersetzungen <u>bewusst leicht überzeichnen</u> ....
4. <u>sich</u> vor Lachen <u>kugeln</u> ....
5. <u>Augen auf</u> beim Hauskauf! ....
6. Leider <u>fallen</u> viele <u>darauf herein</u>. ....
7. <u>ans Licht kommen</u> ....
8. <u>zu Lasten</u> des Käufers gehen ....
9. <u>Schnäppchen gehen unter der Hand weg</u>. ....

c) Formen Sie die Sätze um, indem Sie die in Klammern angegebenen Wörter in der passenden Form einarbeiten.

1. Wer eine Wohnung oder gar ein Haus <u>kaufen will</u>, ist nicht zu beneiden. *(Kauf – interessieren)*

   ....

2. Wer das Traumhaus schon in Reichweite wähnt, <u>stolpert</u> leicht über die Immobilien-Lyrik der Anbieter. *(Irre – sich führen lassen)*

   ....

   ....

3. Es kommt nicht darauf an, was in der Annonce steht. <u>Bedeutsam ist</u>, was nicht drin steht. *(sondern)*

   ....

   ....

4. Wenn man die Zeitungen <u>durchsieht</u>, <u>kugelt</u> man <u>sich vor Lachen</u>. *(Durchsehen – prächtig amüsieren)*

   ....

5. Leider <u>fallen</u> viele auf die aufgeblähte Sprache der Makler <u>herein</u>. *(Leim – gehen)*

   ....

6. Wer sich nicht genau informiert, <u>macht eine bittere Erfahrung</u>. *(Schaden – alleine – tragen müssen)*

   ....

7. Potenzielle Eigentümer <u>sollten</u> sich über die eigenen Bedürfnisse, die Lage und Beschaffenheit klar werden. *(ratsam sein)*

   ....

8. Schnäppchen werden gar nicht erst <u>inseriert</u>. *(Öffentlichkeit – gelangen)*

   ....

9. Auch bei romantischen Beschreibungen sollte man <u>vorsichtig sein</u>. *(Vorsicht – genießen)*

   ....

10. „Traumhafter Blick über Pferdekoppeln und Weideland" <u>übersetzt der Fachmann</u> mit „von Straßen keine Rede". *(Übersetzung – lauten)*

    ....

11. Wer auf den Stil seiner neuen Behausung <u>Wert legt</u>, bekommt häufig malerische Angebote wie „Landhausbauweise". *(wichtig sein)*

    ....

12. Bei der Beschreibung „außergewöhnliche Architektur" sollten Kaufwillige <u>Vorsicht walten lassen</u>. *(alle Alarmglocken – schrillen)*

    ....

A21 Interpretieren Sie die Sprache der Immobilienmakler.
Arbeiten Sie in Gruppen und präsentieren Sie am Ende Ihre Ergebnisse.

Das sagt der Makler:	Welchen Eindruck will er beim Käufer erwecken?	Was steckt wirklich dahinter?
◇ „Schnellverkauf" oder „für Schnellentschlossene"	*Man soll sich beeilen und das Haus sofort kaufen.*	*Das Haus steht seit Jahren zum Verkauf, es soll Zeitdruck erzeugt werden.*
1. „Liebhaberobjekt"		
2. „verkehrsgünstig"		
3. „Wohnanlage mit Zukunft"		
4. „individuelle Bauweise"		
5. „luxuriöse Sanierungen"		
6. „für junge Leute"		
7. „ruhige Lage"		
8. „familienfreundliche Wohngegend"		

Vergleichen Sie Ihre Ergebnisse mit den Vorschlägen im Lösungsheft.

A22 Der Makler hat gesagt …
Geben Sie die folgenden Aussagen des Immobilienmaklers mit den Modalverben *wollen* oder *sollen* wieder. Orientieren Sie sich am Beispiel.

◇ Die Wohnung ist ein super Schnäppchen.
   Die Wohnung soll ein super Schnäppchen sein.

◇ Ich habe keine Ahnung, warum die Wohnung zum Verkauf steht.
   Er will keine Ahnung haben, warum die Wohnung zum Verkauf steht.

1. Die Wohnung ist ganz neu renoviert.
   ....

2. Die Fußbodenfliesen sind in Italien von Hand hergestellt worden.
   ....

3. Die Heizungsanlage entspricht den allerneusten technischen Standards.
   ....

4. Es gibt sogar eine Videoüberwachung für das gesamte Grundstück.
   ....

5. Die Gegend ist absolut sicher.
   ....

6. Ich habe noch nie etwas über Einbrüche oder andere Straftaten in dieser Gegend gehört.

    ....

7. Ich verdiene an dem Wohnungsverkauf fast nichts.

    ....

8. Ich mache meine Arbeit nur, weil ich anderen Menschen helfen will, ihre Traumwohnung zu finden.

    ....

9. Die Immobilien-Bank IBD gewährt die besten Kredite.

    ....

10. Ich kenne niemanden bei der Bank.

    ....

Zusatzübungen zur Wiedergabe von Informationen und Behauptungen mit Modalverben ⇨ Teil C Seite 170

(A23) Kaufen oder mieten? Berichten Sie über die Wohnsituation in Ihrem Heimatland.

(A24) Besondere Architektur

a) In welchem dieser Häuser würden Sie gern oder nicht gern wohnen?
   Treffen Sie eine Auswahl und begründen Sie sie.

b) Was verstehen Sie unter moderner Architektur?
   Sammeln Sie in Gruppen Antworten und nennen Sie Beispiele.

c) Kennen Sie das *Bauhaus*? Wenn ja, wissen Sie, welche Rolle es für die moderne Architektur spielt?
   Antworten Sie so ausführlich wie möglich.

Das Bauhaus

Die Vorgeschichte des Bauhauses beginnt gegen Ende des 19. Jahrhunderts. Das aufstrebende Deutschland löst Großbritannien zu diesem Zeitpunkt als führende Wirtschaftsmacht in Europa ab. Viele industrielle Produktionsweisen und handwerkliche Verfahren werden aus dem Vereinigten Königreich übernommen.

Auch die preußischen Kunstgewerbeschulen, die bis dato rein künstlerisch orientiert sind, werden nach englischem Vorbild umgestaltet und um Werkstätten erweitert. Moderne Künstler wie Peter Behrens oder Henry van de Velde übernehmen als Lehrer die Leitung der Kunstgewerbeschulen in Düsseldorf und Weimar. Man erkennt allgemein, dass gut gestaltete Industriegüter ein bedeutender Wirtschaftsfaktor sein können. Überall sucht man nach einem Stil, der Deutschlands Stellung auf dem europäischen Markt zur Geltung bringen soll.

Aus diesen kulturtheoretischen Überlegungen heraus wird 1907 in München der „Deutsche Werkbund" gegründet, dessen Ziel der Zusammenschluss von Kunst, Industrie und Handwerk zur Formierung einer einheitlichen deutschen Stilsprache ist. In der Folgezeit lassen große Firmen wie Bahlsen oder AEG ihre gesamte Produktpalette und Architektur von Künstlern des Werkbundes entwerfen. Doch der Beginn des 20. Jahrhunderts ist nicht nur eine Zeit des wirtschaftlichen Aufschwungs und erstarkenden nationalen Selbstbewusstseins. Zum ersten Mal formieren sich auch kulturkritische, reformerische Gegenbewegungen.

Einer der bedeutendsten Vordenker in der Kunst ist der junge Architekt Walter Gropius. Als Nachfolger von Henry van de Velde zum Leiter der „Großherzoglich-Sächsischen Hochschule für Bildende Künste" ernannt, ruft er innerhalb kürzester Zeit die modernste und umstrittenste Kunstschule der 1920er-Jahre ins Leben: das „Staatliche Bauhaus in Weimar". In einem Manifest verkündet Gropius 1919 das primäre Ziel seiner Schule: „Das Endziel aller bildnerischen Tätigkeit ist der Bau!" Architektur, Bildhauerei und Malerei sollen zum Handwerk zurückgeführt werden, um gemeinsam den Bau der Zukunft zu gestalten. Gropius sieht dabei keinen Wesensunterschied zwischen dem Künstler und dem Handwerker.

Der Name *Bauhaus* ist eine Anlehnung an die Bauhütten der mittelalterlichen Kathedralen, in denen Kunst und Handwerk schon früher verschmolzen. Aus diesem Grund sollen alle Schüler der neuen Schule in einem Vorkurs mit der Beschaffenheit von Materialien sowie den Eigenschaften von Farben und Formen vertraut gemacht werden. Den Vorkurs leitet der Maler Johannes Itten zusammen mit seinen berühmten Kollegen Wassily Kandinsky und Paul Klee. Nach Abschluss der Vorlehre müssen sich die Studierenden für eine der praktisch ausgerichteten Bauhaus-Werkstätten in den Bereichen Metall, Weberei, Keramik, Möbel, Typografie oder Wandmalerei entscheiden. Diese Werkstätten werden sowohl von einem Künstler als auch von einem Handwerksmeister geleitet, um Handwerk und künstlerische Gestaltung direkt mit der Praxis verbinden zu können. Nebenbei arbeiten die Studierenden an diversen Bauprojekten des Bauhauses mit, zunächst im Architekturbüro von Gropius, später dann in der 1927 eingerichteten Architekturklasse.

Aus der praktischen Ausbildung heraus entstehen Prototypen zahlreicher Möbel und Gebrauchsgegenstände, die mit der Gründung der „Bauhaus GmbH" 1925 auch in die industrielle Massenproduktion gehen können. Unter dem Leitgedanken *Volksbedarf*

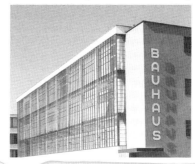

statt Luxusbedarf sollen vorbildliche Gegenstände für die künftige Gesellschaft produziert werden. In ihrer schlichten, einfachen Form sind die Produkte des Bauhauses eine gestalterische Revolution. Die Form ordnet sich komplett der Funktionalität unter. Viele der vom Bauhaus entwickelten Produkte sind sowohl in ihrer ursprünglichen Form als auch in ihrer Weiterentwicklung bis heute aus vielen Haushalten nicht mehr wegzudenken, wie zum Beispiel der Freischwinger-Stuhl oder die Wagenfeld-Lampe.

Herzstück der Ausbildung am Bauhaus ist jedoch die Zusammenführung aller Künste zur Errichtung des Baus der Zukunft. Eindrucksvollste Beispiele sind das Lehrgebäude und die Meisterhäuser des Bauhauses in Dessau, die Walter Gropius 1926 entwirft und baut. In den 1920er-Jahren arbeiten sowohl Lehrmeister als auch Studierende an der Errichtung zahlreicher Einzelhäuser, wie dem Versuchshaus „Haus am Horn", mit. Einer breiten Öffentlichkeit bekannt wird das Bauhaus nicht zuletzt durch die Siedlungen des sozialen Wohnungsbaus, denn in der Weimarer Republik ist die Wohnungsfrage ein wesentliches Element der Sozialpolitik. In vielen Städten entstehen Siedlungen unter Federführung von Bauhaus-Architekten. In Frankfurt am Main wird bereits in den 1920er-Jahren in industrieller Plattenbauweise mit vorgefertigten, genormten und großformatigen Teilen gebaut.

Die radikalen Ideen und Umsetzungen der Bauhaus-Künstler stoßen jedoch nicht überall auf Gegenliebe. Von Anfang an scheiden sich die Geister an den für die Gesellschaft der 1920er-Jahre völlig neuen Gegenständen und Bauwerken. Konservativen Kreisen sind die linken und internationalistischen Bauhaus-Mitglieder seit jeher ein Dorn im Auge. Mit der Machtergreifung der Nationalsozialisten 1933 wird das Bauhaus sofort aufgelöst. Viele der bekannten Künstler wandern nach Frankreich, Großbritannien, in die Schweiz oder die USA aus.

a) Geben Sie die wichtigsten Aussagen des Textes zu folgenden Punkten wieder:

◇ Vorgeschichte des Bauhauses   ◇ Produkte im sozialen Kontext

◇ Ziel der Bauhaus-Schule   ◇ Reaktionen auf die Bauhaus-Ideen

◇ Ausbildung der Studierenden

b) Erklären Sie die unterstrichenen Textteile und nehmen Sie eventuell notwendige Umformungen vor.

1. Überall suchte man nach einem Stil, der Deutschlands Stellung auf dem europäischen Markt <u>zur Geltung bringen</u> soll.

    ....

2. Gropius <u>rief</u> innerhalb kürzester Zeit die modernste und umstrittenste Kunstschule der 1920er-Jahre <u>ins Leben</u>: das *Staatliche Bauhaus in Weimar*.

    ....

3. Alle Schüler sollten in einem Vorkurs mit der Beschaffenheit von Materialien sowie den Eigenschaften von Farben und Formen <u>vertraut gemacht werden</u>.

    ....

4. Viele der vom Bauhaus entwickelten Produkte <u>sind</u> bis heute aus vielen Haushalten <u>nicht mehr wegzudenken</u>.

    ....

5. In zahlreichen Städten entstanden Siedlungen <u>unter Federführung</u> von Bauhaus-Architekten.

    ....

6. Die radikalen Ideen und Umsetzungen der Bauhaus-Künstler <u>stießen jedoch nicht überall auf Gegenliebe</u>.

    ....

7. Von Anfang an <u>schieden sich die Geister</u> an den für die Gesellschaft der 1920er-Jahre völlig neuen Gegenständen und Bauwerken.

    ....

8. Konservativen Kreisen waren die linken und internationalistischen Bauhaus-Mitglieder <u>seit jeher ein Dorn im Auge</u>.

    ....

c) Bilden Sie Sätze im Passiv Präteritum. Achten Sie auf eventuell fehlende Präpositionen und den richtigen Kasus.

◇ Ende des 19. Jahrhunderts – Großbritannien – das aufstrebende Deutschland – führende Wirtschaftsmacht – Europa – ablösen

Ende des 19. Jahrhunderts wurde Großbritannien vom aufstrebenden Deutschland als führende Wirtschaftsmacht in Europa abgelöst.

1. viele industrielle Produktionsweisen und handwerkliche Verfahren – Vereinigtes Königreich – übernehmen

    ....

2. die preußischen Kunstgewerbeschulen – englisches Vorbild – umgestalten – und – Werkstätten – erweitern

    ....

3. gut gestaltete Industriegüter – bedeutender Wirtschaftsfaktor – anerkennen

    ....

4. 1907 – München – der *Deutsche Werkbund* – gründen

    ....

5. Folgezeit – die gesamte Produktpalette großer Firmen – Künstler des Werkbundes – entwerfen

    ....

6. 1920 – die modernste und umstrittenste Kunstschule – Walter Gropius – Leben – rufen

    ....

7. der Name *Bauhaus* – Bauhütten der mittelalterlichen Kathedralen – entlehnen

    ....

8. alle Schüler der neuen Schule – Vorkurs – die Beschaffenheit von Materialien – vertraut machen – sollen

   ....

9. die Werkstätten der Bauhaus-Schule – sowohl – Künstler – als auch – Handwerksmeister – leiten

   ....

10. Leitgedanke *Volksbedarf statt Luxusbedarf* – vorbildliche Gegenstände – die künftige Gesellschaft – produzieren – sollen

    ....

11. Bereich des sozialen Wohnungsbaus – 1920er-Jahre – Frankfurt am Main – bereits – industrielle Plattenbauweise – vorgefertigte, genormte und großformatige Teile – bauen

    ....

    ....

12. Machtergreifung der Nationalsozialisten – 1933 – das Bauhaus – sofort – auflösen

    ....

A26 Sozialer Wohnungsbau
Berichten Sie über den sozialen Wohnungsbau in Ihrem Heimatland.

1. Gibt es genug bezahlbare Wohnungen für Geringverdiener oder Studenten?
2. In welchen Stadtteilen werden Sozialwohnungen gebaut?
3. Wie sehen die Gebäude aus? Beschreiben Sie sie.
4. Was sollte man Ihrer Meinung nach als Stadtplaner beim sozialen Wohnungsbau beachten?

A27 Diskussion: Neue Bauten statt Denkmalschutz
Sie sind zu einer Gesprächsrunde im Radio eingeladen. Das Thema lautet: *Neue Bauten statt Denkmalschutz: Was ist der richtige Weg für die Stadtplaner?* Diskutieren Sie zu zweit. Wählen Sie eine der folgenden Aussagen aus und beginnen Sie die Diskussion.

(1)

Pro

Denkmalschutz verschlingt enorm viel Geld und bewahrt nicht nur schutzwürdige Bauten. Städte sollten sich viel mehr dazu durchringen, Platz zu schaffen und den sozialen Erfordernissen mit der Schaffung neuer Wohnmöglichkeiten gerecht zu werden.

(2)

Kontra

Mit dem Abbruch vieler alter Häuser verlieren die Städte ein Stück Geschichte und Identität. Es ist auf jeden Fall sinnvoll, Altes unter Denkmalschutz zu stellen und damit zu bewahren.

Zum Ablauf der Diskussion

◊ Diskutieren Sie zu zweit: Eine Person vertritt Aussage 1, die andere Aussage 2.

◊ Verteidigen Sie Ihre Position. Versuchen Sie, Ihre Gesprächspartnerin/Ihren Gesprächspartner von Ihren Argumenten zu überzeugen. Nennen Sie auch Beispiele.

◊ Gehen Sie auf die Argumente Ihrer Gesprächspartnerin/Ihres Gesprächspartners ein.

Dieses denkmalgeschützte Fachwerkhaus befindet sich in der Stadt Quedlinburg in Sachsen-Anhalt. Alte Fachwerkhäuser stehen in Deutschland häufig unter Denkmalschutz.

Zusatzübungen und Tipps zur Prüfungsvorbereitung

B1 Modul Schreiben, Aufgabe 1
Formen Sie den folgenden Text um, indem Sie die auf der rechten Seite angegebenen Wörter und Hinweise unverändert in den Text einarbeiten.

■ **Gehirntraining**

Dr. Siegfried Lehrl von der Universität Erlangen, der 1981 den Begriff *Gehirnjogging* <u>prägte</u>, nennt vor allem zwei Vorteile, die Denksport-Übungen <u>mit sich bringen</u>: <u>Die Fähigkeit</u>, logisch zu <u>denken</u>, wird <u>verbessert</u> und die Merkspanne wird <u>erweitert</u>.

5 Das heißt, man <u>kann</u> sich innerhalb der gleichen Zeit mehr merken, <u>man kann</u> mehr Informationen im Arbeitsspeicher (im Kurzzeitgedächtnis) unterbringen.

Eine US-amerikanische Langzeitstudie mit mehr als 2 800 Teilnehmern <u>hat gezeigt</u>, dass diese Verbesserungen auch fünf Jahre nach dem

10 Gehirntraining noch <u>gemessen werden konnten</u>.

Die Intelligenz <u>lässt sich</u> mit einem guten Gehirntraining ebenfalls fördern. Das <u>gilt</u> vor allem für die sogenannte fluide Intelligenz, für unsere Fähigkeit, kreativ zu denken und Probleme ohne die Hilfe bisheriger Erfahrungen zu lösen. Kaum zu verbessern <u>ist</u> dagegen die kristalline

15 Intelligenz (z. B. unser Wortschatz und anderes Wissen) – hier hilft kein Gehirntraining, sondern nur Lernen.

Erfinder
Folge, Denkvermögen,
Verbesserung, Erweiterung
Lage
und

nach
messbar
kann
trifft zu

lässt sich

B2 Modul Sprechen, Aufgabe 1
Sie nehmen am Seminar *Talentförderung* teil und halten dort einen fünfminütigen Vortrag zum Thema *Talentförderung in der Kindheit*. Wägen Sie unterschiedliche Standpunkte ab. Sie können sich an folgenden Aussagen orientieren. Nennen Sie auch Beispiele.

1
Wer zur Weltspitze gehören will, muss von frühester Kindheit an üben. Eltern sollten talentierte Kinder deshalb unbedingt fördern und zum Üben anhalten.

2
Man sollte Kindern nicht die Kindheit nehmen, indem man sie z. B. dazu drängt, stundenlang ein Instrument zu üben. Kinder gehören auf den Spielplatz. Die Erfahrungen, die Kinder beim Spielen mit anderen machen, sind für ihre Entwicklung sehr wichtig.

3
Kinder, die schon in sehr jungen Jahren erfolgreich sind, können ihren Erfolg in der Regel als Erwachsene nicht halten.

Tipps

Im ersten Teil des Prüfungsmoduls Sprechen halten Sie einen fünfminütigen Vortrag über ein Thema. Es werden zu diesem Thema drei kurze Aussagen vorgegeben, auf die Sie sich beziehen und die Sie mit Beispielen illustrieren sollen. Im Anschluss an Ihren Vortrag findet ein kurzes Gespräch mit den Prüfenden statt.

◇ Ihr Vortrag sollte eine deutlich erkennbare Gliederung vorweisen. Überlegen Sie sich in der Vorbereitungszeit eine gute Struktur und stellen Sie diese zu Beginn Ihres Vortrags kurz vor.

◇ Sammeln Sie in der Vorbereitungszeit Ideen und Gedanken. Beginnen Sie nicht damit, den Vortrag wörtlich auszuarbeiten.

◇ Gehen Sie auf alle Zitate ein. Sie können die Zitate aber unterschiedlich gewichten.

◇ Machen Sie auch Ihre Einstellung zum Thema deutlich.

◇ Bemühen Sie sich sprachlich um adäquaten Wortschatz und vermeiden Sie umgangssprachliche Ausdrücke.

◇ Achten Sie neben der grammatischen Korrektheit auch auf variationsreiche Satzverknüpfungen.

Auf der nächsten Seite finden Sie Redemittel und Wendungen, die Sie für Ihren Vortrag verwenden können.

Den Vortrag einleiten (1)

◊ Im Rahmen unserer heutigen Diskussion möchte ich einen Vortrag über … halten.
◊ In meinem Vortrag geht es um …/befasse ich mich mit der Frage …
◊ Zunächst möchte ich Ihnen kurz meine Gliederung vorstellen.
◊ Beginnen möchte ich mit …
◊ Zuerst werde ich mich mit … auseinandersetzen.
◊ Danach wende ich mich der Frage zu, …
◊ Dann betrachte/beschreibe/erläutere ich …
◊ Zum Schluss werde ich noch kurz auf … eingehen.

Gedanken verbinden/Beziehungen herstellen (3)

◊ Ich komme jetzt zu …
◊ Mein nächster Punkt ist …
◊ Nun wende ich mich der Frage zu …
◊ Des Weiteren sollte man bedenken …
◊ Einen Aspekt habe ich vergessen/möchte ich noch nachtragen: …
◊ In Anlehnung an das/Als Ergänzung zu dem, was ich vorhin gesagt habe, möchte ich noch hinzufügen, dass …
◊ Daraus ergibt sich: …
◊ Daraus folgt, dass …
◊ Die logische Schlussfolgerung ist …
◊ Demzufolge …
◊ Im Gegensatz dazu …
◊ Ungeachtet dessen …
◊ Nichtsdestotrotz …

Den eigenen Standpunkt deutlich machen (6)

◊ Meinen Erfahrungen/Meiner Ansicht nach …
◊ Meines Erachtens …
◊ Für mich ist ausschlaggebend, dass …
◊ Hervorzuheben ist noch ein weiterer Gesichtspunkt: …
◊ Ich bin nicht/ganz deiner/Ihrer Meinung.
◊ … spricht dafür/dagegen.
◊ Diese Ansicht kann ich nicht teilen.
◊ Als Gegenargument lässt sich hier anführen, dass …
◊ Die Situation ist doch folgende: …
◊ Man sollte nicht vergessen, dass …
◊ Wenn man … miteinander vergleicht, dann …
◊ Verglichen mit … ist …

Die Bedeutung des Themas hervorheben/den Wissensstand referieren/Begriffserklärungen vornehmen (2)

◊ Das Thema ist erst seit Kurzem aktuell/wird schon lange diskutiert.
◊ Das Thema ist vor allem für … von großer Bedeutung.
◊ Es ist allgemein bekannt, dass …
◊ Bekannt ist bisher nur, dass …
◊ In der Öffentlichkeit herrscht die Meinung, dass …
◊ Erst kürzlich stand in der Zeitung, dass …
◊ Nach neuesten Erkenntnissen …
◊ Forschungsergebnissen zufolge …
◊ Untersuchungen haben gezeigt, dass …
◊ Wissenschaftler haben herausgefunden, dass …
◊ Unter … verstehe ich: …
◊ Unter … versteht die Wissenschaft: …
◊ Was bedeutet … eigentlich?
◊ Den Begriff … kann man (nicht) klar definieren. Er bezeichnet …

Zitate einbeziehen (4)

◊ Als ich das erste/zweite/dritte Zitat gelesen habe, …
◊ Das (erste) Zitat spricht mich am meisten an.
◊ Das (zweite) Zitat könnte von mir sein.
◊ Mit dem Zitat kann ich mich überhaupt nicht identifizieren/anfreunden.

Beispiele anführen (5)

◊ Hierfür lassen sich einige Beispiele anführen: …
◊ Ein weiteres Beispiel wäre …
◊ Das kann man anhand von Beispielen sehr gut illustrieren/untermauern/widerlegen: …

Vorschläge unterbreiten (7)

◊ Ich schlage vor, dass …
◊ Vielleicht sollte man …
◊ Eine mögliche Lösung/Alternative wäre …

Den Vortrag abschließen (8)

◊ Zusammenfassend kann man feststellen/sagen, dass …
◊ Daraus ergibt sich die Schlussfolgerung, dass …
◊ Die Konsequenzen daraus sind …
◊ Für die Zukunft könnte das bedeuten/heißen, dass …

⋮ Strukturen zum Üben und Festigen

Modalverben

Franz ist krank. Er muss *untersucht werden.*

Eva hat Paul verlassen. Sie könnten *sich mal wieder gestritten haben.*

Der Makler sagte, die Wohnung soll *ein super Schnäppchen sein. Er* will *keine Ahnung haben, warum die Wohnung zum Verkauf steht.*

▶ **Hinweise**

→ Modalverben beschreiben das **Verhältnis einer Person zur Handlung**. Sie drücken in ihrer Grundbedeutung z. B. eine Notwendigkeit aus: Franz ist krank, er muss untersucht werden.

→ Neben ihrer Grundbedeutung haben Modalverben auch eine sogenannte subjektive Bedeutung. Zum Beispiel kann man mithilfe von Modalverben **eine Vermutung ausdrücken**.
Eva und Paul könnten sich mal wieder gestritten haben.
Mit *können, müssen, dürfen* oder *mögen* ist es möglich, einen vermuteten, nicht bewiesenen Sachverhalt in der Gegenwart, Vergangenheit oder Zukunft zu beschreiben. Dasselbe gilt für das Verb *werden*.

→ Modalverben können auch zur **Wiedergabe oder Weitergabe von Informationen, Behauptungen oder Gerüchten** dienen.
Die Wohnung soll ein super Schnäppchen sein.
Mit *sollen* gibt man Informationen wieder, die man irgendwo gehört oder gelesen hat. Der Wahrheitsgehalt der Informationen ist nicht sicher.
Er will keine Ahnung haben, warum die Wohnung zum Verkauf steht.
Mit *wollen* gibt man Informationen wieder, die jemand über sich selbst gesagt hat. Ob die Aussage stimmt, weiß man nicht. Sätze mit *wollen* in subjektiver Bedeutung werden selten verwendet.

→ Die subjektive Bedeutung von Modalverben lässt sich im Präsens oft nur aus dem Kontext erkennen.

▶ **Zeitformen der Modalverben: Modalverben in der Grundbedeutung**

	Aktiv	**Passiv**
Präsens	Er kann gut kochen.	Er muss untersucht werden.
Präteritum	Er konnte gut kochen.	Er musste untersucht werden.
Perfekt	Er hat gut kochen können.	Er hat untersucht werden müssen.
Plusquamperfekt	Er hatte gut kochen können.	Er hatte untersucht werden müssen.
Futur I	Er wird gut kochen können.	Er wird untersucht werden müssen.

▶ **Zeitformen der Modalverben: Modalverben in subjektiver Bedeutung**

	Aktiv	**Passiv**
Gegenwart	*(Klaus ist nicht da.)* Er könnte noch arbeiten.	*(Das Sicherheitssystem ist mangelhaft.)* Das Bild könnte gestohlen werden.
Vergangenheit	*(Klaus war nicht da.)* Er könnte noch gearbeitet haben. Er könnte im Büro gewesen sein.	*(Das Bild ist weg.)* Es könnte gestohlen worden sein.

C1 Welche Wendungen passen zu den folgenden Modalverben in der Grundbedeutung? Ordnen Sie zu. (Manche Wendungen kann man mehreren Verben zuordnen.)

◇ Jemand hat die Erlaubnis für etwas.
◇ Das mache ich gern.
◇ Man hat hier das Recht zu …
◇ Ist es möglich, dass …?
◇ Es ist unbedingt erforderlich, dass …
◇ Jemand ist fähig, etwas zu tun.
◇ Jemand hat nicht vor zu …
◇ Jemand ist nicht in der Lage, etwas zu tun.
◇ Es ist nicht notwendig zu …
◇ Uns bleibt nichts anderes übrig.
◇ Wir haben den Auftrag, …
◇ Die Moral verbietet, dass man so etwas tut.
◇ Es ist nicht erlaubt zu …
◇ Es ist mein Wunsch.
◇ Ich habe die Absicht zu …
◇ Jemand plant etwas.
◇ Dagegen habe ich eine Abneigung.
◇ Wir haben keine andere Wahl.
◇ Es ist empfehlenswert zu …
◇ Das gefällt mir nicht.
◇ Es besteht die Gelegenheit …
◇ Man hat die Möglichkeit …
◇ Eine andere Person erwartet, dass ich …
◇ Gestatten Sie, dass …

können/nicht können

Jemand ist fähig, etwas zu tun.

müssen/nicht brauchen + zu

sollen/sollten/nicht sollen

dürfen/nicht dürfen

mögen/nicht mögen

wollen/nicht wollen

 C2 Ersetzen Sie die Modalverben in der Grundbedeutung durch synonyme Wendungen und nehmen Sie entsprechende Umformungen vor.

◇ Ich mag diese Wohnung nicht.

Diese Wohnung gefällt mir nicht.

1. Paul kann sich diese Wohnung finanziell nicht leisten.

   ....

2. In diesem Haus darf man keine Fahrräder abstellen.

   ....

3. Otto will sich sowieso eine andere Wohnung suchen.

   ....

4. Man sollte Rücksicht auf seine Wohnungsnachbarn nehmen.

   ....

5. Wir müssen das Dach unseres Hauses neu decken lassen, es regnet durch.

   ....

6. Im 18. Stock kann man über die ganze Stadt bis zu den Bergen sehen.

....

7. Oma kann nicht in ein Haus ohne Fahrstuhl ziehen.

....

8. Kann ich mal Ihr Telefon benutzen?

....

9. Die Mieter sollen ab jetzt die Fenster im Treppenhaus selber putzen. Das hat die Hausverwaltung beschlossen.

....

10. Müssen die Mieter diesen Beschluss tatsächlich akzeptieren?

....

 Ergänzen Sie in der Tabelle die Verben in der Vermutungsbedeutung.
Achten Sie auf die unterschiedlichen Modi (Indikativ, Konjunktiv II).

> könnten ◊ nicht können ◊ müssen ◊ mögen ◊ dürften ◊ können ◊ werden ◊ müssten

Verb	Beispielsatz	Bedeutung	synonyme Wendungen
1.	Das..................stimmen.	Vermutung (sehr wenig Sicherheit)	eventuell/möglicherweise
2. ..../	Sie........................../ ....sich gestritten haben.	Vermutung (wenig Sicherheit)	möglicherweise/vielleicht/ vermutlich/es ist denkbar/ es ist möglich
3. ..../	Die letzte Renovierung ..../ ....mehr als zehn Jahre zurückliegen.	Vermutung (etwas mehr Sicherheit)	wahrscheinlich/vieles spricht dafür/sicherlich/es ist damit zu rechnen
4.	Die Aussagen des Gutachters ....korrekt sein.	Vermutung (viel Sicherheit)	höchstwahrscheinlich/ich bin mir ziemlich sicher
5.	In dem Haus.................. es schon einmal gebrannt haben. (Die Dachbalken sind verkohlt.)	Schlussfolgerung (sehr viel Sicherheit)	sicher/zweifellos/ganz bestimmt/für mich steht fest
....	So viel Geld.................. der Vorbesitzer.................. in das Haus investiert haben.		sicher nicht/mir scheint es unmöglich/es ist unvorstellbar

C4 Bilden Sie Sätze mit Vermutungsbedeutung.

◊   Gefäß – ca. 2 000 Jahre   *Das Gefäß dürfte ca. 2 000 Jahre alt sein.*

1. Fahrrad – entwenden   ....

2. er – gleich kommen   ....

3. 2100 – erste Häuser – Mars – bauen   ....

4. Klaus – Unterlagen – verlieren   ....

5. Kunstwerk – nicht verkaufen   ....

6. sie – Andreas – sich verlieben   ....

7. alte Möbel – abholen   ....

8. er – Geld – stehlen   ....

9. sie – Vorsitzende – wählen   ....

10. Tür – Nachschlüssel – öffnen   ....

C5 Suchen Sie für die unterstrichenen Wendungen die entsprechenden Modalverben.

◇ <u>Es ist unvorstellbar</u>, dass er den Termin einfach vergessen hat.

*Er **kann** den Termin **nicht** vergessen haben.*

1. <u>Ich bin mir sicher</u>, dass er krank ist, sonst wäre er gekommen.

   Er .... krank sein, sonst wäre er gekommen.

2. <u>Es ist denkbar</u>, dass sie sich noch verbessert.

   Sie .... sich noch verbessern.

3. Um diese Zeit ist <u>höchstwahrscheinlich</u> Stau auf der Autobahn.

   Um diese Zeit .... Stau auf der Autobahn sein.

4. <u>Vermutlich</u> hat er sein Urlaubsgeld schon ausgegeben.

   Er .... sein Urlaubsgeld schon ausgegeben haben.

5. <u>Wahrscheinlich</u> bekommt Herr Sommer die ausgeschriebene Direktorenstelle.

   Herr Sommer .... die ausgeschriebene Direktorenstelle bekommen.

6. <u>Es ist ausgeschlossen, dass</u> er der Täter war. Er hat ein Alibi.

   Er .... der Täter gewesen sein. Er hat ein Alibi.

7. <u>Sicher</u> hat der Hausmeister davon etwas gewusst!

   Der Hausmeister .... davon etwas gewusst haben.

8. <u>Es ist damit zu rechnen</u>, dass sein Anwalt jeden Moment erscheint.

   Sein Anwalt .... jeden Moment erscheinen.

9. <u>Möglicherweise</u> kommt es demnächst in der Firma zu Umstrukturierungen.

   Es .... demnächst in der Firma zu Umstrukturierungen kommen.

C6 Ergänzen Sie die fehlenden Modalverben in der Grund- und Vermutungsbedeutung in der richtigen Form.

■ **Spektakulärer Fund in Köln**

Haben Sie eigentlich noch alle Ihre Goldbarren? Vielleicht .... (1) Sie besser mal nachschauen, denn am Kölner Hauptbahnhof wurden in einem Schließfach nun mehrere Kilo Goldbarren und Bargeld
5 in sechsstelliger Höhe gefunden.
Wie wir aus etlichen Krimis wissen, ... (2) Bahnhofsschließfächer nicht nur Koffer aufnehmen. Hier wird alles deponiert, was schnell und sicher zwischengelagert werden .... (3): schwere
10 Einkaufstüten, die beim Stadtbummel stören, diverse Drogen, gestohlene Unterlagen oder eben ein bisschen Gold. Für ein paar Münzen bekommt man ein anonymes Depot, das 72 Stunden lang alles aufnimmt, was gerade im Weg ist.
15 Normalerweise ist es nichts Weltbewegendes, wenn Bahn-Service-Mitarbeiter eine Schließfachtür öffnen, weil die Mietzeit überschritten ist. Aber dieses Mal .... (4) der Fund deutlich aus dem Rahmen gefallen sein, denn sie schalteten sofort die Po-
20 lizei ein. Die Polizei hat das Naheliegende getan und recherchiert, ob der Schatz aus einem Raubzug stammen .... (5) – ohne Ergebnis. Ein Eigentümer für das gefundene Gold .... (6) bisher nicht ermittelt werden. Deswegen ist die Polizei jetzt
25 an die Öffentlichkeit gegangen, in der Hoffnung, dass jemand Anspruch auf den Goldschatz erhebt. Wie viele Barren Gold und wie viel Geld im Schließfach lagen, ... (7) der Kölner Oberstaatsanwalt
30 Ulrich Bremer nicht sagen. Denn das .... (8) außer der Polizei nur der Eigentümer wissen,
35 und nur so .... (9) man sicher sein, ob er wirklich der richtige ist. Trittbrettfahrer, die sich in der Hoffnung auf schnellen Reichtum melden, ... (10) so aussortiert werden.
Möglicherweise .... (11) sich der Ei-
40 gentümer nicht melden, weil er in der heißen Karibiksonne oder sonst irgendwo liegt. Vielleicht .... (12) er es auch nicht, weil er doch nicht so ganz rechtmäßig an Geld und Gold gekommen ist. Aber was dann? „Dann bekommt der Staat
45 den Schatz", sagt Oberstaatsanwalt Bremer, „das ist zivilrechtlich genau geregelt." Die Goldbarren .... (13) zum Beispiel versteigert werden und mit dem Geld .... (14) die Stadt Köln eine neue U-Bahn bauen. Wie lange die Behörden
50 damit warten .... (15), ist aber noch unklar.

C7 Neuigkeiten von den Koalitionsverhandlungen
Sagen Sie, was die Medien über die Verhandlungen zur Bildung einer neuen Regierung berichtet haben.
Bilden Sie Sätze im Passiv mit Modalverb. Achten Sie auf fehlende Präpositionen und den richtigen Kasus.

◇ Unternehmen – Steuern und Sozialausgaben – entlasten

Unternehmen sollen bei Steuern und Sozialausgaben entlastet werden.

1. Arbeitsmarkt – Zuwanderer – öffnen

   ....

2. Spitzensteuersatz – 48 Prozent – erhöhen

   ....

3. Missbrauch von Leih- und Zeitarbeit – wirksam bekämpfen

   ....

4. Betreuungszeiten – Kinder – Rentenberechnung – berücksichtigen

   ....

5. Renteneintrittsalter – weiter – anheben

   ....

6. gesetzlicher Mindestlohn – alle Branchen – erhöhen

   ....

7. bisheriges Gesundheitssystem – gesetzliche und private Krankenkassen – verändern

   ....

8. doppelte Staatsbürgerschaft – zulassen

   ....

C8 Geben Sie die folgenden Gerüchte und Behauptungen mithilfe eines Modalverbs weiter.

◇ Ich habe gehört, dass sich Frau Meier einen großen Diamantring gekauft hat.

Frau Meier soll sich einen großen Diamantring gekauft haben.

1. Dabei hat mir unsere Friseuse gesagt, dass Frau Meier das Geld ihres verstorbenen Mannes mit vollen Händen ausgegeben hat und jetzt pleite ist.

   ....

   ....

2. Und mein Elektriker erzählte mir kürzlich, Frau Meier hätte ihre Rechnung immer noch nicht bezahlt.

   ....

3. Frau Meier behauptet aber, alle Rechnungen immer pünktlich zu zahlen. (Ich hatte sie darauf angesprochen.)

   ....

4. Im Wochenblatt stand, dass ein stadtbekannter Einbrecher wegen guter Führung vorzeitig aus dem Gefängnis entlassen wurde.

   ....

   ....

5. Im Supermarkt habe ich gehört, dass dieser Einbrecher im Nachbarhaus eine Wohnung bekommt.

   ....

6. Der Einbrecher sagt noch heute, er habe keinen einzigen Einbruch begangen.

   ....

7. Mir ist außerdem zu Ohren gekommen, dass die Nobelboutique gegenüber schließt.

   ....

8. Der Freund der Besitzerin, so hörte ich, hat sich mit 100 000 Euro aus dem Staub gemacht.

   ....

C9 Geben Sie an, ob die Modalverben Grund- oder Vermutungsbedeutung haben. Bestimmen Sie die Grund- und Vermutungsbedeutung näher. Formulieren Sie die Sätze dann in der Vergangenheit.

◇ Sie muss noch arbeiten. (*Grundbedeutung: Notwendigkeit*)

Sie musste noch arbeiten.

Er muss noch im Büro sein. (*Vermutungsbedeutung: Sicherheit*)

Er muss noch im Büro gewesen sein.

1. Fritzchen darf jeden Abend bis 22.00 Uhr fernsehen. (..)

   ....

2. Diese Angaben dürften nicht stimmen. (..)

   ....

3. Er muss noch viel lernen. (..)

   ....

4. Er muss sich irren. (..)

   ....

5. Sie will diesen Fehler nicht noch einmal machen. (..)

   ....

6. Sie will die beste Schauspielerin Deutschlands sein. Sagt sie über sich selbst. (..)

   ....

7. Sie kann diese schwierigen Aufgaben ohne Probleme lösen. (..)

   ....

8. In diesem Fall könnten Sie im Recht sein. (..)

   ....

C10 Formen Sie die Sätze um, indem Sie ein Modalverb verwenden.

◇ Es ist uns nicht gestattet, vertrauliche Informationen weiterzugeben.

Wir dürfen keine vertraulichen Informationen weitergeben.

1. Er hat den Termin ganz bestimmt vergessen.

   ....

2. Jemand hat mir erzählt, dass sich Udo schon wieder ein neues Auto gekauft hat.

   ....

3. Er hatte den Auftrag, die neuen Produkte vorzustellen.

   ....

4. An wen denkt er jetzt wohl?

   ....

5. Ich habe mich möglicherweise geirrt.

   ....

6. Die Außenminister haben wegen der Krise höchstwahrscheinlich schon Kontakt aufgenommen.

   ....

7. Er meint, er sei der beste Torwart der Bundesliga.

   ....

8. Ist es erlaubt, den Kopierer zu benutzen?

   ....

9. Ich habe in der Zeitung gelesen, dass deutsche Schüler im internationalen Vergleich nur mittelmäßig abgeschnitten haben.

   ....

10. <u>Es war notwendig</u>, dass der Betrieb umstrukturiert wurde.

....

11. Die Stadt <u>beabsichtigt</u>, den alten Wasserturm abzureißen.

....

12. Es ist <u>mit Sicherheit anzunehmen</u>, dass der Beschluss Proteste hervorruft.

....

13. Eine Wiederholung der Aufgaben <u>ist nicht notwendig</u>.
    Die Aufgabe ....

14. <u>Wahrscheinlich</u> wurde das Bild gestohlen.

....

15. <u>Es wird empfohlen</u>, in den Räumen Schutzkleidung zu tragen.

....

16. <u>In der Zeitung stand</u>, dass die Benzinpreise im nächsten Monat wieder steigen werden.

....

C11 Formen Sie die Sätze so um, dass Sie kein Modalverb mehr verwenden.

◇ Wir <u>wollen</u> dieses Jahr nach Spanien fahren.
   Wir beabsichtigen, dieses Jahr nach Spanien zu fahren.

◇ Er <u>will</u> mich nicht gesehen haben.
   Er behauptet, dass er mich nicht gesehen hat/hätte.

1. Er <u>könnte</u> dieses Jahr noch befördert werden.

....

2. Sie <u>muss</u> die Tiere täglich mit Wasser und Nahrung versorgen.

....

3. Die Angaben des Täters <u>können nicht</u> stimmen.

....

4. Es <u>soll</u> morgen schon wieder regnen!

....

5. Er <u>dürfte</u> diese Nachricht noch nicht erhalten haben.

....

6. Der Chef <u>sollte</u> über den Vorfall informiert werden.

....

7. <u>Können</u> Sie den gesamten Betrag sofort und bar zahlen?

....

8. Nach langer Wartezeit <u>durften</u> sie endlich das Land verlassen.

....

9. Er <u>muss</u> den Unfall gesehen haben. Er stand direkt daneben.

....

10. Der gefundene Schmuck <u>müsste</u> aus dem Einbruch beim Juwelier Goldschmidt stammen.

....

Anmerkung:

Wenn man Modalverben **in der Grundbedeutung** durch synonyme Ausdrücke ersetzt, bekommt der Satz einen formalen, offiziellen Stil. Im privaten Sprachgebrauch bevorzugt man deshalb die Verwendung der Modalverben: Wir wollen dieses Jahr nach Spanien fahren.

In der subjektiven Bedeutung würde man im normalen Sprachgebrauch in einigen Kontexten eher die synonymen Ausdrücke verwenden: Er behauptet, dass er mich nicht gesehen hat. Ich bin mir sicher, dass er lügt.

Kunst und Kultur

Ausstellung

Kunst

(A1) Was ist Ihrer Meinung nach *Kunst*?

a) Ist das alles *Kunst*? Begründen Sie Ihre Entscheidungen.

Kunst ist

… der Entwurf eines Architekten,

… das Lächeln der „Mona Lisa" von Leonardo da Vinci,

… das Gericht eines Drei-Sterne-Kochs,

… der Lehmhaufen des Künstlers Joseph Beuys im Museum,

… ein maßgeschneiderter Anzug,

… die Bleistiftzeichnung eines Kindes,

… ein preisgekrönter Kurzfilm,

… ein Werbefilm,

… eine weiße Leinwand, gerahmt,

… die Fotografie einer Landschaft in einem Museum (von einem bekannten Fotografen),

… die Fotografie einer Landschaft in einem Reiseprospekt,

… die Fotografie einer Landschaft, die Sie im letzten Urlaub gemacht haben,

… der schöne handgefertigte Übertopf, in dem jetzt Ihre Palme steht.

b) Sammeln Sie allein oder in Gruppen Kriterien für *Kunst* und diskutieren Sie diese anschließend im Plenum.

(A2) Definitionen für *Kunst*

a) Lesen Sie die folgenden Definitionen.

3 „Kunst ist ein menschliches Kulturprodukt und damit immer das Ergebnis eines kreativen Prozesses. In diesem Sinne kann alles Kunst sein."

1 „Bestimmend für Kunst ist ein ausgesprochener Sinn für Ästhetik als Abgrenzung zum Hässlichen. Ein Kunstwerk kann nur dann als solches bezeichnet werden, wenn es Schönheit und Harmonie in sich vereint und das Auge des Betrachters erfreut."

2 „Kunst bezeichnet jede entwickelte Tätigkeit, die auf Wissen, Übung, Wahrnehmung, Vorstellung und Intuition gegründet ist. Im engeren Sinne werden damit Ergebnisse gezielter menschlicher Tätigkeit benannt, die nicht eindeutig durch Funktionen festgelegt sind."

4 „Kunst ist schöpferisches Gestalten mithilfe der verschiedensten Materialien oder mit Mitteln der Töne und Sprache als Ergebnis der Auseinandersetzung mit Natur und Welt."

5 „Kunst gibt nicht das Sichtbare wieder, sondern macht sichtbar."
Paul Klee

b) Welche der Definitionen entspricht am ehesten Ihrem persönlichen Kunstverständnis? Welche Aspekte würden Sie ergänzen?

c) Schreiben Sie eine eigene Definition für *Kunst*.

> *Wenn ich wüsste, was Kunst ist, würde ich es für mich behalten.*
>
> Pablo Picasso

A3 Sie hören Meinungen zum Thema *Kunst*. **10**
Entscheiden Sie, ob die folgenden Aussagen mit dem Gesagten übereinstimmen oder nicht.
Sie hören jede Meinung einmal.

	ja	nein
Person 1		
a) versteht Kunst als eine Form der Selbstdarstellung, die unabhängig von finanziellen Absichten existieren sollte.	☐	☐
b) findet, dass Kunst und Kommerz untrennbar miteinander verbunden sind.	☐	☐
Person 2		
a) ist der Meinung, dass sich ein gelungenes Kunstwerk seinem Betrachter erschließen muss.	☐	☐
b) glaubt, dass einem Künstler die Meinungen zu seinem Werk egal sein können.	☐	☐
Person 3		
a) definiert Kunst als etwas, das Reaktionen auslöst.	☐	☐
b) meint, dass Kunst und Kunstverständnis etwas wenig Individuelles sind.	☐	☐
Person 4		
a) vertritt die Ansicht, dass der Konsument ein Kunstwerk grundsätzlich anders wahrnimmt als der Künstler.	☐	☐
b) behauptet, Kunst sei zeitlos.	☐	☐

A4 Formen Sie die Sätze um, indem Sie die in Klammern angegebenen Wörter in der passenden Form einarbeiten.

◊ Kunst ist eine Möglichkeit, seine Gedanken und Gefühle <u>auszudrücken</u>. *(Ausdruck)*

Kunst ist eine Möglichkeit, seinen Gedanken und Gefühlen Ausdruck zu verleihen/seine Gedanken und Gefühle zum Ausdruck zu bringen.

1. Vielen Menschen ist eine kommerziell interessierte Kunstproduktion <u>ein Dorn im Auge</u>. *(skeptisch)*

   ....

2. Eine konsumorientierte Kunst <u>schadet</u> dem Kunstbegriff. *(Schaden)*

   ....

3. Kunst <u>ist</u> eine Form von Kommunikation. *(bezeichnen können)*

   ....

4. Der Künstler <u>will</u> mit seinem Werk etwas mitteilen. *(Absicht)*

   ....

5. Er kann mit Kunst Vorgänge <u>kritisieren</u> oder auf Missstände <u>aufmerksam machen</u>. *(Kritik – Aufmerksamkeit)*

   ....

6. Kunst <u>kann etwas</u> zur gesellschaftlichen Entwicklung <u>beitragen</u> und wichtige Fragen stellen. *(Lage – Beitrag)*

   ....

7. In vielen Fällen <u>hat</u> der Künstler eine Botschaft für den Betrachter und <u>hofft</u>, dass dieser sie versteht. *(übermitteln wollen – Hoffnung)*

   ....

8. Jede Generation <u>sieht</u> etwas anderes in einem Kunstwerk als die vorangegangene, unabhängig davon, was der Künstler einst <u>ausdrücken wollte</u>. *(interpretieren – Sinn)*

   ....

9. Und vielleicht ist es ja das, was Kunst auszeichnet: dass sie immer wieder neu zur <u>Reflexion</u> und <u>Interpretation</u> anregt. *(reflektieren – interpretieren)*

   ....

A5 Kunstgattungen

a) Welche der angegebenen Kunstgattungen halten Sie persönlich für die interessanteste?

b) Welche drei haben Ihrer Meinung nach den größten gesellschaftlichen Einfluss?

c) Sammeln Sie in Gruppen zu jeder Kunstgattung möglichst viele passende Nomen und Verben.

Musik	Architektur
Film	Videokunst
Theater	Fotografie
Literatur	Malerei
Tanz	Bildhauerei
Street-Art	Multimedia-Installationen

A6

■ Moderne Kunst

Bei Ausstellungsbesuchen kann man immer wieder bemerken, dass ein Großteil der Betrachter irritiert vor den Objekten zeitgenössischer Kunstschaffender steht und sich vergeblich bemüht, die Werke zu interpretieren. Das könnte ein dreijähriges Kind, denkt sich da so mancher, oder man ruft bei so viel Verworrenheit oder verstecktem Tiefsinn nach psychologischer Hilfe. Doch auch die wortreichen Erläuterungen von Galeristen oder Gelehrten helfen uns oft nicht, das Dargestellte zu verstehen. Befragt man den Künstler/die Künstlerin selbst (allerdings ergibt sich eine solche Gelegenheit nur selten), kommt man unter Umständen zu der Meinung, er oder sie solle dann doch lieber malen als reden, denn das Chaos in unseren Köpfen ist nun perfekt. Wie wohltuend heben sich da z. B. die Werke van Goghs, Kandinskys oder Paul Klees ab. Da weiß der kunstsinnige Betrachter gleich, in welcher Phase des Künstlers das Werk entstand, was der Meister beim Schöpfungsakt dachte und was das Dargestellte bedeuten soll. Wie elektrisiert

W. Kandinsky: Dreißig, 1937 © VG Bild-Kunst

bestaunen wir das Kunstwerk, welches wir als Ausdruck der vergangenen Epoche, als Widerspiegelung des Zustandes der Gesellschaft erkennen und nachempfinden.

Schenken wir also der Theorie „Das Kunstwerk ist das Werk eines einzelnen, Kunst aber ist die Äußerung der Gesellschaft und der Epoche, in der sie entstand" Glauben, müssen wir davon ausgehen, dass die für uns unverständlichen Werke heutiger Kunstschaffender Ausdruck unserer Gesellschaft, Repräsentanten unserer Epoche sind. Doch widerspricht diese These nicht unserem Unverständnis?

Wie kommt es, dass von uns heute überaus geschätzte Kunstwerke von damaligen Betrachtern ignoriert oder verachtet wurden? Ist die zeitliche Diskrepanz im Verständnis von Kunst damit zu erklären, dass es immer neue Strömungen und Moden geben muss, damit sich im Gegensatz dazu das alte, „vor kurzem noch so unverständliche, bizarre, ja verrückte Werk plötzlich als klar und verständlich" erweist? Ist „moderne Kunst ebenso unpopulär, wie populäre Kunst unmodern" ist?

a) Fassen Sie den Inhalt des Textes mit eigenen Worten zusammen.

b) Erklären Sie die folgenden Ausdrücke aus dem Text.

1. <u>irritiert</u> vor den Objekten stehen ....
2. sich <u>vergeblich</u> bemühen ....
3. bei so viel <u>Verworrenheit</u> ....
4. die Werke <u>heben sich ab</u> ....
5. <u>geschätzte</u> Kunstwerke ....
6. <u>sich erweisen</u> ....

c) Formen Sie die Sätze um, indem Sie die in Klammern angegebenen Wörter verwenden.

1. Bei Ausstellungsbesuchen kann man immer wieder <u>bemerken</u>, dass ein Großteil der Betrachter irritiert vor den Objekten zeitgenössischer Kunstschaffender steht. *(Beobachtung)*

   ....

2. Er <u>bemüht sich</u> vergeblich, die Werke zu interpretieren. *(Versuch)*

   ....

3. Auch die Erläuterungen von Galeristen helfen uns oft nicht, <u>das Dargestellte zu verstehen</u>. *(Zugang)*

   ....

4. Das Kunstwerk ist das Werk eines einzelnen, Kunst <u>aber</u> ist die Äußerung der Gesellschaft und der Epoche, in der sie entsteht. *(während)*

   ....

5. <u>Widerspricht</u> diese These nicht unserem Unverständnis? *(Widerspruch)*

   ....

d) Wählen Sie eines der beiden Themen aus. Sprechen Sie ungefähr drei Minuten.

A *Moderne Kunst ist ebenso unpopulär, wie populäre Kunst unmodern ist.*

B *Moderne Kunst in meinem Heimatland*

Diskutieren Sie die Aussage aus dem Text. Stellen Sie Ihre Meinung dar und begründen Sie sie.

Informieren Sie darüber, welchen Stellenwert moderne Kunst in Ihrem Heimatland hat. Berichten Sie über eine Künstlerin/einen Künstler, die/der besonders populär ist.

 A7 Eigenschaften und Beschreibungen

a) Bilden Sie aus den Nomen Adjektive. Mit welchen Adjektiven lässt sich moderne Kunst Ihrer Meinung nach beschreiben? Suchen Sie noch weitere Adjektive. Arbeiten Sie in Gruppen und präsentieren Sie am Ende das Ergebnis.

◇ das Bild	→ *bildlich*	7. die Provokation	→ ....
1. der Hintergrund	→	8. die Gesellschaftskritik	→ ....
2. das Symbol	→	9. die Sensation	→ ....
3. das Experiment	→	10. die Langeweile	→ ....
4. die Ideologie	→	11. der Durchschnitt	→ ....
5. die Politik	→	12. der Verstand	→ ....
6. die Schönheit	→	13. die Moral	→ ....

Zusatzübungen zu abgeleiteten Adjektiven ⇨ Teil C Seite 197

b) Wählen Sie ein Gemälde aus und stellen Sie es vor.
Beschreiben Sie das Bild und berichten Sie, was Ihnen besonders gut bzw. was Ihnen nicht gefällt.

A8
Klassenspaziergang
Suchen Sie sich drei Fragen aus und befragen Sie möglichst viele Kursteilnehmerinnen und Kursteilnehmer.
Geben Sie danach die Antworten in zusammengefasster Form wieder.

1. Wer ist Ihr Lieblingskünstler?

2. Gehen Sie oft in Kunstausstellungen, Theater- oder Opernaufführungen?
    Wenn ja, wie oft?

3. Welche Ausstellung oder Aufführung hat Sie besonders beeindruckt?
    Berichten Sie darüber.

4. Was ist Ihr Lieblingsmuseum? Beschreiben Sie es kurz.

5. Waren Sie schon einmal bei einer Ausstellungseröffnung in einer Galerie
    oder einem Museum? Wenn ja, berichten Sie.

6. Was stellen Sie sich unter *Aktionskunst* vor? Waren Sie schon einmal bei
    der Performance eines Aktionskünstlers? Wenn ja, berichten Sie.

7. Haben Sie sich schon einmal über ein Bild, eine künstlerische Performance
    oder eine Theater- oder Opernaufführung geärgert? Wenn ja, warum?

8. Was würden Sie machen, wenn Sie in der Oper sitzen und Ihnen die Insze-
    nierung nicht gefällt?

9. Sollte es Ihrer Meinung nach für Kunst gewisse Grenzen und Beschränkun-
    gen geben?

A9

■ Die Grenzen der Kunst

Ein Mann zeigt als Kunst-Per-formance den Hitlergruß und wird angezeigt, die Lieder eines Rappers landen auf dem Index,
5 weil in ihnen Hass gegen Minderheiten zum Ausdruck kommt sowie wirre Mordfantasien beschrieben werden, und in Berlin nimmt man eine Operninszenie-
10 rung vom Spielplan, nachdem es Drohungen gegen das Haus gegeben hatte und man gewalttätige Proteste fürchtete. Der Grund für den Unmut: In der Inszenie-
15 rung werden die Führer der großen Weltreligionen enthauptet.

Wie hat man diese Maßnahmen einzuschätzen? Sind sie verständliche Reaktionen auf ei-
20 ne vermeintlich aus dem Ruder laufende Kulturpraxis, die vor keiner moralisch-ethischen Grenze mehr Halt macht, oder übertriebene Handlungen, die einer Zensur gleichkommen? Anders gefragt: Was darf die Kunst? Im Falle des den Hitlergruß zeigenden Künstlers, bei dem es sich im Übrigen um Jonathan Meese handelte, ein *Enfant terrible* der deutschen Kunstszene, scheint die Lage zunächst eindeutig.

In Deutschland ist das Benutzen und Zeigen verfassungswidriger Symbole, zu denen auch der Hitlergruß gehört, im Alltag ver-
40 boten. Toleriert wird dies nur als symbolischer Akt im geschützten Rahmen kultureller Einrichtungen und Veranstaltungen, etwa auf der Bühne, im Museum
45 oder in einer Galerie. Meese aber reckte seinen Arm bei einer Podiumsdiskussion zum Thema *Größenwahn in der Kunstwelt*, also quasi öffentlich, und rief damit
50 den Staatsanwalt auf den Plan. Zwar wollte Meese seine Aktion als künstlerische Handlung verstanden wissen, aber dies konnte nicht verhindern, dass es zur An-
55 klage kam. Der Staat sah die Sache eben anders. Zu Recht?

Es gehörte immer schon zum Merkmal der Kunst, dass sie nicht nur die Grenzen des guten Ge-
60 schmacks, sondern auch die der Erträglichkeit antastete, mit Provokation als Mittel zum Zweck. Nicht wenige sind der Meinung, dass Kunst verstören und an-
65 ecken muss, um zu wirken und ihr Ziel zu erreichen. Und nicht nur das, es sei geradezu die Natur der Kunst, die Allgemeinheit herauszufordern. Aber darf sie des-
70 wegen gleich alles? Wo sind für

Kunst die Grenzen zwischen erlaubt und nicht erlaubt? Längst ist diese Frage auch ein Element, mit dem Künstler in ihrer Arbeit
75 genüsslich spielen, den empörten Aufschrei von Staat und Gesellschaft bewusst einkalkuliert. Schließlich geht es nicht selten auch um Wahrnehmung und das
80 Erlangen von Bekanntheit.

Die Freiheit der Kunst ist in der deutschen Verfassung garantiert, aber auch der Schutz des Einzelnen. Wer sich durch Kunst
85 beleidigt oder in seinen Gefühlen verletzt sieht, darf gegen sie juristisch vorgehen, etwa gegen die Lieder des eingangs erwähnten Rappers. Die Kunstfreiheit hört
90 also da auf, wo die Rechte anderer schwerer wiegen. Es ist jedoch zuweilen eine heikle Gratwanderung zu entscheiden, wo die Kunst den Boden ihrer gesetzlich
95 zugesicherten Freiheit verlässt und die Verhöhnung und Herabsetzung des Individuums anfängt. Was ist noch Kunst, was schon Wirklichkeit? Die Grenzen sind
100 fließend, und was genau man unter *Kunst* zu verstehen hat, wurde im deutschen Grundgesetz nicht festgeschrieben. Da bleibt nur, jeden Einzelfall gesondert zu be-
105 trachten und genau abzuwägen. ⇨

Trotzdem gibt es eine Richtschnur, an der man sich orientieren kann: Ohne Sinn und Verstand agierender Kunst, die Gewalt verherrlicht, gegen andere und Andersdenkende gerichtet ist und menschenverachtende Inhalte enthält, sind unbedingt Grenzen zu setzen.

Jonathan Meese übrigens wurde vom Gericht freigesprochen. Begründung: Sein Hitlergruß sei eindeutig als Kunstaktion zu verstehen und nicht als Verherrlichung der Nazi-Diktatur. Allgemein wurde der Richterspruch als Stärkung der Kunstfreiheit gewertet. Der Künstler selbst sagte nach dem Urteil, er lehne jede Ideologie ab, er sei jedoch geschmacklos und habe das Recht dazu.

a) Fassen Sie den Text mit eigenen Worten zusammen.

b) Welches Verb passt? Ordnen Sie zu.

1.	die Grenzen des guten Geschmacks	a)	machen
2.	eine Operninszenierung vom Spielplan	b)	herausfordern
3.	Proteste des Publikums	c)	verletzen
4.	vor nichts Halt	d)	fürchten
5.	den Staatsanwalt auf den Plan	e)	austesten
6.	zur Anklage	f)	setzen
7.	die Allgemeinheit	g)	nehmen
8.	Bekanntheit	h)	betrachten
9.	Rechte anderer	i)	rufen
10.	einen Einzelfall gesondert	j)	erlangen
11.	klare Grenzen	k)	kommen

c) Ersetzen Sie die unterstrichenen Satzteile durch Synonyme.

1. wirre Mordfantasien

   ....

2. Die Lieder eines Rappers landen auf dem Index.

   ....

3. eine aus dem Ruder laufende Kulturpraxis

   ....

4. ein Element, mit dem Künstler in ihrer Arbeit genüsslich spielen

   ....

5. Das ist eine heikle Gratwanderung.

   ....

d) Ersetzen Sie die Modalverben durch synonyme Wendungen. Nehmen Sie die dazu notwendigen Umformungen vor.

1. Was darf die Kunst?

   ....

2. Der Künstler wollte seine Aktion als Performance verstanden wissen.

   ....

3. Aber dies konnte nicht verhindern, dass es zur Anklage kam.

   ....

4. Nicht wenige sind der Meinung, dass Kunst verstören und anecken muss.

   ....

5. Wer sich durch Kunst beleidigt fühlt, darf gegen sie juristisch vorgehen.

   ....

6. Es gibt eine Richtschnur, an der man sich orientieren kann.

   ....

e) Nimmt der Text eine eindeutige Haltung in Bezug auf die Freiheit der Kunst ein? Wenn ja, welche?

A10 Ergänzen Sie die passenden Adjektive in der richtigen Form.

- ◇ moralisch
- ◇ unverdächtig
- ◇ verfassungs- widrig
- ◇ röhrend
- ◇ lautstark
- ◇ üppig
- ◇ kubistisch
- ◇ gültig
- ◇ gesetzlich
- ◇ staatlich
- ◇ kunstsinnig
- ◇ menschlich
- ◇ akzeptiert

■ Umstrittene Kunst

Ein *üppiges* (0) Stillleben aus dem Barock, der .... (1) Hirsch in Öl über der Wohnzimmer-couch oder die .... (2) Expe-
5 rimente einiger Maler der Moderne – alles .... (3) Kunst. Vielleicht nicht immer als schön empfunden und manchmal einfach als Blödsinn abgetan, aber im Allgemeinen nichts, was Schock-
10 zustände auslöst. Der mehr oder weni-ger .... (4) Betrachter bleibt unberührt oder verzieht höchstens miss-billigend das Gesicht. Anders verhält es sich vielfach mit Werken oder Kunstakti-
15 onen, die gegen gesellschaftliche Regeln zu verstoßen scheinen oder ganz bewusst .... (5) und .... (6) Grenzen übertreten. So etwas geht doch nicht, wird dann unisono und mit Über-
20 zeugung gerufen. Empörung und Ab-scheu sind die Folge und nicht selten .... (7) Protest; zuweilen müs-sen sogar .... (8) Stellen ein-greifen und den allzu provokant auftreten-

25 den Künstlern Einhalt gebieten, vor allem dann, wenn Persönlichkeitsrechte verletzt werden oder ein .... (9) Inhalt auftaucht. Die Frage, was in der Kunst erlaubt ist und was nicht, ist vermutlich
30 genauso alt wie die .... (10) Kunstproduktion selbst. Und mit jeder Generation und Epo-che verschieben sich mit den
35 Wandlungen des Kunst-begriffs auch die Koordi-naten des-
40 sen, was als .... (11) Kunst gilt oder nicht. Es wird da-her immer auch Künst-
45 ler geben, die gegen den jeweils .... (12) Konsens aufbegeh-ren und die Grenzen des Tolerierbaren austesten.

Zusatzübungen zur Adjektivdeklination ⇨ Teil C Seite 193

A11 Kultursubventionierung
Diskutieren Sie in kleinen Gruppen und berichten Sie anschließend über Ihre Ergebnisse.

1. Braucht der Mensch Kultur?

2. Wer sollte Kultureinrichtungen Ihrer Meinung nach finanzieren: der Staat, die Nutzer oder private Sponsoren?

3. Halten Sie jede Art von Kultur für subventionswürdig?

A12 Leserbrief an eine Tageszeitung

Sie haben im Feuilleton einer Tageszeitung eine Artikelserie zum Thema *Kultursubventionierung* gelesen. Schreiben Sie einen ausführlichen Leserbrief (ca. 350 Wörter) an die Redaktion, in dem Sie sich auf die drei folgenden Aussa-gen beziehen und Ihre Meinung dazu äußern.

1

Wo Kultureinrichtungen ein wirkliches Bedürfnis befriedi-gen, finanzieren sie sich von allein.

2

Es ist nicht nachvollziehbar, warum alle Steuerzahler für kulturelle Einrichtungen auf-kommen sollen, die nur von wenigen in der Gesellschaft genutzt werden.

3

Um jedem den Zugang zu bezahlbarer Kultur zu ermögli-chen, ist es notwendig, kultu-relle Einrichtungen finanziell zu unterstützen.

Kreativität

A13 Was verbinden Sie mit dem Begriff *Kreativität*? Nennen Sie einige Beispiele.

A14 Interview
Stellen Sie zwei Kursteilnehmerinnen/Kursteilnehmern die folgenden Fragen zum Thema *Kreativität*.
Fassen Sie dann die Antworten zusammen.

	Name	Name ....
Halten Sie sich für einen krea-tiven Menschen? Warum (nicht)?		
Wodurch drückt sich Kreativität Ihrer Meinung nach aus?		
Welche Faktoren spielen Ihrer Meinung nach für kreative Tätig-keiten eine besondere Rolle?		
Was unternehmen Sie selbst zur Verbesserung Ihrer Kreativität?		

A15 Diskutieren Sie in kleinen Gruppen und vergleichen Sie anschließend Ihre Ergebnisse im Kurs.

1. Kreativität, Talent und Fantasie: Wo sehen Sie Unterschiede?
2. Ist Kreativität ein Zeichen von Intelligenz?
3. Kann man Kreativität lernen oder ist sie angeboren?

A16 Ergänzen Sie die passenden Partizipien.

■ Erkenntnisse aus der Kreativitätsforschung

Jetzt ist es offiziell: Der über kreatives Potenzial *verfügende* (0) Mensch *(verfügen)* ist keine Sel-tenheit. Wir alle tragen die Fähigkeit in uns, schöpfe-risch tätig zu werden und in nicht ....(1)
5 Situationen *(erwarten)* zu improvisieren und ein-fallsreich zu handeln. Kreativität stellt kein von Gott .... (2) Geschenk *(geben)* dar, son-dern kann gelernt und trainiert werden. Die früher ....(3) Tatsache *(annehmen)*, dass es eini-
10 ge wenige Genies und ansonsten nur noch die gro-ße Masse der anderen gibt, stimmt so nicht, wie die unermüdlich .... (4) Wissenschaft *(for-schen)* inzwischen zu berichten weiß. Jeder kann kre-ativ sein. Dies ist nicht nur eine Frage des Charakters,
15 so Wissenschaftler von der Technischen Universität München. Vielmehr ist es auch das den Menschen .... (5) berufliche *(beeinflussen)* und so-ziale Umfeld, das kreative Leistungen fördert oder hemmt. Freiräume sowohl im privaten als auch be-
20 ruflichen Bereich sind unabdingbare Voraussetzun-gen für kreatives Handeln und Gestalten.

Eine .... (6) Kreativkultur *(fehlen)* in Unternehmen z. B. hemmt nicht nur die Geistesblitze und innovativen Gedanken der Mitarbeiter, sondern
25 lähmt auch die Arbeitsmotivation insgesamt. Wer als Mitarbeiter nicht das Gefühl hat, dass neue Ideen willkommen sind oder ein...................(7) Gedanke *(vortragen)* auch gehört und ernsthaft in Erwägung ge-zogen wird, gibt sich weniger Mühe, auch beim Lösen
30 anstehender Probleme. Kein Wunder vielleicht, dass viele Menschen die Erleuchtung nicht am Schreibtisch ereilt, sondern in der Freizeit. Ganz plötzlich und oh-ne Vorwarnung ist er da, der lang .... (8) Einfall *(ersehnen)*, beim Grillen oder in der Bade-
35 wanne. Für die Wissenschaftler ist dies ein ganz typi-sches Phänomen. Zeitdruck und Stress gelten als Kre-ativitätskiller, das immer gleiche Umfeld ebenso. Bei Denkblockaden kann es manchmal schon helfen, kurz die Umgebung zu wechseln und sich zum Beispiel ei-
40 nen Kaffee zu holen, raten die Forscher, dann kommt sie womöglich auf einmal, die Inspiration und mit ihr die...................(9) Idee *(zünden)*. ⇨

Der Kreativitätsprozess kann aber auch auf andere Weise unterstützt werden. ....(10) Aufgeschlossenheit *(praktizieren)* gegenüber den Dingen, die einem begegnen, ist ebenso wichtig wie ein abwechslungsreich .... (11) Leben *(führen)* in allen Bereichen, außerdem der Wunsch, immer wieder Neues zu erfahren und zu lernen. Eine nicht zu .... (12) Rolle *(unterschätzen)* spielen natürlich Bewegung und Ernährung. Zu fetthaltige Nahrung kann die Gehirnaktivitäten lähmen und die Denkgeschwindigkeit messbar herabsetzen, Sport .... (13) Menschen *(treiben)* dagegen beschaffen ihrem Denkapparat ausreichend Sauerstoff, das Schmiermittel für die kleinen grauen Zellen. Ein auf diese Weise .... (14) Gehirn *(versorgen)* ist zu kreativen Höchstleistungen fähig. Außerdem weiß man schon seit Langem von der .... (15) Wirkung *(stimulieren)* der Farben auf den Geist; farblich in bestimmter Weise .... (16) Räumlichkeiten *(gestalten)* sollen in vielen Betrieben das kreative Denken der Angestellten beflügeln. Aber auch spezielle Techniken zur Förderung des Einfallsreichtums haben mittlerweile Einzug nicht nur in das Arbeitsleben gehalten. Eine davon ist die von dem Mediziner Edward de Bono .... (17) sogenannte *(entwickeln)*

Sechs-Hüte-Übung. Die Teilnehmer nehmen dabei jeweils eine bestimmte Sichtweise ein: objektiv, subjektiv, positiv, negativ, kreativ und vermittelnd. Anschließend wird gemeinsam nach Lösungen gesucht, indem die Teilnehmer die Perspektive wechseln und sich in Gedanken einen anderen Hut aufsetzen. Auf diese Art .... (18) Denkmuster *(durchbrechen)* steigern kreatives Handeln und verhindern vorschnelle, möglicherweise wenig hilfreiche Entscheidungen.

Aber was heißt das nun alles? Steckt in uns allen der nächste Nobelpreisträger oder das künstlerische Wunderkind, von dem wir bisher nichts wussten? Das wohl nicht. Zwar ist Kreativität in jedem Menschen angelegt und kann unterstützt werden, um jedoch als kreativer Überflieger zu reüssieren, gehören noch andere Faktoren dazu, etwa das Erkennen und Fördern bestimmter Talente. Und wer weiß, vielleicht doch so etwas wie der göttliche Funken.

a) Welche Maßnahmen nennt der Text, um Kreativität positiv zu beeinflussen? Vergleichen Sie sie mit Ihren eigenen Strategien.

b) Formen Sie die unterstrichenen Partizipien in Relativsätze um. Ersetzen Sie dann das Verb des Relativsatzes durch ein Synonym.

◇ der über kreatives Potenzial <u>verfügende</u> Mensch	*der Mensch, der über kreatives Potenzial verfügt*	*der Mensch, der kreatives Potenzial besitzt*
1. eine nicht <u>erwartete</u> Situation	....	....
2. kein von Gott <u>gegebenes</u> Geschenk	....	....
3. die früher <u>angenommene</u> Tatsache	....	....
4. eine <u>fehlende</u> Kreativkultur	....	....
5. ein <u>vorgetragener</u> Gedanke	....	....
6. ein abwechslungsreich <u>geführtes</u> Leben	....	....
7. der lang <u>ersehnte</u> Einfall	....	....
8. die von einem Mediziner <u>entwickelte</u> Übung	....	....

c) Ersetzen Sie die markierten Verben durch Nomen-Verb-Verbindungen.

◇ seine Persönlichkeit <u>ausdrücken</u>	*zum Ausdruck bringen*
1. als großer Künstler <u>anerkannt werden</u>	....
2. <u>sich anstrengen</u>, um eine Lösung zu finden	....
3. als Choreograf <u>beachtet werden</u>	....
4. <u>etwas</u> zur Bewältigung einer kreativen Aufgabe <u>beitragen</u>	....
5. als Nachwuchsschriftsteller die Literaturszene <u>beeindrucken</u>	....
6. die Kunstwelt mit einer Ausstellung <u>erstaunen</u>	....
7. das kreative Erzeugnis mehrfach überarbeiten und <u>verbessern</u>	....
8. sein kreatives Potenzial <u>bereitstellen</u>	....
9. die Fähigkeit zum kreativen Denken <u>beweisen</u>	....

A17 Diskutieren Sie die folgenden Fragen in kleinen Gruppen und berichten Sie anschließend.

1
Was verstehen Sie unter einem Genie?

2
Sind Genies zwangsläufig kreative Menschen?

3
Wie bewerten Sie die Aussage *Genie und Wahnsinn liegen eng beieinander?* Kennen Sie Beispiele, die diese Meinung stützen?

A18

■ Kreativität und Wahnsinn

„Füll mich, füll mich doch", ruft es, der Kopf aber bleibt stumm, es passiert rein gar nichts. Egal, ob da ein Notenblatt, eine PowerPoint-Präsentation oder eine klaffend leere Leinwand auf einen blitzgescheiten Gedanken warten: Manchmal will dieser einfach nicht kommen. Selbst Genies kennen diese Qual des schöpferischen Arbeitens. Rainer Holm-Hadulla, Kreativitätsforscher und Professor an der Universität Heidelberg, sagt: „Die Idee vom kreativen Flow ist etwas leichtfertig: Kreativität ist auch immer mit Spannungen verbunden." Etwas tatsächlich Neues auf dieser Welt zu erschaffen, kostet Kraft. Holm-Hadulla definiert diese Energie, die Kreativität, als „Neuformierung von Informationen". Eine Fähigkeit, die im Prinzip jeder Mensch besitzt. Denn jedes eigenständige Fühlen oder Denken ist Teil des kreativen Prozesses. „Es ist nicht übertrieben zu sagen, dass jeder Mensch seine eigene Welt komponiert", sagt Holm-Hadulla.

Dabei unterscheidet der Forscher zwischen zwei Formen: der alltäglichen und der außergewöhnlichen Kreativität. Diese Kraft setzt sich aus zwei Komponenten zusammen, die beide im Wort *Kreativität* stecken: *creare* und *crescere*, also das aktive Schaffen und das passive Wachsen. Holm-Hadulla nennt diesen Teil des Prozesses die Inkubationsphase – die Zeit, in der die mehr oder weniger geniale Idee in unserem Kopf heranreift, ohne dass man sie zu fassen bekommt. Auf die aktive Arbeit haben wir Einfluss, das Wachsen einer Idee aber kann eine Folter sein, die man einfach über sich ergehen lassen sollte, so Holm-Hadulla. Das funktioniert beim ei-

nen besser, beim anderen weniger gut. Was man hierzu wissen sollte: Kreative Menschen leben oft am Rand des Wahnsinns, denn kreatives Schaffen ist harte Arbeit, die schnell in Depressionen und Psychosen umschlagen kann. Und wenn diese überhandnehmen, lässt sich auch die beste Idee nur schwer umsetzen.

Von vielen Künstlern ist das bekannt. Der Maler Vincent van Gogh etwa verbrachte viel Zeit in Kliniken, weil er unter Wahnvorstellungen, Albträumen und Depressionen litt. Ob er sich das Ohr selbst abschnitt, bleibt wahrscheinlich auf ewig das Geheimnis des Künstlers. Robert Schumann soll Stimmen gehört haben – unter anderem die seines Komponistenkollegen Franz Schubert. Auch Johann Wolfgang von Goethe soll unter depressiven Episoden gelitten haben, etwa bevor er in einem kreativen Schub in nur viereinhalb Wochen „Die Leiden des jungen Werther" zu Papier brachte.

Bereits in den 1980er-Jahren stellten amerikanische Wissenschaftler fest, dass 80 Prozent der Mitglieder eines renommierten literarischen Instituts unter Stimmungsschwankungen litten. Das Risiko der Schriftsteller für manisch-depressive Erkrankungen war viermal höher als das der Kontrollgruppe. 30 Prozent versuchten, ihre unausgeglichene Psyche durch Alkohol ruhigzustellen und verfielen der Sucht.

Es gibt viele Einflussfaktoren, die bestimmen, auf welcher Seite des schmalen Grats zwischen Kreativität und Geisteskrankheit man steht. Das beschreibt die Professorin für Psychologie und Kreativitätsforschung Shelley Carson von der Harvard Universität. Außergewöhnlich kreative Menschen teil-

ten mit psychisch Kranken ihre Unbefangenheit und Neugier. Ihre Gehirne ähnelten sich, so Carson: Sie wiesen außergewöhnliche Verbindungen von neuronalen Netzwerken auf. Das spräche für einen fließenden Übergang zwischen Schaffenskraft und Wahn. „Das Kreative ist auch immer eine Grenzerfahrung", sagt Holm-Hadulla. Vielleicht sei deswegen die Lektüre oder das Betrachten von Kunstwerken so faszinierend: Weil jemand stellvertretend für uns diese beunruhigenden Erfahrungen durchlebt hat. Hohe Intelligenz, ein gutes Gedächtnis und kognitive Flexibilität böten Carson zufolge dem kreativen Menschen Schutz vor dem Wahnsinn. Diese Eigenschaften verhafteten ihn in der Realität. „Paradoxerweise läuft der kreative Prozess in stabilen Strukturen besser ab", sagt auch Holm-Hadulla.

Eine ritualisierte Form der Arbeit bot unter anderem auch dem Schriftsteller Thomas Mann Halt. „Meine Arbeitszeit ist vormittags, morgens", schreibt er in seinem Essay „Meine Arbeitsweise". In diesen Stunden suchte er die Abgeschiedenheit eines Zimmers. „Offener Himmel, meine ich, zerstreut die Gedanken", schreibt Mann. Wenn solche Routinen die Kreativität nicht brodeln lassen, rät Holm-Hadulla zur Ruhe. In dieser Situation zu Alkohol, Zigarette oder sonstigen Drogen zu greifen, vernebele die Gedanken meist noch mehr. Der Wissenschaftler rät stattdessen zu einer bewussten Pause.

a) Fassen Sie den Inhalt des Textes mit eigenen Worten zusammen.
   Formulieren Sie dazu fünf bis sieben Thesen.

b) Entsprechen die folgenden Aussagen dem Inhalt des Textes?

	ja	nein
1. Rainer Holm-Hadulla findet, dass kreative Prozesse oft nicht als harte Arbeit angesehen werden.	☐	☐
2. Für ihn gehören emotionale und kognitive Regungen zur Kreativität dazu.	☐	☐
3. Holm-Hadulla unterteilt den Prozess der Kreativität in zwei Formen, die nebeneinander ablaufen.	☐	☐
4. Auf die kreativen Prozesse kann der Mensch einwirken.	☐	☐
5. Der Zusammenhang zwischen kreativem Schaffen und psychischen Erkrankungen konnte erstmals in den 1980er-Jahren wissenschaftlich nachgewiesen werden.	☐	☐
6. Außergewöhnlich kreative Menschen sind von Natur aus psychisch labil.	☐	☐
7. Geistige Leistungsfähigkeit kann bei Kreativen psychische Probleme abwehren.	☐	☐

c) Bilden Sie den Genitiv. Achten Sie auf die Endungen der Adjektive.

◊ die Qual – schöpferisch, das Arbeiten   *die Qual des schöpferischen Arbeitens*

1. das Auftauchen – blitzgescheit, ein Gedanke   ....

2. der Teil – schöpferisch, ein Prozess   ....

3. eine Form – außergewöhnlich, Kreativität   ....

4. am Rand – kreativ, der Wahnsinn   ....

5. das Geheimnis – genial, der Künstler   ....

6. die Mitglieder – renommiert, literarisch, ein Institut   ....

7. das Betrachten – vollendet, ein Kunstwerk   ....

8. die Verbindungen – neuronal, Netzwerke   ....

d) Bilden Sie aus den vorgegebenen Wörtern Sätze. Achten Sie auf den richtigen Kasus und eventuell fehlende Präpositionen.

◊ kreativer Prozess – mancher Künstler – sehr anstrengend sein

   Der kreative Prozess ist für manchen Künstler sehr anstrengend.

1. viele kreative Menschen – der schmale Grat – Kreativität und Wahnsinn – sich nicht bewusst sein

   ....

2. die Gehirne – kreative und kranke Menschen – sich sehr ähnlich sein

   ....

3. berühmte Maler wie Vincent van Gogh – Albträume und Wahnvorstellungen – geplagt sein

   ....

4. einige Künstler – Alkohol und Drogen – sogar – abhängig sein

   ....

5. auch Stimmungsschwankungen – Kreative – typisch sein

   ....

6. ritualisierte Arbeitsformen – Bekämpfung – Depressionen – hilfreich sein können

   ....

Zusatzübungen zu Adjektiven mit Ergänzungen ⇨ Teil C Seite 196

Kreatives Schreiben

Hier ist der Romanbeginn eines hoffnungsvollen Nachwuchsschriftstellers:

> Es war bereits später Abend, als Carolin Schneider am Ende eines anstrengenden Arbeitstages erschöpft nach Hause kam und nur noch eines wollte: endlich Ruhe! Sie schloss gähnend die Wohnungstür auf, und während sie noch darüber nachdachte, ob sie zuerst ein heißes Bad nehmen und sich dann eine aufgebackene Fertigpizza gönnen sollte oder umgekehrt, blieb sie wie angewurzelt stehen. Die Situation, die sie in ihrer Wohnung vorfand, war eine gänzlich unerwartete. Ein Einbruch war nicht geschehen, so viel war klar, aber das, was ihre müden und von zu viel Bildschirmarbeit tränenden Augen erblickten, war nicht minder beunruhigend. Oder sollte man es besser erstaunlich nennen? Die Umstände, die sich ihr boten, waren nämlich folgende: …

Leider hat den Autor hier die Kreativität verlassen. Führen Sie den Text fort. Schreiben Sie ca. 350 Wörter und verwenden Sie dabei möglichst viele Adjektive.

Von Büchern und Literatur

 Literatur

a) Interview

Wählen Sie aus den folgenden Fragen drei aus und stellen Sie sie Ihrer Nachbarin/Ihrem Nachbarn. Stellen Sie die Ergebnisse Ihrer Befragung anschließend im Kurs vor.

1 Welche Art von Literatur mögen Sie, welche vermeiden Sie?

2 Welchen Stellenwert hat das Buch heute noch gegenüber dem Fernsehen und dem Internet für Sie?

3 Welches Buch oder welchen Film sollte man Ihrer Meinung nach unbedingt gelesen/gesehen haben?

4 Welches Buch oder welcher Film hat Sie am meisten enttäuscht? Warum?

5 Hat das Buch als Medium Ihrer Meinung nach eine Zukunft? Begründen Sie Ihre Auffassung.

6 Buch und/oder Fernsehen: Würden Sie auf eines dieser Medien komplett verzichten können oder wollen?

7 Was ist Ihrer Meinung nach die größte Zeitverschwendung: lesen, fernsehen oder im Internet surfen?

b) Kurzvortrag

Eine Geschichte oder ein Text können durch unterschiedliche Medien dargestellt werden. Wählen Sie eine der folgenden Fragen aus und halten Sie einen Kurzvortrag von drei bis fünf Minuten Länge. Diskutieren Sie anschließend Ihre Position mit den anderen Kursteilnehmerinnen/Kursteilnehmern.

1 Was halten Sie von verfilmten Romanen? Begründen Sie Ihre Meinung anhand von Beispielen.

2 Das *Hörbuch* ist sehr beliebt, das Angebot umfasst sämtliche Gattungen und Sparten. Wie ist Ihre Auffassung zu Hörbüchern?

3 Viele Erzählungen und Romane werden für die Bühne adaptiert oder als Hörspiel bearbeitet. Sollte man mit literarischen Originaltexten auf diese Weise umgehen dürfen? Welche Vor- und Nachteile sehen Sie in dieser Form der Umgestaltung?

4 Interaktive Fernsehformate werden es dem Zuschauer in Zukunft ermöglichen, Einfluss auf den Fortgang der Handlung einer Geschichte zu nehmen. Sehen Sie in dieser Form der Zuschauerbeteiligung vor allem Vor- oder auch Nachteile?

c) Diskussion

Was halten Sie von E-Books? Diskutieren Sie die folgenden Aussagen in kleinen Gruppen.

| E-Books machen das Lesen viel einfacher und bequemer. | ↔ | Ein E-Book ist ein seelenloser Gegenstand, der nichts mit Lesen zu tun hat. |

 E-Books *11*

a) Hören Sie den Text der Journalistin Pascale Hugues zum Thema *E-Books* und beantworten Sie dann die Frage: Welche Haltung nimmt die Autorin ganz allgemein gegenüber E-Books ein? Geben Sie die Meinung der Autorin in einigen Sätzen wieder.

b) Hören Sie den Text nun ein zweites Mal. Markieren Sie während des Hörens oder danach die richtige Aussage. Es gibt nur eine richtige Lösung.

1. Was empfindet die Journalistin, wenn sie an E-Book-Reader denkt?
   - a) ☐ Sie will sich ein solches Gerät unbedingt zulegen.
   - b) ☐ Sie erkennt ihren Nutzen an.
   - c) ☐ Sie fühlt sich von der neuen Technologie überfordert.

2. Das Besondere an E-Book-Readern ist die Tatsache,
   - a) ☐ dass ihre Bedienung nur 60 Sekunden dauert.
   - b) ☐ dass unzählige Bücher auf ihnen aufbewahrt sind.
   - c) ☐ dass diese Geräte das Leseverhalten verändern.

3. Die Journalistin ist der Ansicht,
   - a) ☐ dass E-Books keinen Charakter haben.
   - b) ☐ dass Bücher unangenehm riechen.
   - c) ☐ dass sich E-Books wie echte Bücher aus Papier lesen.

4. E-Books
   - a) ☐ ersparen dem Leser bei der Auswahl der Lektüre sehr viel Zeit.
   - b) ☐ stellen in jeder Hinsicht einen Vorteil für den Leser dar.
   - c) ☐ fördern eine oberflächliche und konsumorientierte Haltung beim Leser.

5. Bücher dagegen
   - a) ☐ erschweren das Reisen so sehr, dass man sie in Hotels zurücklassen sollte.
   - b) ☐ können für positive Überraschungen sorgen.
   - c) ☐ schränken das Lektüreangebot auf Reisen unangenehm ein.

c) Wo würden Sie der Journalistin zustimmen, wo widersprechen? Berichten Sie.

d) Ersetzen Sie die unterstrichenen Satzteile durch synonyme Wendungen und nehmen Sie notwendige Umformungen vor.

1. Ich will mich <u>nicht</u> von den neuen Technologien <u>abhängen lassen</u>.

....

2. Um mich herum <u>schwören</u> alle <u>auf</u> E-Books.

....

3. Für dieses technische Wunderwerk <u>sprechen</u> einige <u>Vorzüge</u>.

....

4. <u>Abrupt</u> werden meine Gedanken in eine neue Richtung <u>gelenkt</u>.

....

5. Unter Hunderttausenden von Büchern <u>wählen</u>, was für ein Albtraum!

....

6. Das E-Book will uns zu <u>gierigen</u> und <u>unersättlichen</u> Lesern machen.

....

7. Weiß Gott, wie das Buch hier <u>gestrandet</u> war.

....

8. Ich habe diese Idee <u>verworfen</u>.

....

A22 Ergänzen Sie die passenden Präpositionen oder Verben in der richtigen Form.
Ergänzen Sie, falls nötig, auch die Artikel.

■ **Streitthema _E-Books_**

.... (1) Thema _E-Books_ .... (2)
sich die Geister. Nicht wenige .... (3)
in der digitalen Version des klassischen Buches
den kulturellen Untergang des Abendlandes und
5 .... (4), dass die Lesekultur .... (5)
diese neue Form des Literaturkonsums weiter verfla-
chen könnte. Andere dagegen .... (6)
vor allem die Vorzüge .... (7) Blick. .... (8)
diesen gehört zum Beispiel die Tatsache, dass man alle
10 seine Lieblingsbücher .... (9) einem kleinen und
leichten Gerät mit sich .... (10) kann.
Außerdem .... (11) viele Funktionen
der E-Book-Lesegeräte das Schmökern im Lieblings-
roman. So kann man etwa .... (12) Belieben die

15 Schriftgröße .... (13), was .... (14)
bestimmten Bedingungen sehr praktisch sein
kann. Nicht zuletzt .... (15) dieser Tatsachen
.... (16) sich E-Books immer größerer
Beliebtheit. Ob .... (17) sie aber langfristig das
20 klassische Buch .... (18) werden wird,
bleibt .... (19). .... (20) so mancher pessimistischen Erwartung wird es sicher auch in
Zukunft Menschen geben, die ein Buch .... (21)
Papier zu schätzen .... (22) und
25 nach ihm .... (23) werden. Nicht zuletzt .... (24) ihnen .... (25)
es .... (25), ob auch unsere Urenkel ihre Nasen noch .... (26) „echte" Bücher werden
.... (27) können.

 A23 Berufe rund ums Buch

a) Bei folgenden Berufen ist die Reihenfolge der Buchstaben durcheinandergeraten.
   Welche Berufe verbergen sich hier?

1. Harusebeger   ....   5. Bändlerhuch   ....
2. Literagentrtau   ....   6. Vegerler   ....
3. Rensenzet   ....   7. Rellertschifts   ....
4. Roktel   ....   8. Binderuchb   ....

b) Beschreiben Sie die Berufe. Welche Tätigkeiten beinhalten sie?

 A24 Was verstehen Sie unter guter, was unter schlechter Literatur?
Sammeln Sie in Gruppen einige Aspekte und diskutieren Sie diese anschließend im Kurs.

Buchtipp • Buchtipp • Buchtipp

Tschick
Von _Wolfgang Herrndorf_

Ein ebenso kluges wie
amüsantes Buch über
Freundschaft, Erwachsen-
werden und den ganz all-
täglichen Wahnsinn. Eine
Geschichte für Erwachse-
ne mit jugendlichen Hel-
den und einer der größten
deutschen Bucherfolge
der letzten Jahre. Das Buch
wurde mit zahlreichen
Preisen ausgezeichnet.
(Rowohlt Verlag)

A25 Buchrezensionen

a) Berichten Sie.

1. Lesen Sie Rezensionen? Wenn ja: vor oder nach dem Lesen des rezensierten Buches?

2. Inwieweit lassen Sie sich von Kritiken beeinflussen?

3. Haben Sie selbst schon einmal eine Rezension geschrieben? Zu welchem Buch?

b) Was sollte eine gute Buchbesprechung beinhalten? Notieren Sie drei Kriterien.

1. ....

2. ....

3. ....

A26 Suchen Sie sich zwei Lesepartnerinnen/Lesepartner.
Jede Person liest eine der folgenden Rezensionen zum Buch *Tschick*.

Rezension 1

Tschick von Wolfgang Herrndorf ist für mich eine der größten Überraschungen der letzten Jahre. Der Autor war mir bislang unbekannt, und nur durch den Rat einer Freundin bin ich auf ihn aufmerksam geworden, aber jetzt kann ich sagen: Herrndorf ist ein Schreiber, der unbedingt weiterzuempfehlen ist! Denn so wie er es versteht, den Leser auf intelligente, aber trotzdem amüsante Weise zu fesseln, das ist schon bemerkenswert. Er beschreibt in seiner Geschichte, die im Stile eines Roadmovies gehalten ist, die Irrfahrt zweier Jugendlicher, Maik und Tschick, in einem gestohlenen Auto durch Brandenburg und den Weg der Selbstfindung, den die beiden Protagonisten während dieser Tage beschreiten. Eigentlich wollen sie in die Walachei, wo Tschick Familie hat, aber da sie nicht wissen, wo diese Gegend liegt, wird ihre Reise zu einer durch Zufälle geleiteten Odyssee.

Tschick ist ohne Frage eines der schönsten Bücher, die je über das Erwachsenwerden geschrieben wurden. Ich habe mich beim Lesen herrlich amüsiert, nicht allein wegen der lakonischen und jugendlich angehauchten Ausdrucksweise, die Herrndorf seinen Helden in den Mund legt, sondern auch wegen der kuriosen Figuren, der stimmigen Dialoge und der hinreißenden Situationskomik. In unverkrampft frecher Sprache hat Wolfgang Herrndorf die Gefühlswelt zweier Heranwachsender zu Papier gebracht. Dabei gelingt es ihm ganz wunderbar, die jugendliche Zerrissenheit zwischen Einsamkeit, Unsicherheit und pubertärer Coolness einzufangen. Dieses Buch ist zweifellos ein großer Wurf, der voller Tiefsinn und Wahrheit steckt. Ein Buch, das man lesen sollte, und tatsächlich ein Buch für jede Generation. Wann gibt es so etwas schon? *(Susi M.)*

Rezension 2

Viel war in der letzten Zeit über den Roman *Tschick* von Wolfgang Herrndorf zu lesen und zu hören, und man konnte fast glauben, die geschätzten Kollegen aus den Kulturressorts seien in einen Wettstreit darüber getreten, wer denn in der Lage sei, die größte Lobhudelei über das Buch zu verfassen. Es ist schon erstaunlich, wie wenig Sachverstand da zum Tragen kam. Insgesamt ist das Buch meiner Ansicht nach nämlich nicht gelungen. Zwei Halbwüchsige klauen ein Auto und fahren durch die ostdeutsche Provinz, dabei von einer bizarren Situation in die nächste geratend. Und das soll reichen, um die neue Literatursensation zu sein? Würde es der Autor wenigstens schaffen, daraus eine ernst zu nehmende und relevante Geschichte zu machen, könnte man über so viel Einfallslosigkeit ja hinwegsehen, aber leider versteht es Herrndorf nicht, seiner oberflächlichen Handlung auch nur einmal so etwas wie Tiefe zu verleihen. Es fehlt an Substanz, an Aussagekraft und generell am Willen (oder Können?), seine beiden Hauptfiguren zu Personen aus Fleisch und Blut werden zu lassen.

Stattdessen lässt Herrndorf sie durch eine absurde Nummernrevue stolpern, die eine unmögliche Begebenheit an die nächste reiht und mit kuriosen Charakteren aufwartet. Für gute Literatur ist das zu wenig. Sollte es in der Intention des Autors gelegen haben, eine Art Portrait der zeitgenössischen deutschen Jugend zu schreiben, so muss dieses Anliegen als gescheitert betrachtet werden. Ich bin der Meinung, dass hier ein wenig überzeugendes Buch vorliegt, vor dessen Lektüre man nur warnen kann. Selbst bei wohlwollender Betrachtung finde ich kaum positive Aspekte, sodass ich leider noch nicht einmal sagen kann, der Roman würde einen zwiespältigen Eindruck bei mir hinterlassen. Auch die tiefe Wahrheit und Zeitlosigkeit, die einige im Buch entdeckt haben wollen, vermag ich beim besten Willen nicht zu sehen. Fazit: eines der meistüberschätzten Bücher jüngeren Datums. *(Willibald Silexas, freier Literaturkritiker)*

Rezension 3

Tschick ist ein Buch, mit dem der Berliner Schriftsteller Wolfgang Herrndorf schlagartig bekannt geworden ist. Es handelt von der Idee dieses einen Sommers in der Jugend, an den man sich auch noch im hohen Alter erinnern wird. In der Geschichte geht es um die beiden Berliner Jugendlichen Maik und Tschick. Maik, ein Junge aus wohlhabendem, aber zerrüttetem Elternhaus, ist unglücklich verliebt und ein Einzelgänger. Ein Außenseiter auch Tschick, Klassenkamerad von Maik mit vermeintlich krimineller Natur sowie Spätaussiedler aus Russland. Langeweile und Frust lassen die beiden Jungs in einem von Tschick „nur geliehenen" Lada in den Sommerferien auf Tour durch das ostdeutsche Bundesland Brandenburg gehen. Ihre Erlebnisse und Begegnungen mit den unterschiedlichsten Personen schildert Herrndorf in einer jugendlichen Sprache, mit viel Witz und Gespür für das Komische im Alltag, aber zugleich auch voller leiser und anrührender Töne. Die Handlung wird aus Maiks Perspektive erzählt und beginnt auf einer Polizeistation, wodurch das Ende der Geschichte bereits angedeutet wird. Auf ihrer Fahrt lernen Maik und Tschick manches über das Leben im Allgemeinen und sich selbst im Besonderen.

Herrndorf behandelt am Beispiel der Hauptfiguren wichtige Themen wie Ausgrenzung, Armut und vorurteilsbeladenes Denken. Interessant ist dabei vor allem, wie es der Autor schafft, mit der Wirklichkeit so virtuos zu spielen, dass die Handlung immer ins Fantastische abzugleiten scheint, ohne jedoch unglaubwürdig zu wirken. Das ist große Kunst und etwas, das sowohl für den Autor als auch sein Werk spricht. Ein in mehrfacher Hinsicht wichtiges Buch, zu dem man jedem raten kann, der wieder einmal etwas Kluges über das Leben lesen möchte. Gegen eine Leseempfehlung spricht höchstens die Tatsache, dass das Buch viel zu kurz und damit zu schnell ausgelesen ist. Insofern kann ich es nicht uneingeschränkt loben. Dass man den schmalen Band in einem Rutsch durchhat, liegt nicht zuletzt an der mitreißenden Sprache, die Herrndorf findet, um seine Geschichte zu erzählen: Anhand ihrer Odyssee durch die Provinz zeigt Herrndorf sehr plausibel die Empfindungen der beiden Jungen. Ein Buch über Freundschaft, Liebe, Toleranz und die Erkenntnis, dass nicht alle Erwachsenen schlecht sind. Der Roman ist ein außergewöhnliches Beispiel für die Kraft der Literatur und wird jeden begeistern. *(www.literatur.im.netz.de)*

a) Fassen Sie die von Ihnen ausgewählte Rezension für Ihre Lesepartnerinnen/Lesepartner in Bezug auf die folgenden Fragen zusammen:

1. Wie werden die Personen und die Handlung des Buches beschrieben?

2. Welche Meinung hat die Rezensentin/der Rezensent zum Buch?

3. Wie wird der sprachliche Stil des Buches beurteilt?

4. Inwieweit halten Sie die von Ihnen gelesene Rezension für gelungen?

b) Tragen Sie aus den Rezensionen Formulierungen zusammen, die Gefallen bzw. Missfallen ausdrücken. Ergänzen Sie die Liste um weitere Ihnen bekannte Ausdrücke. Finden Sie auch Formulierungen, die keine eindeutige Wertung abgeben bzw. Urteile abschwächen?

Gefallen

Missfallen

keine eindeutige Wertung

c) Erklären Sie die folgenden Ausdrücke bzw. finden Sie Synonyme.

1. die <u>lakonische</u> Ausdrucksweise   ....
2. jugendlich <u>angehaucht</u>   ....
3. <u>stimmige</u> Dialoge   ....
4. Das Buch ist <u>ein großer Wurf</u>.   ....
5. die größte <u>Lobhudelei</u>   ....
6. <u>zum Tragen kommen</u>   ....
7. ein <u>zerrüttetes</u> Elternhaus   ....
8. ein <u>Spätaussiedler</u> aus Russland   ....
9. das Buch <u>in einem Rutsch</u> durchhaben   ....
10. <u>sein Schicksal in die eigenen Hände nehmen</u>   ....

d) Schreiben Sie selbst eine Rezension zu einem Buch oder Film Ihrer Wahl.

Zusatzübungen und Tipps zur Prüfungsvorbereitung

B1 Modul Schreiben, Aufgabe 2 (literaturgebundenes Thema)

Wenn Sie sich bei Aufgabe 2 des Moduls Schreiben für ein literaturgebundenes Thema entscheiden, müssen Sie eine Buchbesprechung zu einem von zwei vorgegebenen Büchern verfassen. Diese beiden Bücher werden jährlich neu festgelegt und gelten nur für das Jahr, in dem Sie die Prüfung ablegen. Die jeweils aktuelle Literaturliste finden Sie unter *www.goethe.de*. Möchten Sie in der Prüfung eine literaturgebundene Aufgabe bearbeiten, müssen Sie also schon vor der Prüfung eines der beiden Bücher gelesen haben. Für die Bearbeitung haben Sie 60 Minuten Zeit.

Beispiel für eine Aufgabenstellung zu einem literaturgebundenen Thema

Sie schreiben für ein deutschsprachiges Literaturblog eine Buchbesprechung zum Roman *Ruhm* von Daniel Kehlmann. Die Rezension sollte etwa 350 Wörter umfassen.

1. Fassen Sie den Inhalt des Romans kurz zusammen.
2. Zeigen Sie anhand ausgewählter Fragmente oder Personen des Buches, welchen Einfluss moderne Kommunikationstechniken auf Leben und Identität eines Menschen haben können.
3. Empfehlen Sie das Buch den Lesern des Blogs.

Darauf sollten Sie achten:

1
Der Vorteil der literaturgebundenen Aufgaben besteht darin, dass man sie sehr gut vorbereiten kann, da sie in der Regel immer nach dem gleichen Prinzip strukturiert sind: Sie sollen eine kurze Inhaltsangabe geben und das Buch begründet weiterempfehlen. Zudem wird ein bestimmter Aspekt des Werkes näher erfragt: die Charakterisierung der Hauptfigur, die Erläuterung des zentralen Themas/Konflikts oder auch die Betrachtung formaler Aspekte.

2
Lesen Sie Rezensionen zu dem Buch, über das Sie in der Prüfung schreiben möchten.

3
Überlegen Sie: Was sind in inhaltlicher wie formaler Hinsicht die hervorstechendsten Merkmale des Buchs? Notieren Sie hierzu alles, was Ihnen auffällt und wichtig erscheint.

4
Ihre Buchbesprechung sollte in Einleitung, Hauptteil und Schluss gegliedert sein.
In der Einleitung geben Sie kurze Informationen zu Autor und Buch sowie eine knappe Inhaltsangabe. Sie sollten auch erwähnen, warum Sie dieses Buch gewählt haben.
Im Hauptteil bearbeiten Sie die zentrale Fragestellung.
Im Schlussteil geben Sie Ihre persönliche Meinung zum Buch wieder und empfehlen es gegebenenfalls weiter. Denken Sie daran, Ihre Haltung zu begründen.

5
Achten Sie darauf, dass Sie die drei Punkte der Aufgabenstellung in gleichem Umfang bearbeiten. Vermeiden Sie eine zu ausführliche Inhaltsangabe. Denken Sie auch daran, Ihre Buchbesprechung so zu gestalten, dass auch Leser, die das Buch nicht kennen, Ihren Gedankengängen und Ihrer Argumentation folgen können.

6
Bemühen Sie sich sprachlich um adäquaten Wortschatz und vermeiden Sie umgangssprachliche Ausdrücke. Berücksichtigen Sie, wer der Adressat Ihrer Besprechung ist. Achten Sie neben der grammatischen Korrektheit auch auf variationsreiche Satzverknüpfungen und komplexe Strukturen.

Auf der nächsten Seite finden Sie Redemittel und Wendungen, die Sie bei Ihrer Buchbesprechung verwenden können. Wählen Sie dazu selbst ein Buch aus, das Sie besonders beeindruckt hat.

Die Buchbesprechung einleiten

◇ … ist ein Buch/Werk des Autors …
Bei dem Autor des Werks handelt es sich um …

◇ Zu den zentralen Merkmalen des Buches gehört …
Besonders auffällig an dem Buch ist …

◇ Besonders interessant an dem Buch finde ich …

Den Inhalt zusammenfassen

◇ In dem Buch … geht es um …
Es handelt sich in dem Werk um …
Der Roman handelt von …

◇ Das zentrale Thema/Motiv des Buchs ist …
Der Roman beschäftigt sich mit der Frage …

◇ Zentrale Figur des Romans ist …

Die zentrale Fragestellung erörtern

◇ Kommen wir damit zur Frage …
Damit leite ich zum hervorstechendsten Merkmal des Buches über, …

◇ Um dies zu verstehen, muss man wissen, dass …

◇ In diesem Kontext bedeutet das …

◇ Am Beispiel der Hauptfigur wird gezeigt …

◇ Der Protagonist steht hier stellvertretend für …
Die Geschichte kann als Metapher gesehen werden für …

◇ Der Autor verdeutlicht anhand dieses Motivs …
Der Autor will damit veranschaulichen, dass …

◇ Der Autor behandelt diese Problematik aus Sicht von …

◇ Diesen Effekt erreicht der Autor dadurch, dass …

Eine Leseempfehlung geben/Die Buchbesprechung beenden

◇ Das Buch wird/wurde sehr kontrovers diskutiert.
Bislang wurde das Buch einhellig gelobt/kritisiert.
Man kann über das Buch geteilter Meinung sein.

◇ Aus meiner Sicht ist der Roman …

◇ Meiner Meinung nach ist das Buch besonders gelungen/
nicht gelungen, weil …

◇ Aus diesem Grund kann ich das Buch (nicht) weiterempfehlen/nur bedingt empfehlen.

◇ Ich kann dieses Buch jedem weiterempfehlen, der …

◇ Man sollte dieses Buch unbedingt lesen, weil …

◇ Wer sich für … interessiert, sollte dieses Buch lesen.

◇ Leider schafft es der Autor nicht, die Thematik adäquat darzustellen.

◇ Gegen eine Leseempfehlung spricht/sprechen vor allem: …

◇ Trotz … kann ich nur jedem zu diesem Buch raten.

◇ Das Buch ist nur dann zu verstehen, wenn …

◇ Sehr überzeugend ist dem Autor gelungen, …

◇ Dieser Roman ist ein wichtiges Zeugnis/Beispiel für …

◇ … machen das Buch zu einem Vergnügen/empfehlenswert.

◇ Positiv/Negativ ist anzumerken/festzuhalten, dass …

Ich bespreche folgendes Buch:

Meine Buchbesprechung:

....
....
....
....
....
....
....
....
....
....
....
....
....
....
....
....
....
....
....
....
....
....
....
....
....
....
....
....
....
....
....
....
....
....
....
....
....
....

B2 Modul Lesen, Aufgabe 3
Lesen Sie den folgenden Text, in dem sieben Textabschnitte fehlen. Setzen Sie die Teile wieder in den Text ein. Ein Textabschnitt ist bereits als Beispiel eingefügt. Ein Abschnitt passt nicht.

■ Kunst auf der Haut

Tätowierungen sind wie Verkehrsunfälle: Man muss einfach hinschauen, obwohl man weiß, dass es meistens besser wäre, es nicht zu tun. Wenn man Glück hat, steht da ein noch halbwegs kluger Spruch
5 aus Fernost in die Haut des Gegenübers eingraviert oder ein chinesisches Zeichen, dessen tiefgründige Bedeutung sich meist nur dem Träger selbst erschließt. Wenn man aber Pech hat, sind es barbusige Matrosenfrauen, verschlungene Tribal-Elemente oder
10 Schmetterlinge und Wiesenblümchen, die sich dem unverfänglichen Beobachter wie aufmerksamkeitsheischende Plakatwände aufdrängen.

◇ Textabschnitt: A

Je nachdem, ob das Curriculum Vitae aktuell ist oder ein schnödes und oft mit ambivalenten Gefühlen
15 beladenes Abbild der Vergangenheit wiedergibt, kann man sich mit der Frage nach der Bedeutung dann auch ziemlich vertun.

◇ Textabschnitt: 1

Aber mal weg von Pauschalurteilen. So ein Bild auf der Haut ist ja für sich genommen nichts Verwerfliches,
20 die Träger haben sich schließlich etwas dabei gedacht.

◇ Textabschnitt: 2

Über Ersteres kann man sich natürlich streiten, vor allem mit dem Argument, welchen Eindruck das frisch gestochene Blümchen wohl ein paar Dekaden später macht. So einfach sei das aber nicht, sagt der Gelehr-
25 te, denn hinter der Verschönerung durch Tattoos stecke oft der gefühlte gesellschaftliche Druck nach Individualisierung. Einzigartigkeit als moralischer Imperativ sozusagen.

◇ Textabschnitt: 3

Unter den beliebtesten Tätowierungen sind auch
30 Tribal-Elemente, Adler, Tiger oder andere wilde Kreaturen der realen oder der Fantasiewelt, dann allerdings eher bei den Männern. Auch hier schreit einem die Konsumwelt entgegen mit ihren Logos. Es bleibt also die Frage, ob die individuell gemeinten Tattoos, denen

35 ein Stück des eigenen Körpers eingeräumt wird, werbeaffinen Zeitgeist zitieren oder schlicht Gemeinplätze bedienen. Oder ob Menschen einfach so sind. Also sich auf archaische Symbolik stützen, die sich seit Beginn der Menschheit nicht durchgreifend verändert
40 hat, womit man bei den anderen beiden Gründen fürs Tätowieren landet: der Kennzeichnung von Lebensabschnitten und der Mitgliedschaft in einer sinnstiftenden Gruppe.

◇ Textabschnitt: 4

Den Ureinwohnern der Inselgruppe haben wir auch
45 den Namen der Körpergravierkunst zu verdanken. Tattoo kommt vom tahitianischen Begriff „tatau", was „mehrere Male mit der Haut schlagen" heißt, also sich eine Wunde zufügen. Ist Schmerz als Bestandteil eines Initiationsrituals, sozusagen aus eigener Entscheidung
50 heraus, womöglich auch heute noch ein Grund dafür, warum besonders Jüngere den Gang zur Nadel nicht scheuen? Abgrenzen als Entwicklungsaufgabe, die eigene Autonomie mit der Kontrolle über den eigenen Körper symbolisieren.

◇ Textabschnitt: 5

55 Anker sollten böse Geister verscheuchen, Herzen an die Familie oder eine zurückgelassene Liebe erinnern und Sterne Glück bei der Navigation bringen. Auch die Tribal-Motive haben hier ihren Ursprung, denn die Polynesier verwendeten für ihre Tataus oft scheren-
60 schnittartige Ornamente.

◇ Textabschnitt: 6

Ob sich Eigen- und Fremdwahrnehmung dabei decken, ist eine andere Geschichte. Was wären wir ohne Tätowierungen? Wahrscheinlich die erste Kultur, die ohne sie auskäme. Nichts da mit Einzigartigkeit: Wir
65 ziehen einen tausendjährigen Schweif von Sternen, Tigern und Herzen hinter uns her. Wer also darauf baut, liegt mit Tätowierungen sowohl im Rückblick auf die Geschichte als auch im Hinblick auf die Zunahme der Tätowierfreude von Zeitgenossen falsch –
70 die Körperbilder sind längst mehr Mainstream als Abweichung.

Textabschnitt A

Manchmal kann man aber auch etwas lernen, denn einige Tätowierfreudige tragen ihren Lebenslauf in Kurzform mit, also auf sich herum: wie die Kinder heißen, die Insel, auf der geheiratet wurde, oder der Knast, in dem man seine Jahre abgesessen hat. Gern auch der Namen eines anderen Menschen, der dem eigenen Leben Bedeutung schenkt.

Textabschnitt B

Tätowierungen haben eine jahrtausendealte Tradition und waren ursprünglich stark mit gesellschaftlichen Konventionen, Ritualen oder magischem Denken verbunden. Im alten Polynesien etwa war das Ritzen von Tusche unter die Haut mit Knochen oder Muscheln eine schmerzhafte und langwierige Angelegenheit, mit der man in den Kreis der Erwachsenen aufgenommen wurde. Gleichzeitig markierte das jeweilige Symbol die Stammeszugehörigkeit.

Textabschnitt C

Das klingt dann aber doch ein bisschen nach Ausrede, denn unter den Top-Ten-Tätowierungen finden sich so einmalige Elemente wie Herzen, Sterne und Blumen. In dieser Kombination kommen an Weihnachten auch Lebkuchen auf den Tisch, werden Mädchenkleider bedruckt oder Kosmetikartikel in der Damenabteilung verziert.

Textabschnitt D

Der Wunsch nach Zugehörigkeit und nach Gemeinschaft, verbunden mit dem Bestreben, dies auch optisch zu dokumentieren, erklärt somit die Verwendung immer gleicher oder wiederkehrender Bilder und Motive. Auch die eingangs erwähnte geschichtliche Dimension spielt hierbei eine Rolle.

Textabschnitt E

Später verbreiteten sich Tätowierungen von den Matrosen zu anderen sogenannten modernen Subkulturen. Dabei verwandelten sie sich mit jedem Transfer auf eine neue Gruppe mehr und mehr zur Lust an Körperdekoration, die vom gesamtgesellschaftlichen Kontext losgelöst ist und bei der jeder Träger selbst entscheidet, warum und was er sich tätowieren lässt und wie und wo er sich dadurch positioniert.

Textabschnitt G

Dass die Tätowierung in der Neuzeit ihren Erfolgszug nach Europa antrat, ist dem Seefahrer James Cook zu verdanken, der die Körperbilder von seinen Südseereisen mitbrachte – samt den maritimen Motiven, von denen sich einige bis heute gehalten haben.

Textabschnitt F

Meist stellt sich aber eine andere Frage, nämlich die, ob man das alles eigentlich wissen will. Ungefähr jeder Zehnte ist in Deutschland inzwischen tätowiert – und ist man jünger als 25, steigt das Risiko beträchtlich, sich einem Moment voll Symbolik und Metaphorik hinzugeben und sich unter die Nadel zu begeben.

Textabschnitt H

Der Psychologe Dirk Hofmeister von der Universität Leipzig hat drei Motive gefunden: Tätowierungen trägt man entweder zur Verschönerung des Körpers, also aus Modegründen, um einen wichtigen Abschnitt im eigenen Leben zu markieren oder um sich selbst als Mitglied einer sinngebenden Gruppe zu kennzeichnen.

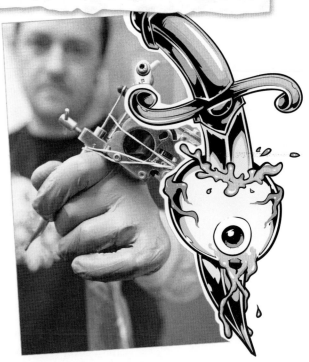

Strukturen zum Üben und Festigen

Deklination und Komparation der Adjektive

Die Galerie hat alle neuen Bilder des Leipziger Malers verkauft.
Einige sehr schöne Gemälde kaufte eine große Bank.

▶ **Hinweise**

→ Attributiv gebrauchte Adjektive stehen vor einem Nomen und werden in der Regel dekliniert.

→ Die Endung der Adjektive ist abhängig davon, welches Artikelwort vor dem Adjektiv steht bzw. ob es überhaupt ein Artikelwort vor dem Adjektiv gibt.
Er hat ein abstraktes Bild gemalt. Das farbintensive Gemälde hängt nun in der Galerie „Modern".
Unverkäufliche Bilder gehen an die Künstler zurück.

→ Die unbestimmten Zahlwörter *andere, einige, etliche, folgende, mehrere, verschiedene, viele, wenige, zahlreiche* werden wie Adjektive dekliniert. Sie haben die gleiche Endung wie eventuell nachfolgende Adjektive.
Einige sehr schöne Gemälde kaufte eine große Bank.

→ *Manche, sämtliche* und *solche* können wie bestimmte Artikel (Regelfall) oder wie Adjektive (Ausnahme) verwendet werden. Die Endung der nachfolgenden Adjektive richtet sich nach der Art des Gebrauchs.
Manche älteren/Manche ältere Arbeiten des Malers werden schon für 100 000 Euro gehandelt.

→ Der Komparativ der Adjektive wird mit *-er* gebildet, der Superlativ der Adjektive mit *am ...-sten* bzw. *-st-*.

→ Der Superlativ kann auch relativiert werden.
Das ist eines der berühmtesten Bilder des Museums. → Das Bild ist eines von mehreren berühmten Bildern.
Nomen und Adjektive stehen im Genitiv Plural.

→ Vergleiche werden mit *als* oder *wie* gebildet. Steht das Adjektiv im Komparativ, verwendet man *als*, steht das Adjektiv im Positiv, gebraucht man *wie*. Angaben mit *als* und *wie* können nach der Satzklammer stehen.
Dieses Bild gefällt mir besser als das daneben. Ich finde diese Ausstellung genauso interessant wie die letzte.

C1 Kunstfälschungen

a) Ergänzen Sie die Endungen der Artikel und Adjektive.

1. Während einer Feier mit viel....... alt....... Freunden anlässlich ein....... rund....... Geburtstages wurde d.......
mutmaßlich....... deutsch....... Kunstfälscher S. P. von d....... örtlich....... Polizei festgenommen.

2. S. P. gilt als Kopf ein....... groß....... international....... Kunstfälscherbande.

3. Alle anwesend....... Polizisten durchsuchten d....... dreistöckig....... Haus, stellten nicht nur 18 gefälscht.......
Alte Meister, sondern auch zwei seit ein....... spektakulär....... Kunstraub vermisste Kunstwerke sicher und
befragten d....... meist....... d....... überrascht....... Gäste.

4. Einzeln....... anwesend....... Gäste behaupteten, d....... Gastgeber gar nicht zu kennen.

5. S. P. schwieg während d....... gesamt....... Verhörs, aber ein....... sein....... Freunde belastete S. P. mit sein.......
zu Protokoll gegeben....... Aussage schwer.

6. Mehrer....... alt....... Vertraute des Festgenommenen wurden in d....... nächst....... Tagen ebenfalls von zwei
auf Kunstraub spezialisiert....... Beamten vernommen.

7. Nach Aussagen ein....... d....... teuerst....... Anwälte der Stadt sei S. P. zu Unrecht verhaftet worden und d.......
gefunden....... Gemälde seien auf noch ungeklärt....... Weise in die Wohnung d....... reich....... Verdächtigen
gelangt.

8. In der Zwischenzeit hat d....... ermittelnd....... Staatsanwaltschaft mehrer....... sicher....... Beweise gegen S. P.
sammeln können und Anklage erhoben.

9. D....... weltweit agierend....... Kunstfälscherring konnte mittlerweile zerschlagen werden, es wird aber noch
nach einig....... untergetaucht....... Mitgliedern gefahndet.

b) Ergänzen Sie die Adjektive/Partizipien und Zahlwörter in der richtigen Form.

■ In den *großen* (0) Kunstmetropolen *(groß)* wie New York oder London werden jährlich Milliarden Dollar für Kunst ausgegeben. Allein für die .... (1) *(einzig)* noch in Privatbesitz .... (2) Version *(befindlich)* von Edvard Munchs *Der Schrei* wurden 120 Millionen Dollar geboten. Auf dem .... (3) Kunstmarkt *(international)* scheint das Geld so locker in den offenbar .... (4) Taschen *(gut gefüllt)* zu sitzen wie auf keinem .... (5) Markt *(andere)*. Und wohl nirgendwo sonst lassen sich so leicht Millionensummen erschwindeln wie beim .... (6) Handel *(weltweit)* mit Kunst. Das haben unter anderem die vor .... (7) Jahren *(einige)* .... (8) Fälschungen *(entdeckt)* des Betrügers Wolfgang Beltracchi gezeigt. Über .... (9) Jahrzehnte *(mehrere)* hatte Beltracchi Meister der Moderne wie Max Pechstein, Heinrich Campendonk, Max Ernst oder Fernand Léger gefälscht und dann mithilfe seiner Ehefrau Helene und .... (10) Komplizen *(weiter)* in den .... (11) Kunstmarkt *(florierend)* geschleust. Der .... (12) Schaden *(angerichtet)* war riesig.

Bei der Gerichtsverhandlung sagte die Angeklagte Helene Beltracchi aus, dass die .... (13) Verkaufsprozedur *(ganz)* absurd einfach gewesen sei. Viele .... (14) Galeristen *(renommiert)*, Experten und Auktionatoren hätten entweder nichts bemerkt – oder nichts bemerken wollen. Der .... (15) Fälscherbande *(jahrelang agierend)* waren auch .... (16) Museen *(einige, staatlich)* auf den Leim gegangen. War das Nachlässigkeit, Unfähigkeit, Naivität, oder ließen sich die Experten von dem Gedanken leiten, ein .... (17) Geschäft *(schnell, lukrativ)* zu machen? .... (18) Fachleute *(manche, anerkannt)* ge-

hen davon aus, dass etwa zehn bis dreißig Prozent aller .... (19) Kunstwerke *(angeboten)* gefälscht sind.

Da die .... (20) Summen *(horrend)*, die .... (21) Liebhaber *(einige)* zu zahlen bereit sind, aber nur mit .... (22) Kunstwerken *(echt)* zu erzielen sind, schreit die Kunstwelt jetzt nach .... (23) Verbesserungen *(sofortig)* bei der Kunstauthentifizierung und der Aufstellung von .... (24) Standards *(zusätzlich)*. Vom Zentralorgan des .... (25) Kunstbetriebs *(international)* wird gefordert, endlich das .... (26) Schweigen *(lang)* über das .... (27) Thema *(heikel)* Fälschungen zu brechen. Sollte es die Branche mit einem .... (28) Selbstreinigungsprozess *(nachhaltig)* wirklich erst meinen, wäre es Aufgabe der .... (29) Verbände *(jeweilig)*, ein paar Regeln aufzustellen, deren .... (30) Einhaltung *(streng)* auch überprüft werden müsste. Zu den .... (31) Regeln *(neu)* sollte gehören, dass nicht mehr von .... (32) *(einzelne)*, sondern von .... (33) Experten *(mehrere)* über die Echtheit eines Kunstwerks entschieden wird. Außerdem dürften Gutachter nicht vom Verkauf der von ihnen .... (34) Werke *(begutachtet)* profitieren. Käufer müssten ein Recht auf eine .... (35) Untersuchung *(naturwissenschaftlich)* der Werke haben. Und, nach dem Skandal um .... (36) Jawlensky-Zeichnungen *(etliche, gefälscht)* im Essener Museum Folkwang sollten Nachfahren .... (37) Künstler *(berühmt)* nicht automatisch als Experten für deren Werke gelten.

(C2) Adjektive im Genitiv
Bilden Sie Genitivattribute wie im Beispiel.

◇   Lesung – bekannt, der Autor   *die Lesung des bekannten Autors*

1.   Gemälde – talentiert, ein Autodidakt   ....

2.   Ergebnis – kreativ, ein Prozess   ....

3.   Pressekonferenz – beliebt, der Schauspieler   ....

4.   Spätwerk – umstritten, der Komponist   ....

5.   Erfolg – neu, einige Bücher   ....

6.   Held – gerade veröffentlicht, der Roman   ....

7.   Veranstalter – ausverkauft, das Konzert   ....

8.   Kompromiss – schwierig, eine Verhandlung   ....

9.   finanzielle Probleme – städtisch, viele Theater ....

C3 Relativierte Superlative
Bilden Sie aus den vorgegebenen Wörtern Sätze wie im Beispiel.

◇ der neue James Bond – erfolgreich – Film – dieses Jahr
Der neue James Bond ist einer der erfolgreichsten Filme dieses Jahres.

> *einer:* Platzhalter für *ein (der) Film*
> *der erfolgreichsten Filme:* Adjektiv und Nomen im Genitiv Plural

1. diese Bibelabschrift – kostbar – Buch – Klosterbibliothek

   ....

2. Peter Sloterdijk – wichtig – Philosoph – Deutschland

   ....

3. die Werkschau von Martin Kippenberger – im Moment – gut – Ausstellungen

   ....

4. die Pinakothek der Moderne – bedeutend – Museum für moderne Kunst

   ....

5. das *Bildnis Adele Bloch-Bauer I* – Gustav Klimt – teuer – Gemälde – Welt

   ....

6. Paulo Coelho – viel gelesen – Autor – Gegenwart

   ....

C4 Vergleiche
Bilden Sie aus den vorgegebenen Wörtern Vergleichssätze mit *als* oder *wie*. Achten Sie auf den Satzbau, eventuell fehlende Präpositionen und die angegebene Zeitform.

◇ zeitgenössische Maler ↔ Alte Meister – *(leicht)* – zu fälschen sein *(Präsens)*
Zeitgenössische Maler sind leichter zu fälschen als Alte Meister.

1. dieses Jahr ↔ letztes Jahr – *(hoch)* – Gewinne – Kunstmarkt – vermutlich – erzielt werden können *(Präsens)*

   ....

2. staatliche Museen – *(viel)* – Fotografien – ankaufen ↔ jemals zuvor *(Präteritum)*

   ....

3. viele Künstler - Asien ↔ Künstler – Europa oder Amerika – ihre Werke – noch – *(preiswert)* – anbieten *(Präsens)*

   ....

4. erste Jahreshälfte = zweite Jahreshälfte – Anzahl – Ausstellungsbesucher – *(genauso hoch)* – sein *(Präteritum)*

   ....

5. heute ↔ früher – Galerie – *(wenig)* – lokale Künstler – vertreten *(Präsens)*

   ....

C5 Proportionalität: Je mehr …, desto besser
Bilden Sie Sätze wie im Beispiel

◇ finanzielle Lage, Kommunen – gut – sein · Kulturausgaben – hoch – sein
Je besser die finanzielle Lage der Kommunen ist, desto höher sind die Kulturausgaben.

1. Literaturunterricht – Schule – abwechslungsreich – gestaltet werden · Interesse – Literatur und Theater – Schüler – groß – werden

   ....

2. Inszenierung – aufsehenerregend – sein · Regisseur – bekannt – werden

   ....

3. Staraufgebot – Schauspieler – groß – sein · viele – Menschen – Aufführung – besuchen

   ....

4. wenig – Geld – Theater – Verfügung – stellen werden · mittelmäßig – Qualität – Arbeit – sein

   ....

Adjektive mit Ergänzungen

Ich bin <u>moderner Kunst gegenüber</u> sehr aufgeschlossen.
Das Porträt sieht <u>ihm</u> ein bisschen ähnlich.
Onkel Alfred ist <u>mir beim Kauf eines Bildes</u> behilflich.

▶ **Hinweise**

→ Man kann viele Adjektive, wenn sie prädikativ verwendet werden, durch weitere Satzglieder ergänzen. Meistens handelt es sich um Kombinationen von Adjektiven mit dem Verb *sein*.

  ▸ Die Ergänzung ist oft eine Präpositionalgruppe.
    Ich bin moderner Kunst gegenüber sehr aufgeschlossen.

  ▸ Adjektive können auch durch einen direkten Kasus (Akkusativ, Dativ oder Genitiv) ergänzt werden.
    Das Porträt sieht ihm ein bisschen ähnlich.

  ▸ Manchmal stehen Adjektive auch mit zwei Ergänzungen (direkter Kasus und präpositionaler Kasus).
    Onkel Alfred ist mir beim Kauf eines Bildes behilflich.

  ▸ Bei Adjektiven mit präpositionalen Ergänzungen ist es nicht unüblich, dass die Ergänzung nach der Satzklammer steht (im Nachfeld): Onkel Alfred ist mir behilflich beim Kauf eines Bildes.

C6 Kulturpolitik

a) Adjektive mit Präpositionalkasus
Bilden Sie Sätze wie im Beispiel. Achten Sie auf die passende Präposition und den richtigen Kasus.

  ◊ die Bürger – Stadt – die neue Kulturpolitik – unzufrieden sein
    Die Bürger der Stadt sind mit der neuen Kulturpolitik unzufrieden.
    Die Bürger der Stadt sind unzufrieden mit der neuen Kulturpolitik.

1. ein ehemaliger Beamter – Finanzministerium – jetzt – die Kulturpolitik – zuständig sein

    ....

2. der Beamte – die Notwendigkeit – massive Kürzungen – Kulturbereich – überzeugt sein

    ....

3. vor allem – der Theaterbereich – geplante Sparmaßnahmen – betroffen sein

    ....

4. einige Inszenierungen – vergangene Jahre – auch – internationale Fachwelt – sehr angesehen sein

    ....

5. alle Aufführungen – 90 Prozent – ausgebucht sein

    ....

6. trotzdem – viele kulturelle Einrichtungen – finanzielle Hilfe – angewiesen sein

    ....

7. ein reichhaltiges Kulturangebot – die Lebensqualität – Städte – wichtig sein

    ....

8. viele Einwohner – jetzt – die kulturelle Vielfalt – besorgt sein

    ....

9. die vorgesehenen Kürzungen – die rein wirtschaftliche Ausrichtung – Kulturpolitik – bezeichnend sein

    ....

10. Kultur – ökonomische Sparzwänge – unabhängig sein – sollten

    ....

b) Adjektive mit direktem Kasus
   Bilden Sie Sätze wie im Beispiel. Achten Sie auf den richtigen Kasus und eventuell fehlende Präpositionen.

◇ die Finanzkrise – Theater *(Pl.)* – viele Politiker – gleichgültig sein
   Die Finanzkrise der Theater ist vielen Politikern gleichgültig.

1. ehrenamtliche Mitarbeiter – viele kulturelle Einrichtungen – Werbeaktionen und Veranstaltungen – behilflich sein

   ....

2. Kulturschaffende – Bürger – dieses Engagement – dankbar sein

   ....

3. Theaterintendant – Schwierigkeit – Lage – sich bewusst sein

   ....

4. wenn – wir – Gehälter – einfrieren, – wir – Loyalität – Schauspieler – nicht mehr – sich sicher sein

   ....

5. wie – jetzt – sich herausstellen, – Kulturmanager – Bestechlichkeit – verdächtig sein

   ....

6. Fragen – Vorwürfe – Manager – unangenehm sein

   ....

Wortbildung der Adjektive

Abgeleitete Adjektive:
Diese Münzen sind nicht verkäuflich.   *(von: verkauf[en] + -lich)*

Zusammengesetzte Adjektive:
Sie sind steinalt.   *(der Stein + alt)*

▶ **Hinweise**

→ Man kann Adjektive (genauso wie Nomen) aus verschiedenen Wortarten zusammensetzen oder ableiten.

→ Zusammengesetzte Adjektive können aus zwei Adjektiven, einem Verb und einem Adjektiv oder einem Nomen und einem Adjektiv gebildet werden: hellblau, wissbegierig, steinalt

→ Adjektive können auch von Verben oder Nomen abgeleitet werden. Die Ableitung erfolgt in der Regel mit Hilfe eines **Suffixes:** verkaufen → verkäuf**lich**, der Stein → stein**ig**, angeben → angeber**isch**, ableiten → ableit**bar**, die Mühe → müh**sam**, der Schmerz → schmerz**haft**, spenden → spend**abel**

 Adjektive aus Nomen

a) Bilden Sie Adjektive auf *-lich* (a) und *-haft* (b) und ordnen Sie ein passendes Nomen zu.

> Verletzung ◇ Eifersucht ◇ Darstellung ◇ Gesicht ◇ Ereignis ◇ Stelle ◇ Wesen ◇ Kind ◇ Nahrungsmittel ◇ Erfahrung ◇ Beschreibung ◇ Verhalten

◇ das Kind   a) *ein kindliches Gesicht*   b) *kindhaftes Verhalten*

1. der Schmerz   a) ....   b) ....

2. das Bild   a) ....   b) ....

3. der Schreck   a) ....   b) ....

4. die Krankheit a) ....   b) ....

5. der Schaden   a) ....   b) ....

b) Beschreiben Sie den Maler Ottokar Müller-Gramlich mithilfe von Adjektiven.

Ottokar Müller-Gramlich ist normalerweise .... (1) *(Selbstsucht)*, ... (2) *(Unvernunft)*, ... (3) *(Ungeduld)*, ... (4) *(Laune)*, ... (5) *(Pessimist)*, ... (6) *(Egoist)*, ... (7) *(Großmaul)*, ... (8) *(Streitsucht)* und .... (9) *(Risikofreude)*. Er kann aber auch .... (10) *(Fantasie)*, ... (11) *(Witz)* und .... (12) *(Leidenschaft)* sein.

C8 Die Macht der Musik
Bilden Sie aus den angegebenen Wörtern Adjektive. Das können abgeleitete Adjektive, zusammengesetzte Adjektive oder Partizipien sein. Achten Sie auf die richtige Endung.

■ Musik ist viel mehr als nur ein *freudiger* (0) Zeitvertreib *(Freude)*. Musik kann das .... (1) Gleichgewicht *(Seele)* in Ordnung bringen und die .... (2) Entwicklung *(Geist)* von Kindern fördern. Deshalb wird Musik von vielen Experten nicht nur als .... (3) Hobby *(unterhalten)* angesehen, sondern auch in der Medizin als .... (4) *(Therapie)* Hilfsmittel eingesetzt.

10 In .... (5) .... (6) Experimenten *(Zahl + reich) (Wissenschaft)* konnte bewiesen werden, dass Musik den Herzschlag, den Blutdruck, die Atemfrequenz und die Muskelspannung des Menschen beeinflusst. Auch der Hormonhaushalt zeigt Wirkung:

15 Je nach Musikart werden verschiedene Hormone abgegeben – Adrenalin bei schneller und aggressiver Musik, Noradrenalin bei .... (7) Klängen *(Ruhe)*. Auf diese Weise kann die Konzentration von .... (8) Betaendorphinen *(Schmerz +*

20 *kontrollieren)* im Körper erhöht werden. Schmerzen können so gelindert werden. Folgerichtig wird Musik heute in der Medizin als .... (9) Mittel *(heilen)* in verschiedensten Bereichen eingesetzt. Vor allem in der Psychiatrie und in der Schmerztherapie

25 leistet sie .... (10) Dienste *(Nutzen)*. Neben der .... (11) *(Medizin)* hat Musik auch eine .... (12) Bedeutung *(Pädagogik)*. In einer Langzeitstudie an mehreren Berliner Grundschulen, an denen .... (13) Musizieren *(Regel + Maß)* zum Schulalltag gehörte, hat

30 sich die soziale Kompetenz der .... (14) Kinder *(musizieren)* deutlich gesteigert. Außerdem herrschte an den .... (15) Schulen *(auswählen)* ein .... (16) Klima *(Ag-*

35 *gression + frei)*. Der Grund könnte darin liegen, dass .... (17) Musizieren *(Gemeinschaft)* ein Aufeinander-Hören erfordert. Musik schult so die Wahrnehmung des anderen.
Auch die These, Musik erhöhe die Intelligenz,

40 ist nicht ganz abwegig, denn Musik stellt für das .... (18) Gehirn *(Mensch)* eine .... (19) Herausforderung *(Riese)* dar. Das liegt unter anderem daran, dass Musik aus vielen .... (20) Informationen *(gleich +*

45 *Zeit)* besteht. Das Gehirn muss Tonhöhen, Tonabfolge, Position und die Art der Schallquelle sortieren und zuordnen. Alle am Hören und an der Lautbildung .... (21) Hirnpartien *(beteiligen)* werden trainiert und stimuliert. Für Sprachen, deren Verständ-

50 nis sehr stark von .... (22) Feinheiten *(Akustik)* abhängt, wie zum Beispiel das Chinesische, ist das auch schon belegt. Und Musik wirkt als Gedächtnisstütze: Um das zu beweisen, wurden Medizinstudenten aufgefordert, ihren zu .... (23)

55 Stoff *(lernen)* zu singen – und sie haben ihn tatsächlich besser behalten!

C9 Verstärken Sie die Bedeutung der Adjektive durch Zusammensetzungen.
Beachten Sie: Einige Adjektive erhalten dadurch einen umgangssprachlichen Charakter.

> grund- ◇ tief- ◇ tod- ◇ stink- ◇ brand- ◇ knall- ◇ gift- ◇ bitter- ◇ hoch- ◇ haus-

◇   Otto ist durch die Prüfung gefallen. Danach war er *tod*unglücklich.

1.   Er hatte nicht gelernt. Er war .... faul.

2.   Marielle hat das Examen bestanden, obwohl sie .... schwanger ist.

3.   Edwin kann nicht lügen, er ist nun mal ein .... ehrlicher Typ.

4.   Susi wurde von ihrem Freund verlassen und ist jetzt .... traurig.

5.   Beim gestrigen Fußballspiel konnten die Studenten in ihren .... grünen Sportshirts gegen die Dozenten .... hoch gewinnen.

6.   Allerdings gelangen den Dozenten im Spiel einige .... gefährliche Flanken.

7.   Der Chef hat gestern eine .... harte Entscheidung getroffen. Er hat zwei Mitarbeitern gekündigt.

8.   Frau Müller hat dem Chef daraufhin eine .... böse E-Mail geschrieben und sich beschwert.

Politisches und Amtliches

Bern: Bundeshaus

Mitbestimmung

A1 Kennen Sie die Schweiz?

Testen Sie Ihre Kenntnisse über die Schweiz und vergleichen Sie die Ergebnisse miteinander. Es gibt immer nur eine richtige Lösung.

1 Der amtliche Name der Schweiz lautet

a) ☐ Republik Schweiz.

b) ☐ Schweizer Eidgenossenschaft.

c) ☐ Schweizer Bundesstaat.

2 Die Regierung und das Parlament sitzen in

a) ☐ Genf.

b) ☐ Zürich.

c) ☐ Bern.

3 Die Schweiz besteht aus 26

a) ☐ Bundesländern.

b) ☐ Provinzen.

c) ☐ Kantonen und Halbkantonen.

4 Das politische System der Schweiz wird bezeichnet als

a) ☐ direkte Demokratie.

b) ☐ parlamentarische Demokratie.

c) ☐ parlamentarische Monarchie.

5 Die Schweiz grenzt nicht an

a) ☐ Deutschland.

b) ☐ Liechtenstein.

c) ☐ Luxemburg.

6 Die offiziellen Amtssprachen in der Schweiz sind

a) ☐ Deutsch, Französisch, Italienisch, Rätoromanisch.

b) ☐ Italienisch und Deutsch.

c) ☐ Deutsch und Französisch.

7 Gemessen am Bruttoinlandsprodukt pro Kopf rangiert die Schweiz mit rund 80 000 US-Dollar weltweit auf Platz

a) ☐ eins.

b) ☐ vier.

c) ☐ vierzehn.

8 Zu den fünf größten Schweizer Firmen zählen

a) ☐ ein Schmuckhersteller.

b) ☐ zwei Pharmakonzerne.

c) ☐ ein Textilhersteller.

9 In der Schweizer Armee dienen

a) ☐ nur Berufssoldaten.

b) ☐ 50 % Berufssoldaten, 50 % wehrpflichtige Bürger.

c) ☐ 5 % Berufssoldaten, 95 % wehrpflichtige Bürger.

10 Der Schweizer Nationalheld Wilhelm Tell

a) ☐ war ein berühmter Bergsteiger.

b) ☐ ist eine frei erfundene literarische Figur.

c) ☐ war der Sage nach ein Kämpfer für Unabhängigkeit und Freiheit.

11 Die Schweiz ist Mitglied

a) ☐ der EU (Europäischen Union).

b) ☐ der NATO (Nordatlantikpakt-Organisation).

c) ☐ der OSZE (Organisation für Sicherheit und Zusammenarbeit in Europa).

12 Die Schweizer feiern an ihrem Nationalfeiertag am:

a) ☐ 1.8.: den Rütlischwur als „Ewigen Bund" (1291).

b) ☐ 24.10.: die Unabhängigkeit vom Heiligen Römischen Reich (1648).

c) ☐ 12.9.: die erste Schweizer Bundesverfassung (1848).

A2 Direkte Demokratie in der Schweiz

a) Was verstehen Sie unter direkter Demokratie? Berichten Sie und nennen Sie Beispiele.

b) Lesen Sie den Text und geben Sie den Inhalt mit eigenen Worten wieder. Formen Sie den Text danach um, indem Sie die auf der rechten Seite angegebenen Wörter unverändert in den Text einarbeiten.

■ **Direkte Demokratie in der Schweiz**

Der Begriff *Demokratie* <u>kommt aus</u> der griechischen Sprache und   Ursprung
bedeutet *Herrschaft des Volkes*. Im Gegensatz zu der
parlamentarischen Demokratie, <u>die in vielen Staaten üblich ist</u>,   üblichen
entstand in der Schweiz die direkte Demokratie. Diese Variante
5 der Demokratie bedeutet, dass das Volk nicht nur über Wahlen,
sondern durch häufige Volksabstimmungen direkten <u>Einfluss</u> auf   beeinflussen
die Politik <u>nehmen</u> kann. Die Schweizer Bürger können in <u>mehrmals
jährlich stattfindenden</u> Volksentscheiden über Gesetze, Sachfragen   stattfinden
und auf Gemeindeebene auch über das Haushaltsbudget abstimmen.
10 In den Kantonen Glarus und Appenzell Innerrhoden gibt es eine
Besonderheit: Die Wahlberechtigten treffen sich zu ihren
Volksversammlungen unter freiem Himmel. Hier <u>entscheidet</u> das   Entscheidungen
Wahlvolk auf der grünen Wiese über die neuesten Gesetze und
den Haushalt. Männer tragen <u>zum Zeichen der Stimmberechtigung</u>   stimmberechtigte
15 einen Degen und Frauen weisen sich mit ihrer Wahlkarte aus. Und
wer Lust hat, kann auf dieser Wahlversammlung auch über Sachthemen
<u>debattieren</u>.   Meinung
An einem Abstimmungswochenende können mehr als zehn Fragen
auf Bundes-, Kantons- und Gemeindeebene zur Entscheidung stehen.
20 Dabei wird durch die Bundesverfassung bzw. durch die kantonalen Ver-
fassungen geregelt, welche Arten von Gesetzen und anderen Sachfragen
zwingend <u>der Volksabstimmung unterstehen</u> (obligatorisches Referen-   abgestimmt
dum). Die übrigen Gesetze unterliegen dem fakultativen Referendum,
d. h., innerhalb von drei Monaten <u>nach der Verabschiedung eines</u>   verabschiedet
25 <u>Gesetzes oder einer Gesetzesänderung</u> können 50 000 Stimmberechtigte mit ihrer Unterschrift eine Volksabstimmung darüber verlangen.
Das bedeutet, dass ein Eidgenosse durchschnittlich viermal
im Jahr zur Abstimmung <u>schreitet</u> und dabei jedes Mal über mehrere   teilnimmt
Sachfragen entscheidet: vom Beitritt der Schweiz zu den Vereinten
30 Nationen bis zum Bau einer neuen Schule im Wohnort.

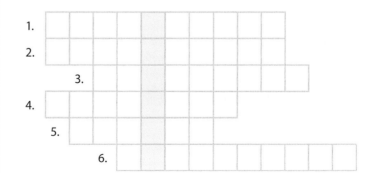

c) Das sollte jeder haben …
Lösen Sie das Rätsel. Die Buchstaben in den farbigen Kästchen ergeben ein Wort im Plural als Lösungswort.

1. ein Synonym für *Volksabstimmung*
2. eine andere Bezeichnung für *Schweizer Staatsbürger*
3. ein politisches Thema, das in der Schweiz zur Abstimmung kommt
4. die Ein- und Ausgaben einer Gemeinde, eines Landes oder Staates
5. Verwaltungseinheit (Gliedstaat) in der Schweiz; es gibt davon 26
6. Grundordnung, die Staatsform und Rechte und Pflichten der Bürger bestimmt

 A3 Berichten Sie über das politische System Ihres Heimatlandes oder eines Landes, das Sie besonders interessiert.

A4 Diskussion: Mitbestimmung nach dem Schweizer Vorbild

In zahlreichen EU-Ländern fordern die Bürger vor allem bei Entscheidungen der Europäischen Kommission mehr Mitbestimmung. Als Vorbild dient ihnen die Schweiz. Diskutieren Sie darüber mit Ihrer Gesprächspartnerin/Ihrem Gesprächspartner. Entscheiden Sie sich für einen der beiden Standpunkte und beginnen Sie mit der Diskussion.

1

Pro

Es ist wichtig, dass Entscheidungen, die auf europäischer Ebene stattfinden und mehrere Staaten betreffen, in den jeweiligen Ländern durch eine Volksabstimmung legitimiert werden.

2

Kontra

Bei Volksabstimmungen können Populisten zu großen Einfluss auf die Bevölkerung gewinnen und dadurch eventuell politisch notwendige Maßnahmen verhindern.

Zum Ablauf der Diskussion

◇ Diskutieren Sie zu zweit: Eine Person vertritt Aussage 1, die andere Aussage 2.

◇ Verteidigen Sie Ihre Position. Versuchen Sie, Ihre Gesprächspartnerin/Ihren Gesprächspartner von Ihren Argumenten zu überzeugen. Nennen Sie auch Beispiele.

◇ Gehen Sie auf die Argumente Ihrer Gesprächspartnerin/Ihres Gesprächspartners ein.

A5 Politik und Mitbestimmung in Deutschland   *12*

Sie hören ein Interview mit der Politologin Dr. Sabine Ewald über die Bedeutung von Bürgerinitiativen und die Entstehung von Parteien. Entscheiden Sie, ob die Aussagen mit dem Inhalt übereinstimmen oder nicht.

		ja	nein
1.	Ein Teil der heute existierenden Parteien in Deutschland gründete sich aus Bürgerinitiativen.	☐	☐
2.	Ausschließlich ökologische und kommunalpolitische Themen sind Grundlage von Bürgerinitiativen.	☐	☐
3.	Dauerhaftes Engagement einer Bürgeriniative erfordert organisatorische und medienspezifische Maßnahmen.	☐	☐
4.	In der Regel beschränken sich Bürgerbegehren auf sachlich eingegrenzte Probleme. Die entsprechenden Bürgerinitiativen werden deshalb auch als Ein-Punkt-Organisationen bezeichnet.	☐	☐
5.	Wenn die Zielstellung und Durchsetzung der Bürgerinitiative längerfristig ist, muss ein Verein gegründet werden.	☐	☐
6.	Joschka Fischer trug während der Vereidigung zum hessischen Umweltminister Turnschuhe.	☐	☐
7.	In den 1970er-Jahren überließen die Bürger die Politik immer weniger den etablierten Parteien.	☐	☐
8.	Die Protestbewegung gegen die umstrittene Kernenergie umfasste alle Bevölkerungsgruppen.	☐	☐
9.	1979 zogen die Grünen mit vier Mandaten in den Bundestag ein.	☐	☐
10.	Aufgrund der Fünf-Prozent-Hürde mussten sich die Bunten und Alternativen Listen zusammenschließen.	☐	☐
11.	In den darauffolgenden Jahren kam es auf bundespolitischer Ebene zur Zusammenarbeit zwischen SPD und Grünen.	☐	☐
12.	Die Mitglieder der Piratenpartei verstehen sich als Sprachrohr der Informationsgesellschaft und kämpfen gegen den Schnüffelstaat.	☐	☐

A6 Die Bedeutung von Bürgerinitiativen
Ergänzen Sie in dem Text die fehlenden Nomen in der richtigen Form.

> Paradebeispiel ◊ Proteste ◊ Anlass ◊ Wahlen ◊ Alltag ◊ Lebenswirklichkeit ◊ Umfang ◊ Stimme ◊ Kandidaten ◊ Gleichgesinnte ◊ Interesse ◊ Meinung ◊ Macht ◊ Grundsatzprogramme ◊ Regierung ◊ Volksvertreter ◊ Regierungsverantwortung ◊ Aktion ◊ Demonstration ◊ Anliegen ◊ Vereidigung

■ Mit Parteien haben wir nicht nur während der *Wahlen* (0) zu tun, Parteien und politische Gruppierungen durchdringen unseren .... (1). Sie sind ein so selbstverständlicher Teil unserer 5 .... (2) geworden, dass man nur selten hinterfragt, woher Parteien eigentlich kommen und von wem sie gegründet wurden. Ein Teil der heute existierenden Parteien geht auf Bürgerinitiativen zurück. Bürgerinitiativen haben meist einen recht 10 konkreten .... (3). Es hat sich etwas ereignet, das nach .... (4) der Akteure von der Politik gar nicht oder nicht im geeigneten .... (5) aufgegriffen worden ist. Um diese Entwicklung zu korrigieren und um der eigenen 15 Haltung eine .... (6) zu geben, können sich Gruppierungen bilden. Diese kommen meist ganz spontan zusammen, z. B. während eines Stadtteilfestes. Jemand sucht .... (7) und stößt dabei bei anderen auf .... (8). Doch eine 20 richtige Initiative kommt erst dann zustande, wenn über eine einmalige .... (9) hinaus gedacht wird – wenn es um mehr geht, als einmal einen Infostand oder eine .... (10) zu organisieren.
25 Aber nicht aus jeder Initiative, sei sie auch noch so groß und engagiert, wird gleich eine Partei. Das

liegt schon daran, dass Initiativen meist nur ein .... (11) haben – eben jenes, weswegen sie gegründet wurden. Parteien sind umfassender 30 aufgestellt. Sie versuchen, ein möglichst breites Spektrum an Themen und Meinungen einzufangen und somit politische .... (12) zu erlangen. Parteien verfassen .... (13), stellen .... (14) auf und stellen sich dann auch 35 zur Wahl.
Es gibt in Deutschland das .... (15) einer Bürgerinitiative, die zur Partei geworden ist. Aus den Umweltaktionen und .... (16) gegen Atomkraft entstanden die Grünen. Anfang 40 1980 wurde die Bundespartei der Grünen gegründet. 1985 beteiligte sie sich zum ersten Mal an der .... (17) eines Bundeslandes, die am 12. Dezember 1985 im Land Hessen offiziell vereidigt wurde. Unter den zukünftigen Ministern war einer, 45 der die damals neue Partei der Grünen repräsentierte: Joschka Fischer. Fischer schockierte das politische Establishment, indem er zu seiner .... (18) als Umweltminister Turnschuhe trug. Die grünen .... (19) wollten sich damals als „Anti-50 Parteien-Partei" verstanden wissen und versuchten, dies auch optisch sichtbar zu machen. Heute zählen die Grünen zu den etablierten Parteien, die auch schon .... (20) übernommen haben.

 A7 Bilden Sie Sätze im Präteritum. Ergänzen Sie die Apposition im richtigen Kasus und achten Sie auf die Kommasetzung und die fehlenden Präpositionen.

◊ Carsten Berg (*ehemaliger Mitarbeiter von „Mehr Demokratie e. V."*) – bereits – europäischer Verfassungskonvent 2002/03 – mitwirken – Kampagne für die Europäische Bürgerinitiative

Carsten Berg, ehemaliger Mitarbeiter von „Mehr Demokratie e. V.", wirkte bereits im europäischen Verfassungskonvent 2002/03 an einer Kampagne für die Europäische Bürgerinitiative mit.

1. 2012 – Bilanz ziehen – Berg (*als Leiter – Europäische Bürgerinitiative*) – und – aufzeigen – reale Probleme – EBI (*Europäische Bürgerinitiative*)

....

....

2. nationale Umsetzung – unterschiedlich – ausfallen – und – müssen – man – so – 18 von 27 Staaten – persönliche Daten (*wie Personalausweis- oder Versicherungsnummern*) – angeben

....

....

3. Protest – viele Bürgerinitiativen – und – Organisationen – sich richten – Stuttgart 21 (*Projekt – Deutsche Bahn AG*)

....

4. Stuttgarter Hauptbahnhof *(oberirdischer Kopfbahnhof)* – wollen – umbauen – unterirdischer Durchgangsbahnhof – man

   ....

5. Hauptargumente – Protestbewegung *(wie geringe Leistungsfähigkeit – neuer Bahnhof - negative Auswirkungen – Mineralwasservorkommen – hohe Kosten – Gebäude)* – wollen hören – zuständige Instanzen – lange nicht

   ....

   ....

6. Aktionsbündnis gegen *Stuttgart 21 (Zusammenschluss – mehrere Bürgerinitiativen)* – obliegen – regelmäßige Montagsdemos

   ....

   ....

Zusatzübungen zu Appositionen ⇨ Teil C Seite 217

A8 Unterhalten Sie sich in Kleingruppen über die folgenden Fragen.
Fassen Sie im Anschluss daran die interessantesten Diskussionspunkte zusammen.

1 Über welche politischen, wirtschaftlichen oder sozialen Themenbereiche in Ihrem Heimatland halten Sie sich auf dem Laufenden und wie tun Sie das?

2 Welche Themen in der Lokalpolitik Ihres Heimatortes interessieren Sie am meisten und warum?

3 Gibt es politische, wirtschaftliche oder soziale Themen, die Ihrer Meinung nach auf lokaler, nationaler oder internationaler Ebene mehr Beachtung finden müssten?

4 Welche Gründe könnte jemand haben, der sich nicht (mehr) für Politik interessiert?

A9 Ein Gedicht von *Erich Weinert* (1890–1953)

Ferientag eines Unpolitischen (1930)

Der Postbeamte Emil Pelle
Hat eine Laubenlandparzelle,
Wo er nach Feierabend gräbt,
Und auch die Urlaubszeit verlebt.

Ein Sommerläubchen mit Tapete,
Ein Stallgebäude, Blumenbeete,
Hübsch eingefaßt mit frischem Kies,
Sind Pelles Sommerparadies.

Zwar ist das Paradies recht enge,
Mit 15 Meter Seitenlänge;
Doch pflanzt er seinen Blumenpott
So würdig wie der liebe Gott.

Im Hintergrund der lausch'gen Laube
Kampieren Huhn, Kanin und Taube
Und liefern hochprozent'gen Mist,
Der für die Beete nutzbar ist.

Frühmorgens schweift er durchs Gelände
Und füttert seine Viehbestände.
Dann polkt er am Gemüsebeet,
Wo er Diverses ausgesät.

Dann hält er auf dem Klappgestühle
Sein Mittagschläfchen in der Kühle.
Und nachmittags, so gegen drei,
Kommt die Kaninchenzüchterei.

Auf einem Bänkchen unter Eichen
Die noch nicht ganz darüber reichen,
Sitzt er, bis daß die Sonne sinkt,
Wobei er seinen Kaffee trinkt.

Und friedlich in der Abendröte
Beplätschert er die Blumenbeete
Und macht die Hühnerklappe zu.
Dann kommt die Feierabendruh.

Dann haut er sich auf die Matratze,
Die Schafskopfhörer um die Glatze,
Und lauscht verträumt und etwas doof
Der Tanzmusik im Kaiserhof.

Er denkt: „Was kann mich noch gefährden!
Hier ist mein Himmel auf der Erden!
Ach so ein Abend mit Musik,
Da braucht man keine Politik!

Die wirkt nur störend in den Ferien,
Wozu sind denn die Ministerien?
Die sind doch dafür angestellt,
Und noch dazu für unser Geld!

Ein jeder hat sein Glück zu zimmern!
Was soll ich mich um andre kümmern?"
Und friedlich, wie ein Patriarch,
Beginnt Herr Pelle seinen Schnarch.

a) Sprechen Sie in Kleingruppen über das Gedicht. Fassen Sie im Anschluss daran die Ergebnisse zusammen.

Fragen	**Ihre Antworten**
1. Wie gefällt Ihnen die Sprache und der Stil des Gedichts?	
2. Was ist eine Laubenlandparzelle?	
3. Wie wird Emil Pelle beschrieben?	
4. Was ist Ihrer Meinung nach die allgemeine Aussage des Gedichts?	
5. Erkennen Sie in dem Gedicht die politische Haltung des Autors?	

b) Schreiben Sie für die Internetseite *politikundliteratur.de* eine Rezension des Gedichtes *Ferientag eines Unpolitischen*. Fassen Sie dafür den Inhalt mit eigenen Worten zusammen und erläutern Sie, ob das Gedicht Ihrer Ansicht nach auch heute noch aktuell ist.

A10 Wählen Sie mit Ihrer Nachbarin/Ihrem Nachbarn aus den unten stehenden Zitaten eines aus, das Ihnen besonders gut gefällt. Begründen Sie Ihre Wahl und diskutieren Sie über das Zitat.

1
In der Politik ist es manchmal wie in der Grammatik. Ein Fehler, den alle begehen, wird schließlich als Regel anerkannt. *(André Malraux)*

2
Für einen Politiker ist es gefährlich, die Wahrheit zu sagen. Die Leute könnten sich daran gewöhnen, die Wahrheit hören zu wollen. *(George Bernard Shaw)*

3
Die Verfassung eines Staates sollte so sein, dass sie die Verfassung des Bürgers nicht ruiniert. *(Stanislaw Jerzy Lec)*

4
Das Hauptproblem von Ethik und Politik besteht darin, auf irgendeine Weise die Erfordernisse des Gemeinschaftslebens mit den Wünschen und Begierden des Individuums in Einklang zu bringen. *(Bertrand Russell)*

5
Je öfter ein Politiker sich widerspricht, desto größer ist er. *(Friedrich Dürrenmatt)*

6
Politik ist die Kunst, von den Reichen das Geld und von den Armen die Stimmen zu erhalten, beides unter dem Vorwand, die einen vor den anderen schützen zu wollen. *(anonym)*

Buchtipp • Buchtipp • Buchtipp

In Zeiten des abnehmenden Lichts
Von *Eugen Ruge*

Voller Hoffnung kehren die Großeltern aus dem mexikanischen Exil zurück, um ein neues, ein sozialistisches Deutschland aufzubauen. Der Sohn kommt aus der Sowjetunion, mit einer russischen Frau und der Erinnerung ans Arbeitslager – aber noch im Glauben an die Möglichkeit, es besser zu machen. Dem Enkel bleibt nur noch ein Platz in der Realität der DDR. Hier wächst er auf, wohlbehütet, bis es ihm zu eng wird. Seine Flucht in den Westen fällt ausgerechnet auf den Tag, an dem sich Familie, Freunde und Feinde versammeln, um den neunzigsten Geburtstag des Patriarchen zu begehen. *(Rowohlt Verlag)*

Politik- und Wirtschaftssünden

A11 Korruption und Vetternwirtschaft

a) Ist das akzeptabel? Entscheiden Sie sich für zwei bis drei der nachfolgenden Fälle und diskutieren Sie in Gruppen. Präsentieren Sie im Anschluss Ihre Diskussionsergebnisse im Plenum.

1 Eine große Firma spendet einer Partei jährlich eine halbe Million Euro.

....
....
....

2 Ein Staatsanwalt wird während des Untersuchungsverfahrens von der Familie eines Geschädigten zum Essen eingeladen.

....
....
....
....

3 Bei einer Verkehrskontrolle liegt unter dem Führerschein ein Geldschein.

....
....
....

4 Nach einer Bewerbungsrunde im öffentlichen Dienst mit vielen Kandidaten entscheidet sich der Chef für seinen eigentlich ungeeigneten Neffen.

....
....
....
....
....

5 Einem Abgeordneten wird von einer Firma während seiner Amtszeit ein lukrativer Aufsichtsratsposten für die Zeit nach seiner politischen Karriere versprochen.

....
....
....
....
....
....

6 Bei einer öffentlichen Ausschreibung für einen Bauauftrag erhält der Baudezernent einen Briefumschlag mit Geld.

....
....
....
....

7 Jemand, der nach zwei Jahren Arbeitslosigkeit einen neuen Job erhalten hat, bedankt sich bei der Mitarbeiterin einer Arbeitsagentur mit einer Schachtel Pralinen.

....
....
....
....
....

8 Ein europäischer Beamter geht öfter mit Firmenvertretern in Sterne-Restaurants essen. Er zahlt das Essen nicht selbst.

....
....
....
....

9 Ein Journalist schreibt einen freundlichen Artikel über das Auto, das er monatelang testen durfte.

....
....
....
....

10 Ein Arzt bekommt neue Geräte von einer Pharmafirma und verschreibt bevorzugt deren Medikamente.

....
....
....

b) Was verstehen Sie unter Korruption? Formulieren Sie eine kurze Definition.

c) Diskutieren Sie in Kleingruppen. Präsentieren Sie Ihre Ergebnisse anschließend im Plenum.

1. In welchen Bereichen des öffentlichen Lebens kommt Korruption Ihrer Ansicht nach am häufigsten vor?

2. Was sind die wichtigsten Ursachen dafür, dass Menschen bestechlich sind oder werden?

■ Bestechlichkeit ist kein Kavaliersdelikt

Der Leiter der Baubehörde spannt im Wellnesshotel aus – als Dankeschön für eine umstrittene Genehmigung. Der Arzt bekommt neue Geräte von einer Pharmafirma – im Gegenzug verordnet er die „richtigen" Medikamente. Und der Journalist schreibt einen freundlichen Bericht über das neue Auto, das er monatelang „testen" durfte. Kavaliersdelikte? Nein, denn Korruption schadet der Volkswirtschaft, der Demokratie – und letztlich uns allen.

1

....

Der Gedanke, jemanden mit besonderen Zuwendungen auf seine Seite zu ziehen, ist so alt, dass er geradezu typisch menschlich erscheint. Wurden in grauer Vorzeit nicht Götter mit Opfergaben milde gestimmt? Eine Hand wäscht die andere – das praktizierte man schon im alten Rom. Ab 200 vor Christus gab es in der römischen Gesellschaft zwei miteinander verwobene Systeme: Das offizielle basierte auf den festgeschriebenen Regeln für Verwaltung und Militär, das informelle auf einer neuen Art von Gefolgschaft, belebt durch den Austausch von Gefälligkeiten und Spenden. In jener Zeit erkauften sich Generäle häufig den Gehorsam ihrer Soldaten durch persönliche Zuwendungen und (Geld-)Geschenke. Doch schon die Römer wussten, dass Bestechung schädlich ist: In ihrem lateinischen Wortschatz existierte der Begriff *corrumpere*, von dem das Wort *Korruption* abstammt. Es bedeutet *verderben, zugrunde richten, zu Schande machen*.

2

....

„Man kennt sich, man hilft sich", sagt der Kölner. „Eine Hand wäscht die andere" und „Kleine Geschenke erhalten die Freundschaft", heißt es im Volksmund. Die Grenze zu ziehen, wo aus der an sich positiven gegenseitigen Unterstützung und Kooperation kriminelle Korruption wird, ist oft nicht einfach. Wohl auch deshalb ist bei den Beteiligten häufig kein Unrechtsbewusstsein vorhanden. Die Organisation *Transparency International (TI)*, die sich der Bekämpfung von Korruption widmet, definiert Korruption als Missbrauch von anvertrauter Macht zum eigenen Vorteil.

Korruption umfasst Delikte wie Bestechung und Bestechlichkeit, Vorteilsnahme und Veruntreuung, Zahlung von Schmiergeld, ja sogar Erpressung. Man kann unterscheiden zwischen Gelegenheitskorruption (zum Beispiel der Euroschein, der bei der Verkehrskontrolle im Führerschein liegt) und struktureller Korruption. Hierbei geht es um die Bildung langfristiger Abhängigkeiten. Korruption findet überall dort ihren Nährboden, wo Entscheidungen getroffen werden, von denen jemand einen Vorteil haben kann. Sie gedeiht, wenn manipulatives Verhalten im Schutz der Heimlichkeit möglich ist und nicht ans Licht kommt. Kein Bereich der Bürokratie ist davon ausgeschlossen. Korruption war und ist überall möglich, in jedem Land, zu jeder Zeit.

3

....

Unverfänglich werden sie gereicht, die Appetithäppchen, die beim Empfänger den Wunsch nach mehr keimen lassen. Um in den Genuss von größeren Aufmerksamkeiten zu kommen, werden als Gegenleistung Wünsche erfüllt. „Anfüttern", so bezeichnet der Fachjargon diese Art langfristiger Beziehungspflege. Am liebsten werden Gefälligkeiten weltweit mit Bargeld bezahlt. Gern genommen sind außerdem Bordellbesuche, Schmuck, Geschenke für Familienangehörige, großzügig finanzierte Reisen, Zubehör für die Hobbyausstattung und kostenlose Leistungen aller Art. Ob in der öffentlichen Verwaltung oder im Gesundheitswesen – die Kosten illegaler Tauschbeziehungen gehen zu Lasten der Allgemeinheit. Das schmierige Geschäft zahlen die Bürger – mit Steuern, höheren Preisen oder gestiegenen Gebühren. Wenn ein Unternehmen besticht, um seine Umsätze zu steigern, holt es sich das dafür benötigte Geld vom Verbraucher – indem es seine Ware verteuert und das Bestechungsgeld zusätzlich als Werbungskosten steuerlich absetzt. Oder das Bestechungsgeld wird bereits in die Rechnung an die Stadt eingerechnet. Die Allgemeinheit zahlt also Leistungen, die nie erbracht wurden.

4

....

Wie hoch die Kosten tatsächlich sind, die Korruption verursacht, lässt sich nur schätzen. Zu hoch ist die Dunkelziffer der Delikte. Doch vermutlich gehen die Schäden für die deutsche Volkswirtschaft in die Milliarden. Eine Studie des Wirtschaftsprüfungsunternehmens *PricewaterhouseCoopers* ging 2010 von einem Gesamtschaden für Deutschlands öffentliche Verwaltung von weit über zwei Milliarden Euro jährlich aus. Spektakuläre Beispiele bieten nicht nur kolumbianische Drogenkartelle, die sizilianische Mafia oder Waffenschiebereien im Nahen Osten. Für reichhaltiges Anschauungsmaterial sorgen auch deutsche Bestechungsskandale: Im Korruptionsprozess um den Bau der Kölner Müllverbrennungsanlage ging es um gut elf Millionen Euro Schmiergelder, die beim Bau der etwa 400 Millionen Euro teuren Anlage in den 1990er-Jahren gezahlt wurden. Eine Million davon hatte allein die Kölner SPD kassiert.

5

....

Transparency International (TI) erstellt seit 1995 den internationalen Korruptionswahrnehmungsindex, der wiedergeben soll, als wie korrupt die Amtsträger und Politiker einzelner Länder gelten. Die Bewertungsskala reicht von 0 (als sehr korrupt wahrgenommen) bis 10 (als wenig korrupt wahrgenommen). Drei Viertel der 178 untersuchten Länder erzielten 2010 einen Index von unter 5. Korruption ist also ein weltweites Problem. Auch Deutschland bekleckerte sich nicht gerade mit Ruhm. Mit einem Index von 7,9 fand sich Deutschland auf Rang 15, während sich Dänemark, Neuseeland und Singapur mit einem Index von 9,3 den ersten Platz teilten. Positiv hervorgehoben wurde von TI, dass eine größere Anzeigenbereitschaft zu mehr Ermittlungsverfahren geführt habe und die Zahl der Präventionsmaßnahmen in Verwaltung und Privatwirtschaft gewachsen sei.

a) Finden Sie für die gelesenen Textabschnitte aussagekräftige Teilüberschriften.

b) Beantworten Sie die Fragen zum Text.

1. Was wird im Text über die Entstehungsgeschichte von Korruption berichtet?

2. Welche Delikte umfasst Korruption und wie definiert die Organisation *Transparency International* den Begriff *Korruption*?

3. Wie wird im Text der Unterschied zwischen Gelegenheitskorruption und struktureller Korruption beschrieben?

4. Wer trägt in welcher Form die Kosten illegaler Tauschbeziehungen? Warum?

5. Was wird im Text über deutsche Bestechungsskandale berichtet?

A13 Beschreiben Sie die Begriffe mit eigenen Worten.

1. <u>die Spende</u>   ....

2. <u>die Gefälligkeit</u>   ....

3. <u>die Zuwendung</u>   ....

4. <u>die Erpressung</u>   ....

5. ein <u>schmieriges</u> Geschäft   ....

6. ein <u>unverfängliches</u> Geschenk   ....

7. Gelder <u>veruntreuen</u>   ....

A14 Bilden Sie Sätze im Präsens.
Achten Sie auf den Kasus und ergänzen Sie eventuelle Präpositionen und Artikel.

1. die Appetithäppchen – keimen lassen – Empfänger – Wunsch nach mehr

   ....

2. zu Lasten – rücksichtslose Tauschbeziehungen – Allgemeinheit – immer öfter – gehen

   ....

3. steuerlich – einige Firmen – Werbungskosten – absetzen – als – versuchen – Bestechungsgeld

   ....

4. Bekämpfung – Korruption – Organisation TI – sich widmen, – damit – Licht – Bestechung und Veruntreuung – kommen – weltweit

   ....

5. dort – Korruption – Nährboden – finden – überall, – wo – Schutz – Heimlichkeit – manipulatives Verhalten – gedeihen – können

   ....

6. bedeuten – Korruption, – ziehen – jemand – seine Seite – besondere Zuwendungen

   ....

7. Organisation TI – angeben, – dass – führen – mehr Ermittlungsverfahren – größere Anzeigebereitschaft

   ....

A15 Bilden Sie sinnvolle Komposita. Geben Sie auch den Artikel an.
Orientieren Sie sich am Text in Aufgabe A12.

A

Hobby-	-maßnahme	1.	*die Präventionsmaßnahme*
Netz-	-schein	2.	....
Volks-	-ausstattung	3.	....
Opfer-	-mund	4.	....
Präventions-	-werk	5.	....
Euro-	-gabe	6.	....

B

Kavaliers-	-bewusstsein	1.	....
Anzeige-	-träger	2.	....
Schmier-	-bereitschaft	3.	....
Bewertungs-	-delikt	4.	....
Unrechts-	-geld	5.	....
Amts-	-skala	6.	....

C

Wahrnehmungs-	-korruption	1.	....
Tausch-	-anlage	2.	....
Gelegenheits-	-angehörige	3.	....
Müllverbrennungs-	-index	4.	....
Familien-	-material	5.	....
Anschauungs-	-beziehung	6.	....

A16 Nominalisieren Sie die Sätze wie im Beispiel.

◇ Gehorsame Beamte werden bestechlich. *die Bestechlichkeit gehorsamer Beamter*

1. Manipulatives Verhalten wird von der Öffentlichkeit geduldet. ....

2. Zahlreiche Gefälligkeiten werden unter Politikern und Geschäftsleuten ausgetauscht. ....

3. Hohe Spenden werden von Parteien angenommen. ....

4. Die anvertraute Macht wird zum eigenen Vorteil missbraucht. ....

5. Langfristige, unübersichtliche Netzwerke werden gebildet. ....

6. Abhängigkeiten zwischen Politikern und Geschäftsleuten entstehen. ....

7. Staatliche Gelder werden von Amtsträgern veruntreut. ....

8. Einflussreiche Persönlichkeiten werden bestochen und lassen sich bestechen. ....

9. Schmiergelder werden gezahlt und kassiert. ....

10. Staatliches oder kommunales Eigentum wird unkontrolliert veräußert. ....

Zusatzübungen zum Nominalstil ⇨ Teil C Seite 218

A17 Formen Sie die Sätze um, indem Sie die in Klammern angegebenen Wörter und Hinweise in der passenden Form einarbeiten.

◊ Wie <u>bestechlich</u> die Beamten eines Staates oder Mitarbeiter großer Firmen sind, hängt Wissenschaftlern zufolge von der konjunkturellen Lage des Landes ab. *(Bestechlichkeit)*

Die Bestechlichkeit von Beamten eines Staates oder von Mitarbeitern großer Firmen hängt Wissenschaftlern zufolge von der konjunkturellen Lage des Landes ab.

1. In Deutschland gibt es <u>trotz</u> Wirtschaftsaufschwungs noch immer in beträchtlichem Umfang Korruption. *(obwohl)*

   ....

2. Bestechung und Vorteilsnahme <u>fügten</u> der deutschen Wirtschaft 2012 nach Schätzungen <u>einen Schaden</u> von rund 250 Milliarden Euro <u>zu</u>. *(Einbußen – hinnehmen)*

   ....

   ....

3. <u>Geht es der Wirtschaft schlecht</u>, sind die Angestellten von Behörden und Firmen tendenziell eher empfänglich für Bestechung. *(aufgrund)*

   ....

   ....

4. Doch für Deutschland <u>wurde</u> auch für das wirtschaftlich relativ starke Jahr 2012 ein Schaden von 250 Milliarden Euro <u>angegeben</u>. *(erleiden – müssen)*

   ....

   ....

5. Die Berechnungen des Forschungsinstituts basieren auf dem Korruptionsindex CPI, <u>der von der Organisation *Transparency International* erstellt wurde</u>. *(erstellten)*

   ....

   ....

6. Der 2012 veröffentlichte Korruptionsindex <u>zeigt</u>, dass Deutschland im internationalen Vergleich auf Rang 15 der am wenigsten korrupten Staaten weltweit steht. *(laut)*

   ....

   ....

A18 E-Mail an eine Fernsehredaktion

Sie haben im Fernsehen eine Diskussionsrunde zum Thema *Geschenke erhalten die Freundschaft: Wie weit darf man als Politiker gehen?* gesehen. Nach der Sendung wurden die Zuschauer aufgefordert, ihre Meinung zu äußern. Schreiben Sie eine ausführliche E-Mail (ca. 350 Wörter), in der Sie sich auf die drei folgenden Aussagen beziehen.

1

Politiker sollten persönliche Beziehungen zu einflussreichen Wirtschaftsbossen meiden.

2

Politik und Wirtschaft kann man nicht trennen, ein Politiker braucht die persönlichen Kontakte zum Agieren.

3

Die Presse spielt kleine Freundschaftsdienste oft hoch, wenn ein Politiker abgesägt werden soll.

Amtliches

A19 Interview
Wählen Sie drei Fragen aus und befragen Sie zwei Gesprächspartnerinnen/Gesprächspartner.
Berichten Sie anschließend.

1 Müssen Sie beruflich E-Mails schreiben und beantworten? Wenn ja, wie viele täglich?

2 Gibt es darunter auch E-Mails, die offiziellen/amtlichen Charakter tragen? Wenn ja, an wen sind diese E-Mails gerichtet?

3 Sehen Sie sprachlich und formal einen Unterschied zwischen privaten und beruflichen E-Mails?

4 Müssen Sie beruflich außer E-Mails noch andere Texte verfassen (z. B. Berichte, Protokolle, Verträge, Anfragen, Angebote, Reklamationen)? Wenn ja, was für welche?

5 Verfassen und versenden Sie amtliche Schreiben gern digital? Warum?

6 Können Sie offizielle Schreiben auf Deutsch verfassen? Wenn ja, welche Art von Texten? Wenn nein, möchten Sie das gern noch lernen?

7 Fällt Ihnen das Verfassen amtlicher Texte und offizieller Schreiben in Ihrer Muttersprache schwer? Wenn ja, warum? Wenn nein, warum nicht?

8 Gibt es in Ihrer Muttersprache für amtliche Schreiben auch Vorlagen im Internet oder haben Sie im Unternehmen innerbetriebliche Vorlagen?

9 Kennen Sie sich mit juristischen Schreiben aus? Wenn ja, in welcher Hinsicht?

A20 Ordnen Sie die Textsorten den Erklärungen zu.

1. *Der Vertrag* ist eine schriftliche Vereinbarung zwischen zwei oder mehreren Partnern, die für alle Partner gültig ist.

2. .... ist ein verbindlicher Text, der meist auf eine Anfrage folgt und in dem z. B. Aussagen zu Menge und Qualität der Ware gemacht werden.

3. .... ist eine schriftliche Aufforderung an jemanden, als Gast zu kommen oder irgendwohin zu gehen.

4. .... ist ein Schreiben, das mitteilt, dass man mit einer offiziellen Entscheidung nicht einverstanden ist.

5. .... ist ein Text, mit dem man die Qualitäten einer Person besonders würdigt, die vor Kurzem gestorben ist.

6. .... ist ein schriftlicher Versuch, jemanden zu finden, der ein Produkt kauft oder eine Idee unterstützt.

7. .... ist z. B. das Schreiben eines Verkäufers, wenn der Käufer nicht zum festgelegten Zeitpunkt gezahlt hat.

8. .... ist ein kurzer Text, in dem man erhaltene Glückwünsche oder Geschenke würdigt.

9. .... ist ein Schreiben, in dem die Annahme eines Auftrags/einer Bestellung bestätigt wird.

10. .... ist ein Text eines Käufers, wenn z. B. falsche oder beschädigte Ware geliefert wurde.

11. .... ist ein unverbindliches Schreiben, in dem man Interesse z. B. an einem Produkt zeigt.

12. .... ist ein schriftlicher Vermerk zu einem Vorgang/einer Akte.

13. .... ist ein Schreiben zur Suche nach geeigneten Geschäftspartnern im Ausland.

14. .... ist ein Text, in dem der Ablauf einer Sitzung festgehalten wird.

15. .... ist ein kurzer und knapper Vermerk (oft nach Telefonaten).

16 .... ist ein Schreiben, das bei einem Todesfall Beileid bekundet.

17. .... ist das Schreiben zur Beendigung eines Vertrages.

◇ die Kündigung
◇ die Auftragsbestätigung
◇ das Protokoll
◇ die Anfrage
◇ die Gesprächsnotiz
◇ das Dankschreiben
◇ der Vertrag
◇ die Einladung
◇ das Kondolenzschreiben
◇ der Firmennachweis
◇ das Mahnschreiben
◇ die Aktennotiz
◇ der Werbebrief
◇ der Nachruf
◇ das Angebot
◇ die Reklamation
◇ der Widerspruch

A21 Ergänzen Sie die Präpositionen und ordnen Sie die Sätze den Textsorten der Aufgabe A20 zu.

> aufgrund ◇ entsprechend *(2x)* ◇ vonseiten ◇ zufolge ◇ mangels ◇ entgegen ◇ gemäß ◇ angesichts ◇ zwecks ◇ zeit ◇ bezüglich ◇ laut ◇ binnen

A

Aktennotiz

Zwecks (0) Archivierung hier noch mal zur Ergänzung die wichtigsten Punkte des abschließenden Kundengesprächs.

B

.... (1) eigener Kontakte wären wir Ihnen sehr dankbar, wenn Sie uns eine Liste einiger eingetragener Firmen zusenden würden, die sich für unsere Produkte interessieren könnten.

C

Herr Fritsche war als Jurist für unser Unternehmen tätig und hat sich .... (2) seines Berufslebens für transparente gesetzliche Regelungen im Online-Handel eingesetzt.

D

Das Arbeitsverhältnis endet dem vorgesehenen Zeitpunkt......................... (3), ohne dass es einer Kündigung bedarf.

E

Sie werden staunen, wie preiswert unser Service......................... (4) der prompten Ausführung ist.

F

Hiermit kündige ich meinen Mobilfunkvertrag für die Mobilfunknummer 0170 88037170 der Frist......................... (5) zum nächstmöglichen Termin.

G

Zu unserem Bedauern müssen wir Ihnen mitteilen, dass wir......................... (6) einer gründlichen Durchsicht mit der Ausführung unseres Auftrags LK87984 nicht zufrieden sind. Sie haben nicht......................... (7) der vereinbarten Qualitätsmerkmale geliefert.

H

Bitte unterbreiten Sie uns......................... (8) der oben genannten Stückzahlen ein Angebot mit eventuellen Farbvarianten, Preisen und Lieferzeiten.

I

Sollte der Betrag von 1 350 Euro inklusive Mehrwertsteuer nicht .... (9) 14 Tagen auf unserem Konto bei der Sparbank Neustadt eintreffen, werden wir......................... (10) Vertrag den Erlass eines Mahnbescheids beantragen.

J

Ihrem Schreiben vom 8.8.......................... (11) fordern Sie von mir einen Betrag in Höhe von 2 000 Euro. Hiermit widerspreche ich dieser Forderung. Ich werde sie nicht bezahlen, da sie unberechtigt ist.

K

.... (12) bisheriger Verlautbarungen findet der Vortrag zum Thema *Markenrecht* im Vortragssaal 1 statt. Wir möchten Sie dazu .... (13) der Rechtsabteilung herzlichst einladen.

Zusatzübungen zu Präpositionen der Schriftsprache ⇨ Teil C Seite 221

A22 Ergänzen Sie die fehlenden Wörter in der folgenden Einladung.

Sehr geehrte Damen und Herren,

es freut mich, Sie aufgrund unserer langjährigen ....(1) zu unserer Informationsveran-
staltung einzuladen. ....(2) früherer Verlautbarungen werden wir einen eigenen Messestand haben und organisieren am 4.2. dem Anlass ....(3) einen eigenen Nachmittag für
unsere ....(4).
........................(5) neuester Entwicklungen und Publikationen im Bereich Rechtspflege haben wir
für Sie ein interessantes Programm zusammengestellt, über ....(6) Sie gern
informieren. Dabei möchten wir ....(7) gern unsere neuesten digitalen Produkte und
Online-Ausgaben ....(8). Danach wüssten wir auch zwecks Innovationen im Bereich
Patentrecht gern, was Sie von diesen Entwicklungen ....(9).
Zwischendurch bieten wir Ihnen ....(10) der Geschäftsleitung Getränke und Häppchen
an unserem Messestand an und um 17.30 Uhr wird Max Lilienthal für Sie auftreten. Der Planung
........................(11) findet danach das Abendessen im Restaurant *Elbterrassen* statt.
Würden Sie uns der Vorbereitung halber bitte mitteilen, ob ....(12) an diesem Programm
und/oder am Abendessen ....(13) möchten? In der ....(14) übersenden
wir Ihnen eine Programmübersicht.
Wir hoffen, ...(15) am 4.2. ....(16) zu dürfen. Natürlich sind Sie immer herzlich
willkommen, unseren Ausstellungsstand zu ....(17).

Mit freundlichen Grüßen
Helena Frisch
Managementassistentin

A23 Formulieren Sie mindestens zwei offizielle
Einladungen/Aufrufe in E-Mail-Form zu den unten
vorgeschlagenen Themen. Schreiben Sie pro Mail
mindestens 150 und höchstens 200 Wörter.

1
Einladung zu einer eintägigen
innerbetrieblichen Weiterbildung

2
Einladung zu einer Aus-
stellungseröffnung

3
Einladung zu einem
abendlichen Betriebsfest

4
Einladung zu einem ein-
tägigen Betriebsausflug

5
Aufruf zu einer Versammlung
im Wohnort (Bürgerinitiative)

6
Aufruf zu einer Demonstration
am Wohnort (Bürgerinitiative)

7
Einladung zum Firmen-
jubiläum

8
Einladung zu einem Treffen
mit ehemaligen Mitarbeitern

Zusatzübungen und Tipps zur Prüfungsvorbereitung

B1 Modul Lesen, Aufgabe 2

Ordnen Sie die Aussagen den jeweiligen Textabschnitten zu. Zwei Aussagen passen nicht.

A Der Wirtschaftspsychologe platziert Kanada und die skandinavischen Länder auf der Hochebene des glitschigen Abhangs der Steuermoral.

B Wenn Menschen tatsächlich vom Rationalen ausgehen würden, müsste es noch viel mehr Steuersünder geben.

C Die Deutschen wägen die drohende Strafe gegen die mögliche Steuerersparnis ab.

D Vor allem bei Prominenten ist laut Adam Smith die Steuermoral nicht gerade hoch entwickelt.

E Die objektiv niedrige Wahrscheinlichkeit, entdeckt zu werden, schätzen wir subjektiv viel zu hoch ein.

F Deutschland rangiert in Bezug auf die Steuermoral irgendwo in der Mitte.

G Ein Schweizer Steueranwalt erhält täglich Bitten von Prominenten zur Vorbereitung einer Selbstanzeige.

H Zeigt sich der Staat als unerbittlich in puncto Steuern, dann zahlt der Bürger seine Abgaben nur ungern.

1

■ Der Richter in uns

Wissenschaftler untersuchen die Fragen, warum Menschen Steuern zahlen – und warum manche hinterziehen. Viele haben kalte Füße bekommen. „Seit dem Fall Hoeneß rennen mir die Leute die Bude ein", berichtet ein Züricher Steueranwalt. Acht bis zehn Mandanten bitten ihn täglich, Selbstanzeige vorzubereiten, deutsche Beamte, Unternehmer, Sportler, Künstler und vermögende Handwerker. Aufgeschreckt vom Fall des Münchener Fußballprominenten beichten immer mehr Steuersünder ihren Betrug. Während der Laie über das Ausmaß der Steuerhinterziehung staunt, bereitet Volkswirten die gegenteilige Frage Kopfzerbrechen: Warum zahlen eigentlich so viele Bürger brav ihre Steuern?

2

Handelten die Menschen wirklich rational, wovon Ökonomen ja meist ausgehen, müssten noch viel mehr Menschen Steuern hinterziehen. Ein waschechter *Homo oeconomicus* würde die Sache mit einer simplen Kosten-Nutzen-Rechnung erledigen: Er wägt die drohende Strafe, gepaart mit der Gefahr, erwischt zu werden, gegen die mögliche Steuerersparnis ab. Daraus folgt, was er in seine Steuererklärung schreibt – und wie viel er über die Grenze rettet. „Nach diesem Kalkül müsste der Bürger immer den Staat belügen", sagt Erich Kirchler, Wirtschaftspsychologe an der Universität Wien. Doch so einfach ist es eben nicht. Zur Lösung des Steuerzahlerrätsels stellen Wirtschaftspsychologen zwei entscheidende Überlegungen an: Es geht um Wahrscheinlichkeit und Gefühle.

3

Zum einen zeigen empirische Studien, dass der Mensch objektiv niedrige Wahrscheinlichkeiten subjektiv zu hoch bewertet. Auch wenn gesicherte Zahlen fehlen, gehen Wissenschaftler davon aus, dass in Deutschland nur etwa jeder hundertste Steuersünder von den Beamten des chronisch überlasteten Finanzamts enttarnt wird. Diese sehr geringe Entdeckungswahrscheinlichkeit von einem Prozent kommt potenziellen Steuerhinterziehern jedoch viel bedrohlicher vor. Zum anderen scheint es in unseren Köpfen eine Art Steuermoral zu geben. Schon Adam Smith, Ökonom und Chefliberaler des 18. Jahrhunderts, brachte in seiner Theorie der ethischen Gefühle einen „inneren Richter" ins Spiel.

4

Um die Steuermoral der Bürger zu vermessen und zu ergründen, entwickelte Kirchler 2008 mit Kollegen das Slippery-Slope-Modell, das zwischen erzwungener und freiwilliger Steuerehrlichkeit unterscheidet. Erscheint der Staat als gewaltiger Gegner, Geldverschwender und harter Sanktionierer, zahlt der Bürger seine Steuern nur zähneknirschend – aber er zahlt. Sieht er den Staat dagegen als neutralen Dienstleister, der anvertrautes Geld effektiv einsetzt und den Menschen zurückgibt, zahlt der Bürger sogar freiwillig. Um möglichst alle Steuern einzutreiben, kann der Staat also zwischen zwei Masken wählen: Macht oder Vertrauen.

5

Ist beides – Macht und Vertrauen – kaum ausgeprägt, offenbart sich im ökonomischen Modell ein glitschiger Abhang, den die Steuermoral hinunterrutscht. Das Tübinger Institut für Angewandte Wirtschaftsforschung (IAW) hat die Steuermoral in verschiedenen Ländern untersucht und untermauert Kirchlers Thesen: Während Kanada auf den Faktor Macht setzt und Steuerhinterzieher hart bestraft, versuchen skandinavische Länder das Vertrauen der Bürger über Transparenz zu stärken. Den Bürgern beider Ländergruppen attestieren die Wissenschaftler eine hohe Steuermoral. Kirchler platziert sie auf der Hochebene seines glitschigen Abhangs.

6

Länder wie Griechenland, Italien und Moldawien hingegen gleiten den Abhang hinunter – kein Vertrauen, keine Autorität. Deutschland rangiert im Mittelfeld. Die Diagnose hier: hohe Vertrauenswürdigkeit, gepaart mit einer mittleren Portion Druck. Nicht zu unterschätzen sei auch der argwöhnische Blick über den Gartenzaun. Jeden interessiert insgeheim, wie es um die Steuermoral seiner Nachbarn bestellt ist. Wer glaubt, dass die keine Steuern zahlen, will selbst auch nichts mehr abgeben. Fast zwei Drittel der Deutschen hegen solche Zweifel. Durch die Entzauberung prominenter Moralisten wie Uli Hoeneß dürften sie wohl noch wachsen.

B2 Modul Lesen, Aufgabe 4

a) Sie wollen mehr über Insolvenzverfahren und Aufgaben eines Insolvenzverwalters wissen und überfliegen dazu vier Artikel. Zu welchem Artikel passen die folgenden Aussagen? Auf einen Artikel können mehrere Aussagen zutreffen, aber es gibt nur eine richtige Lösung für jede Aussage.

◇ **D**   Mit dem Beginn des regulären Insolvenzverfahrens werden Lohnforderungen zu Masseforderungen und Arbeitnehmer zu sogenannten Massegläubigern.

1. .... Insolvenzverwalter ist weder ein Lehrberuf, noch gibt es eine staatlich anerkannte Ausbildung.

2. .... Im Prinzip wird alles verkauft, was nicht niet- und nagelfest ist und was noch Geld einbringt.

3. .... Ein Sozialplan kann auch noch nach Eröffnung des regulären Verfahrens ausgehandelt werden.

4. .... Ein Insolvenzverwalter übernimmt vorübergehend die Aufgaben des Geschäftsführers.

5. .... Bei Zahlungsunfähigkeit stellt der Schuldner oder ein Gläubiger einen Insolvenzantrag.

6. .... Zu viel Mitgefühl geht auf Kosten der eigentlichen Arbeit.

7. .... Oft ist die Lage des Unternehmens so schlecht, dass es nicht saniert und gerettet werden kann.

8. .... Im vorläufigen Verfahren darf der Insolvenzverwalter formell keine Kündigungen aussprechen.

A

Insolvenzverwalter haben alle Hände voll zu tun. Es gibt in diesem Bereich genug Arbeit und Aufträge, denn selbst in konjunkturstarken Zeiten gehen Firmen ein. Doch nicht jeder Auftrag wird auch gut bezahlt. Der Insolvenzverwalter tritt in Erscheinung, wenn ein Unternehmen am Ende ist und Insolvenz angemeldet hat. Er wickelt die Geschäfte ab und entscheidet darüber, ob ein Betrieb noch weitergeführt werden kann oder nicht. Das zuständige Amtsgericht, bei dem die Firma den Insolvenzantrag gestellt hat, erteilt einen Auftrag zur Insolvenzverwaltung. „Ich übernehme vorübergehend die Aufgaben des Geschäftsführers. Da ist zweifellos unternehmerisches Denken und Handeln gefragt", meint Jan Schmidt aus Neustadt, der Fachanwalt für Insolvenzrecht ist. Schmidt empfindet diese Tätigkeiten als eine einmalige kaufmännische Herausforderung und kann nicht verstehen, dass es Zeitgenossen gibt, die ihn und seine Kollegen als Aasgeier titulieren. Denn am liebsten sieht es Schmidt, wenn ein Unternehmen saniert werden kann.

Diese Entscheidung muss blitzschnell getroffen werden und bedeutet wahnsinnig viel Arbeit in sehr kurzer Zeit. Schmidt muss die Akten prüfen, Kontakt mit Gläubigern und Banken aufnehmen, die Bücher kontrollieren: Welche Aufträge hat die Firma noch und kann hier noch etwas an Land gezogen werden? „Aber oft ist die Situation so schlecht, dass der Betrieb nicht gerettet werden kann", erläutert Schmidt. „Dann stellt sich für uns Insolvenzverwalter eine wichtige Frage: Wie geht man mit so einer Entscheidung um und wie bringt man dies den Betroffenen möglichst schonend bei? Als Insolvenzverwalter muss man zwar auf der einen Seite ein offenes Ohr für seine Kunden haben, denn schließlich geht es oft um ein Lebenswerk. Aber auf der anderen Seite sollte sich ein Insolvenzverwalter auch der Tatsache bewusst sein, dass zu viel Mitgefühl die Arbeit behindert", gibt Schmidt zu bedenken.

B

Wenn ein Arbeitgeber pleitegeht, meldet die Firma Insolvenz an und die Mitarbeiter ziehen arbeitsrechtlich meistens den Kürzeren, obwohl die Arbeitsplätze formal weiter bestehen. Über die Eröffnung des Insolvenzverfahrens entscheidet das Gericht, wenn der Schuldner zahlungsunfähig oder überschuldet ist. In der Insolvenzordnung ist der Ablauf des Verfahrens festgelegt. Der Schuldner hat entweder selbst einen Insolvenzantrag gestellt oder ein Gläubiger hat diesen eingereicht. Besondere gesetzliche Bestimmungen gelten für Arbeitgeber, die gleichzeitig juristische Personen sind: Geschäftsführer von Gesellschaften mit beschränkter Haftung und Vorstände von Aktiengesellschaften müssen „ohne schuldhaftes Zögern, spätestens aber drei Wochen nach Eintritt der Zahlungsunfähigkeit" die Eröffnung eines Insolvenzverfahrens beantragen. Ansonsten können sie wegen Insolvenzverschleppung belangt werden. Die Arbeitsverträge bleiben zunächst – rein formell – unberührt.

Die Insolvenzordnung sieht vor, dass die existierenden Arbeitsverhältnisse auch mit der Eröffnung des Verfahrens fortbestehen. Im vorläufigen Verfahren darf der Insolvenzverwalter in der Regel auch keine Kündigungen aussprechen. Die betroffenen Mitarbeiter sollten sich aber auf jeden Fall genau darüber informieren, wie weit die Rechte des Insolvenzverwalters gehen. Die Lohnansprüche der Arbeitnehmer sind in dieser Zeit sogenannte Insolvenzforderungen und müssen beim Verwalter schriftlich angemeldet werden.

C

Eine gesunde Distanz zur Sache sollten Insolvenzverwalter wahren und objektiv bleiben, auch wenn es nicht immer leicht fällt. Ziel ist es, die bestmögliche Verwertungschance zu suchen. Denn die Gläubiger warten auf ihr Geld. Und Zeit ist bekanntlich Geld. Darum muss die Abwicklung recht zügig vonstattengehen. Verzögerungen lassen den Schuldenberg anwachsen. Zuerst begutachtet der Insolvenzverwalter, welche Werte das Unternehmen noch besitzt.

Der Wert aller noch vorhandener Vermögensgüter heißt Insolvenzmasse, und die wird veräußert. „Eigentlich wird vom Kugelschreiber bis hin zur Immobilie alles verkauft, was noch Geld einbringt, um zumindest einen Teil der Schulden bei den Gläubigern zu tilgen", erklärt Anwalt Clemens Rost. Oft werden auch nur Teile eines Unternehmens verkauft, um den Betrieb doch noch zu retten. Insolvenzverwalter ist kein Lehrberuf, auch gibt es keine staatlich anerkannte Ausbildung. Die Tätigkeiten übernehmen fast immer Fachanwälte für Insolvenzrecht, Betriebswirtschaftler oder Steuerberater. Theoretisch könnte aber jeder den Beruf ausüben. Allerdings werden die Aufträge von den Amtsgerichten vergeben. „Man muss fachgerechte Kenntnisse nachweisen und bei einem erfahrenen Insolvenzverwalter in die Lehre gegangen sein", vervollständigt Rost das Berufsbild eines Insolvenzverwalters.

Oft beginnt die Laufbahn mit der Betreuung von Privatinsolvenzen oder kleineren Firmenauflösungen. Seinen Ruf muss sich der Insolvenzverwalter Stück für Stück erarbeiten. Erst nach einigen erfolgreich abgewickelten Insolvenzen kommen größere und lukrativere Aufträge. Denn nach der Höhe der Insolvenzmasse richtet sich auch der Verdienst des Insolvenzverwalters. Sie werden prozentual an der veräußerten Insolvenzmasse beteiligt.

D

Sobald das reguläre Insolvenzverfahren läuft, führt der Verwalter den Betrieb weiter. Das hat nicht unbedingt zur Folge, dass der Betrieb sofort stillgelegt und allen Mitarbeitern gekündigt wird. Häufig werden zwischen dem Insolvenzverwalter und dem Betriebsrat ein Interessenausgleich und ein Sozialplan ausgehandelt. Der Insolvenzverwalter kann Mitarbeiter auch mit einer Frist von drei Monaten kündigen – selbst dann, wenn ein Kündigungsverbot besteht. Der Insolvenzverwalter kann Arbeitnehmer sogar herausklagen. Das geschieht, wenn es keinen Betriebsrat gibt oder innerhalb von drei Wochen nach Verhandlungsbeginn kein Interessenausgleich ausgehandelt wurde.

Mit dem Beginn des regulären Insolvenzverfahrens werden Lohnforderungen zu sogenannten Masseforderungen, die Arbeitnehmer werden damit zu sogenannten Massegläubigern. Sie werden im Verfahren aber bevorzugt behandelt. Das Gesetz sieht vor, dass Mitarbeiter einen Anspruch auf vollständige Zahlung ihrer Forderungen aus der Insolvenzmasse haben. Ist zu wenig Vermögen vorhanden, erhalten sie nur einen Anteil. Ein Sozialplan kann während des vorläufigen Insolvenzverfahrens oder nach Eröffnung des regulären Verfahrens ausgehandelt werden. Wird der Sozialplan in den letzten drei Monaten vor dem Antrag auf Eröffnung eines Insolvenzverfahrens vereinbart, haben sowohl der Betriebsrat als auch der Insolvenzverwalter die Möglichkeit, den Plan zu widerrufen. Vor allem die Betriebsräte machen davon Gebrauch: Denn bereits geleistete Zahlungen aus einem solchen Plan müssen nicht zurückgezahlt werden. Mit dem zweiten Sozialplan bekommen die Arbeitnehmer dann noch einmal den Höchstbetrag von bis zu zweieinhalb Monatslöhnen.

Arbeitnehmer sollten bei der Agentur für Arbeit Insolvenzgeld beantragen. Dieses wird gezahlt, wenn das Insolvenzverfahren eröffnet wurde (sofern die Firma selbst keinen Lohn zahlt) und wenn das Verfahren abgewiesen wurde, weil nicht mehr genügend Vermögen vorhanden ist und die Betriebstätigkeit vollständig eingestellt wurde. Das Insolvenzgeld entspricht dem Nettolohn und wird für maximal drei Monate gezahlt. Allerdings muss der Antrag innerhalb einer Frist von zwei Monaten bei der Agentur für Arbeit gestellt werden.

b) Lesen Sie die Texte noch einmal. Entscheiden Sie, ob die Aussagen mit dem Textinhalt übereinstimmen oder nicht.

		ja	nein
1.	Insolvenzverwalter haben viel zu tun und eine sehr gut bezahlte Arbeit.	☐	☐
2.	Das zuständige Amtsgericht entscheidet, ob ein Unternehmen saniert werden kann.	☐	☐
3.	Der Insolvenzberater darf nicht zu viel Mitgefühl mit den Gläubigern haben.	☐	☐
4.	Ist ein Unternehmen zahlungsunfähig, reicht der Schuldner oder der Gläubiger einen Insolvenzantrag ein.	☐	☐
5.	Sind Arbeitgeber gleichzeitig auch juristische Personen, können diese bei zu später Meldung wegen Insolvenzverschleppung belangt werden.	☐	☐
6.	Das Gericht entscheidet, ob am Ende eines Insolvenzverfahrens Kündigungen ausgesprochen werden dürfen.	☐	☐
7.	Die existierenden Arbeitsverhältnisse müssen auch nach der Eröffnung des Insolvenzverfahrens formell weiter bestehen.	☐	☐
8.	Verzögert sich die Abwicklung der Insolvenz, wächst der Schuldenberg für die Gläubiger.	☐	☐
9.	Alle noch vorhandenen Vermögensgüter eines insolventen Unternehmens werden als Insolvenzmasse bezeichnet und in der Regel veräußert.	☐	☐
10.	Von einem Insolvenzverwalter wird viel Fachwissen und Erfahrung verlangt.	☐	☐
11.	Der Insolvenzverwalter ist verpflichtet, einen Sozialplan und einen Interessenausgleich mit dem Betriebsrat auszuhandeln.	☐	☐
12.	Mit dem Beginn des regulären Insolvenzverfahrens werden die Arbeitnehmer zu sogenannten Massegläubigern.	☐	☐
13.	Der Arbeitnehmer erhält von der Agentur für Arbeit Insolvenzgeld, wenn der Betrieb ihm in den letzten fünf Monaten vor der Insolvenz keinen Lohn mehr gezahlt hat.	☐	☐

Strukturen zum Üben und Festigen

Appositionen

In Berlin, der größten Stadt Deutschlands, *leben fast 3,5 Millionen Menschen.*

▶ **Hinweise**

→ Eine Apposition ist eine Nomengruppe, die sich auf ein vorangestelltes Nomen bezieht und dieses näher beschreibt oder erklärt.

→ Die Apposition steht im gleichen Kasus wie das Bezugswort. Sie wird normalerweise durch Kommas abgetrennt.
Der erste Präsident der Bundesrepublik Deutschland, **Theodor Heuss**, war von 1949–1959 im Amt.
Theodor Heuss, **der erste Präsident der Bundesrepublik Deutschland**, war von 1949–1959 im Amt.
Heuss gehörte einer relativ kleinen Partei, **der liberaldemokratischen FDP**, an.
Heuss gehörte der liberaldemokratischen FDP, **einer relativ kleinen Partei**, an.

→ Appositionen können auch mit *als* (ohne Komma) oder *wie* (meist mit Komma) stehen.
Die Militärparade wird von Prinz Harry **als** Vertreter des Königshauses abgenommen.
Die Räume sind leider für bestimmte Personen, **wie** Rollstuhlfahrer, nicht geeignet.

C1 Bestimmen Sie, ob die nachfolgenden Sätze eine Apposition oder einen Relativsatz beinhalten. Setzen Sie die fehlenden Kommas.

1. Es entstehen in den 1970er-Jahren zahlreiche Bürgerinitiativen und Selbsthilfegruppen die sich in Vereinen zusammenschließen. (............................)

2. Die Deutschen die gern auch als Vereinsmeier bezeichnet werden sind Mitglied in über 50 000 Vereinen. (............................)

3. Deutschland ein Vereinsland im europäischen Mittelfeld weist eine geringere Vereinsdichte auf als die Länder Skandinaviens und die Niederlande. (............................)

4. In den südlichen Ländern Europas in denen Vereinen oft ein spießig-muffiges Image anhaftet ist die Zahl der Vereine geringer. (............................)

5. In den letzten Jahren wurden auch im Süden Europas Vereine die eigentlichen Orte bürgerschaftlichen Engagements wieder als solche entdeckt und geschätzt. (............................)

6. Die Mehrheit des ehrenamtlichen Engagements über 90 Prozent findet im Umfeld von Vereinen statt. (............................)

7. Man spricht von einem regelrechten Vereinsboom der vergangenen 30 Jahre in denen sich immer mehr junge Menschen in Naturschutz- oder Menschenrechtsvereinen engagieren. (............................)

8. Die junge Generation schließt sich auch Vereinen an die sich kritisch mit der Informationsgesellschaft beschäftigen. (............................)

9. Die Vereine Vorreiter für gesellschaftlichen Wandel gehen in ihrer Tradition bis auf das 18. Jahrhundert zurück. (............................)

10. Das revolutionär Neue an den Vereinen die man damals „Gesellschaften" oder „Assoziationen" nannte waren ständeübergreifende Zusammenkünfte. (............................)

11. Ihre Mitglieder Adel, Intelligenz und gehobenes Beamtentum diskutierten in sogenannten „Lesegesellschaften" oder „Sprachgemeinschaften" über Tagesereignisse und politisch-philosophische Zeitprobleme. (............................)

12. Viele Turnvereine, Gesangs- oder Kleingärtnervereine die eine lange Tradition und eine wechselvolle Geschichte haben waren im 19. Jahrhundert ein städtisches Phänomen. (............................)

13. Viele Vereine übernahmen öffentliche Aufgaben die der Staat damals nicht erfüllte. (............................)

14. Es entstanden die Wohlfahrtsverbände wie Caritas, Diakonie und Deutsches Rotes Kreuz. (............................)

Nominalstil

Verbalstil:	*Der Politiker redete heute über Korruptionsbekämpfung. Das war aufschlussreich.*
Nominalstil:	*Die heutige Rede des Politikers über Korruptionsbekämpfung war aufschlussreich.*

▶ **Hinweise**

→ In amtssprachlichen und wissenschaftlichen Texten wird oft der Nominalstil verwendet, um eine größere inhaltliche Komplexität zu erzielen.

→ Der Nominalstil spielt in der Alltagssprache eine untergeordnete Rolle.

▶ **Formen**

	Verbalstil	Nominalstil	
Verben **Adjektive mit *sein***	Der Politiker redet. Der Politiker wird empfangen. Das Ausland ist interessiert.	die Rede des Politikers der Empfang des Politikers das Interesse des Auslands	Nominalisierung + Genitiv
Verben + Akkusativergänzung **Passiv mit Agensangabe**	Der Bürgermeister empfängt den Präsidenten. Der Präsident wird vom Bürgermeister empfangen.	der Empfang des Präsidenten durch den Bürgermeister	Nominalisierung + *durch* + Nomen (Agens)
Verben + Nomen ohne Artikel	Es wird Kritik geübt.	das Üben von Kritik	Nominalisierung + *von* + Nomen
Verben mit Adverbien	Die Pläne werden konsequent durchgesetzt.	die konsequente Durchsetzung der Pläne	Adjektiv + Nominalisierung + Genitiv
Verben mit Präpositionen	Lokale Aktionsgruppen debattieren über den Bau des Flughafens.	die Debatte der lokalen Aktionsgruppen über den Bau des Flughafens	Nominalisierung + Genitiv + präpositionale Ergänzung
Adverbialsätze	Nachdem sie ihre Ansprache beendete hatte, …	Nach dem Ende ihrer Ansprache …	Präposition + Nominalisierung (+ Genitiv)

 Bilden Sie aus den Sätzen Nominalisierungen mit einem Agens.

◇ Ein Prominenter hinterzieht Steuern.

　die Hinterziehung der Steuern durch einen Prominenten

1. Die meisten Bürger zahlen Steuern.

　...

2. Der Steueranwalt bearbeitet die Selbstanzeigen.

　...

3. Die Steuersünder decken ihren Betrug selbst auf.

　...

4. Der Bürger füllt die Steuererklärung aus.

　...

5. Wirtschaftspsychologen lösen Steuerrätsel.

　...

6. Mancher Steuersünder wird vom Finanzamt enttarnt.

....

7. Der Ökonom Adam Smith beschreibt den „inneren Richter".

....

8. Der Wirtschaftswissenschaftler Kirchler entwickelte das Slippery-Slope-Modell.

....

9. Der Staat treibt die Steuern ein.

....

10. Einige Länder setzen anvertrautes Geld effektiv ein.

....

11. Das kanadische Finanzamt bestraft Steuerhinterzieher hart.

....

12. Transparente Finanzmaßnahmen stärken das Vertrauen der Bürger.

....

C3 Wahlkampf und Wahlen
Formen Sie die Nominalisierungen in Aktivsätze im Präteritum um.

◇ die Benennung der Spitzenkandidaten durch die Parteien
   Die Parteien benannten ihre Spitzenkandidaten.

1. die Aufstellung der Wahlprogramme durch die einzelnen Parteien

....

2. die Veröffentlichung von Stimmungsbarometern durch Vertreter renommierter Umfrageinstitute

....

3. die Vorbereitung von Wahlkampagnen durch die Wahlkampfmanager der Parteien

....

4. die Mobilisierung der Wähler durch die Politiker im jeweiligen Wahlkreis

....

5. die Beteiligung der sozialen Medien an der Meinungsbildung

....

6. das Verschicken der Wahlbenachrichtigungen durch Angestellte der Kommunen

....

7. das Ausstrahlen von Werbespots der einzelnen Parteien durch die öffentlich-rechtlichen Fernsehsender

....

8. der Verweis auf die Wichtigkeit einer hohen Wahlbeteiligung durch die Spitzenkandidaten

....

9. das Führen von Interviews mit Parteipolitikern durch Journalisten

....

10. das Ausfüllen von Briefwahlunterlagen durch am Wahltag verhinderte Wähler

....

11. die Einrichtung der Wahllokale durch Wahlhelfer

....

12. die Kontrolle und Auszählung der Stimmen durch die Wahlkommissionen

....

13. das Vorbereiten von Koalitionsverhandlungen durch die Vertreter der Parteien mit den meisten Stimmen

....

C4 Ergänzen Sie zuerst die Präpositionen und Artikel.
Formen Sie danach die Nominalisierungen in Fragen im Futur I (Verbalstil) um. Nutzen Sie die Höflichkeitsform.

◇ die kontinuierliche Zusammenarbeit *mit den* Aktionsgruppen
Werden Sie kontinuierlich mit den Aktionsgruppen zusammenarbeiten?

1. die Anpassung .... veränderten Bedingungen

....

2. die Bewerbung .... Stipendium

....

3. die Orientierung .... gängigen Qualitätsstandards

....

4. die volle Konzentration .... nächste Ausschreibung

....

5. die regelmäßige Teilnahme .... landesweiten Wettbewerben

....

6. die ehrliche Reaktion .... Facebook-Eintrag des Konkurrenten

....

7. die Beschwerde .... Zustände in der Chefetage

....

8. die persönliche Beschäftigung .... Jahresbilanzen

....

9. der Zweifel .... gestrigen Entscheidung

....

10. die Beschränkung .... eigene Aufgabenfeld

....

C5 Formen Sie die unterstrichenen Sätze in Nomengruppen um.

◇ <u>Wenn der Journalist Friedrich Heyer einen Text über einen Politiker verfasst</u>, recherchiert er immer sehr gründlich.
Beim Verfassen eines Textes über einen Politiker recherchiert der Journalist Friedrich Heyer immer sehr gründlich.

1. <u>Wenn ein Journalist fleißig, talentiert und ehrlich ist</u>, kann er Hirn und Herz des Lesers erreichen.

....

2. <u>Wenn Friedrich Heyer ein bisschen Glück hat</u>, wird er noch in diesem Jahr mit dem Leserpreis *Hand aufs Herz* ausgezeichnet.

....

3. <u>Hätte ihm sein Freund und Kollege Professor Altmann nicht geholfen</u>, wäre er nie so weit gekommen.

....

4. <u>Noch bevor Friedrich Heyer sein Studium abgeschlossen hatte</u>, bewarb er sich beim Leipziger Medienkonzern *Alles im Griff*.

....

5. <u>Nachdem er das Studium beendet hatte</u>, ging das Lernen fürs Leben erst richtig los.

....

6. <u>Obwohl Heyer viele journalistische Erfolge hat</u>, denkt er auch über andere Berufsperspektiven nach.

....

7. Er kann auch weitere journalistische Erfahrungen im Umgang mit Politikern sammeln, <u>indem er als Auslandskorrespondent tätig ist</u>.

....

8. <u>Um seine Englischkenntnisse zu verbessern</u>, will er im nächsten Jahr mindestens fünf Monate in London arbeiten.

....

Einige Präpositionen der Schriftsprache

Zwecks kürzerer Amtswege ist in dieser Angelegenheit auch ein digitaler Schriftverkehr mit eingescannten Unterschriften möglich.

▶ **Formen**

Präposition	Beispielsätze	Verwendung	Besonderheiten
angesichts + G	Angesichts der finanziellen Mittel beider Parteien wäre eine Schlichtung angebracht.	kausal	
anhand + G	Anhand dieses Beispiels lässt sich der Prozess gut erklären.	modal-instrumental	
anlässlich + G	Anlässlich des 100. Todestages des Dichters fand eine Gedenkfeier statt.	kausal/temporal	
aufgrund + G	Aufgrund der einstweiligen Verfügung könnte das Urteil milder ausfallen.	kausal	
bezüglich/hinsichtlich ı G	Ich darf Ihnen bezüglich/hinsichtlich des Gutachtens zum jetzigen Zeitpunkt noch keine Auskunft geben.	kausal	
binnen + G/D innerhalb + G	Die Abwicklung muss binnen/innerhalb eines Jahres erfolgen.	temporal	*binnen* im Genitiv: gehobene Sprache
dank + G/D	Dank deiner Hilfe konnten wir das Projekt rechtzeitig beenden.	kausal	im Plural meist Genitiv
entgegen + D	Entgegen allen bisherigen Aussagen wird sich das Insolvenzverfahren verlängern.	adversativ	voran- oder nachgestellt
entsprechend + D	Dem Vertrag entsprechend können diese Wertgegenstände veräußert werden.	modal	voran- oder nachgestellt
gemäß + D	Das Verfahren muss den Vorschriften gemäß ablaufen.	modal	voran- oder nachgestellt
halber + G	Der Form halber müssen Sie auch hier noch unterschreiben.	kausal	immer nachgestellt
kraft + G	Sie ernannte ihn kraft ihres Amtes zum Ehrenbürger der Stadt.	kausal	
laut + G	Laut Vertrag steht ihr eine Entschädigung zu.	modal	oft ohne Artikel und Genitivendung
mangels + G	Mangels stichhaltiger Beweise wurde das Verfahren eingestellt.	modal-instrumental	
mittels + G	Mittels neuer Indizien wird der Prozess nochmals aufgerollt.	modal-instrumental	
mithilfe + G	Mithilfe eines erfahrenen Rechtsanwalts konnte die Strafsache schnell anhängig gemacht werden.	modal-instrumental	auch in Kombination mit *von* und Dativ möglich
seitens/vonseiten + G	Seitens/Vonseiten der Anklage liegt ein Antrag zur Aussetzung der Gerichtsverhandlung vor.	lokal (übertragene Bedeutung)	
ungeachtet + G	Ungeachtet der Zwischenrufe sprach der Politiker über 30 Minuten.	konzessiv	auch nachgestellt möglich
zeit + G	Zeit seines Lebens beschäftigte er sich mit Recht und Gesetz.	temporal	
zufolge + G/D	Einem Bericht zufolge steckt das Unternehmen in Schwierigkeiten.	modal	mit Dativ immer nachgestellt, auch mit Genitiv möglich, mit Genitiv vorangestellt
zugunsten + G	In dieser Angelegenheit wurde zugunsten des Angeklagten entschieden.	kausal	
zwecks + G	Zwecks kürzerer Amtswege ist in dieser Angelegenheit auch ein digitaler Schriftverkehr mit eingescannten Unterschriften möglich.	final	meist ohne Artikel

C6 Vervollständigen Sie die Sätze frei.
Orientieren Sie sich inhaltlich daran, was Sie über Insolvenzverfahren erfahren haben.

◇ Einem Medienbericht zufolge *hat dieses Unternehmen gestern Insolvenz angemeldet.*

1. Zwecks Auflösung einer Firma ....

2. Seitens/Vonseiten des Amtsgerichts ....

3. Anhand des vorhandenen Vermögens ....

4. Mangels Zahlungsfähigkeit ....

5. Entgegen den Klauseln in den Arbeitsverträgen ....

6. Mittels eines Antrags bei der Agentur für Arbeit ....

7. Aufgrund von Insolvenzverschleppung ....

8. Der Insolvenzmasse entsprechend ....

9. Zugunsten des Arbeitnehmers ....

10. Bezüglich der fristlosen Kündigungen ....

11. Mithilfe des Betriebsrats ....

12. Kraft seines Amtes ....

C7 Ergänzen Sie die fehlenden Präpositionen der Schriftsprache.

> aufgrund ◇ mangels ◇ infolge ◇ halber ◇ innerhalb ◇ gemäß ◇ anhand ◇ bezüglich ◇ dank ◇ hinsichtlich ◇ mithilfe ◇ laut ◇ zugunsten ◇ kraft ◇ seitens ◇ anlässlich ◇ zufolge ◇ ungeachtet ◇ zeit

◇ *Anhand* der erdrückenden Beweise wurde der Angeklagte zu einer lebenslänglichen Freiheitsstrafe verurteilt.

1. .... Ihres Schreibens vom 25. dieses Monats möchte ich Ihnen mitteilen, dass wir mit den von Ihnen genannten Bedingungen einverstanden sind.

2. .... seiner Hilfe konnten wir die Arbeit rechtzeitig beenden.

3. .... sich häufender Beschwerden sehen wir uns gezwungen, das Produkt vorläufig vom Markt zu nehmen.

4. Wir erwarten Ihre Antwort .... der nächsten 14 Tage.

5. .... Artikel 1 der Straßenverkehrsordnung gilt im Straßenverkehr Vorsicht und gegenseitige Rücksichtnahme.

6. .... schlechter Wetterumstände mussten die Bergungsarbeiten unterbrochen werden.

7. Der Form .... müssen alle Namen vollständig ausgeschrieben und mit Titel aufgeführt werden.

8. .... seiner körperlichen Verfassung muss der Radsportler bis zum Rennen noch einiges tun.

9. .... neuester Umfrageergebnisse stößt die Umweltpolitik der Regierung bei der Bevölkerung auf heftige Kritik.

10. .... seines Lebens war er um die Rettung vom Aussterben bedrohter Tierarten bemüht.

11. Im Zweifel muss das Gericht .... des Angeklagten entscheiden.

12. .... gewaltiger Maschinen waren die Rettungsmannschaften in der Lage, zu den verschütteten Bergleuten vorzudringen.

13. .... ausreichender finanzieller Unterstützung konnte das Projekt nicht zu Ende geführt werden.

14. .... seines Amtes als Präsident werde er künftig die Arbeit der Geheimdienste strengeren Kontrollen unterziehen.

15. .... der Staatsanwaltschaft liegen keine Gründe zur Befragung weiterer Zeugen vor.

16. .... der immer lauter werdenden Kritik hält der Ministerpräsident an seinem eingeschlagenen Kurs fest.

17. .... des Firmenjubiläums erhalten alle Mitarbeiter eine Bonuszahlung in Höhe von 500 Euro.

18. Eines Berichtes der FAZ .... wurden in der Arzneimittelfabrik auch chemische Waffen produziert.

Formen Sie die unterstrichenen Präpositionalgruppen in Teilsätze um.
Orientieren Sie sich am Beispiel.

◇   <u>Dem Leiter der Verbraucherzentrale zufolge</u> sollte man sich im Zweifelsfall noch einmal die Allgemeinen Geschäftsbedingungen geben lassen.

Wie der Leiter der Verbraucherzentrale erklärt, sollte man sich im Zweifelsfall noch einmal die Allgemeinen Geschäftsbedingungen geben lassen.

1.   Es ist heute <u>aufgrund unserer völlig vernetzten Welt</u> oft ein Kinderspiel, Verträge jeglicher Art übers Internet abzuschließen.

    ....

2.   Man sollte aber <u>Experten zufolge</u> als Internetnutzer gut aufpassen, dass man nicht für alle Zeiten auf seinem abgeschlossenen Vertrag sitzen bleibt.

    ....

3.   <u>Auch bei strikter Formwahrung und Fristeinhaltung vonseiten der Kunden</u> geht eine Kündigung nicht immer reibungslos vonstatten.

    ....

4.   <u>Mithilfe weniger Klicks im Internet</u> kann man sich langfristig an einen Vertrag binden.

    ....

5.   <u>Entgegen allen Versprechungen seitens der Unternehmen</u> ist es oft kompliziert und zeitraubend, einen Mobilfunkvertrag, ein Pay-TV-Abo oder die Mitgliedschaft bei einer Partnerbörse im Internet wieder zu kündigen.

    ....

6.   Mancher Kunde riskiert <u>mangels fehlender Regelkenntnis</u> sogar eine lebenslange Vertragsbindung.

    ....

7.   <u>Laut aktueller Aussagen der Verbraucherzentrale</u> bekommt man von einigen Telekommunikationsanbietern ein Schreiben mit der Bitte um dringenden Rückruf zugesandt.

    ....

8.   Die Anbieter benötigten <u>auch nach form- und fristgerechter Kündigung seitens des Kunden</u> noch Angaben oder hätten Rückfragen zur Vertragsauflösung.

    ....

9.   <u>Bei übereiltem Rückruf des Verbrauchers</u> wird diesem oft ein neuer Vertrag angeboten.

    ....

10. Fünf bis zehn Prozent aller Kündigungen werden <u>dem Leiter des Internetportals *vertragshilfe.de* zufolge</u> nicht korrekt bearbeitet.

    ....

11. <u>Zwecks Vermeidung von Missverständnissen</u> sollte der Verbraucher aber bei seiner Kündigung neben der vollen Anschrift auch alle relevanten Kunden- und Telefonnummern angeben.

    ....

12. Ignorieren Firmen jedoch <u>aufgrund fehlender Angaben</u> Kündigungen, verletzen sie ihre gesetzlich vorgeschriebene Mitwirkungspflicht.

    ....

13. <u>Bezüglich der Verfahrensweise in Online-Dating-Portalen</u> haben Experten oft besondere Dreistigkeiten entdeckt.

    ....

14. Diese Portale verlangten teilweise sogar das Passwort. Ein Vertrag könne aber meist schon <u>anhand der korrekten Anschrift</u> zugeordnet werden.

    ....

15. Eine Kündigung muss <u>gemäß offizieller Vorschriften</u> Datum und Unterschrift enthalten.

    ....

16. <u>Der Sicherheit halber</u> sollte der Kunde den Namen noch einmal in Druckbuchstaben schreiben.

    ....

Textquellen

S. 6 Zitate aus: M. Twain, Die schreckliche deutsche Sprache. Aus: alvit.de, 02.05.2005 [http://www.alvit.de/vf/de/mark-twain-die-schreckliche-deutsche-sprache.php]; **S. 8/9** Inf. aus: K.-H. Göttert, Deutsch. Biografie einer Sprache. Berlin 2010, Ullstein und Rheinische Post online, 27.05.2010 [http://www.rp-online.de]; **S. 10** Inf. aus: Klassik Radio [http://www.klassikradio.de]; **S. 11/13** Störfall Kommunikation. Aus: ManagerSeminare, 29/1997; **S. 13** A. Herbold, Chats belegen das Gegenteil von Sprachverfall. Aus: Die Zeit online, 14.01.2013 [http://www.zeit.de]; **S. 17** Inf. aus: Bayrische Landeszentrale für neue Medien [http://www.blm.de]; **S. 23** Redaktion radioWissen, Die Entstehung der Sprache. Aus: Bayrischer Rundfunk/Redaktion radioWissen; in Lizenz der BRmedia Service GmbH, 15.01.2009; **S. 26** B. Tanner, Man spricht Deutsch. Aus: Spiegel online, 18.01.2005 [http://www.spiegel.de]; **S. 26** Inf. aus: Planet Wissen, 01.06.2009 [http://www.planet-wissen.de]; **S. 28** Inf. aus: Die Zeit online, 21.11.2012 [http://www.zeit.de]; **S. 34** M. Schürmann, Wie riecht das Mittelalter? Aus: P.M. Perspektive, 1/2004; **S. 36** Inf. aus: Die Welt, 24.10.2008 [http://www.welt.de]; **S. 38** J. Leppin, Hitler oder Honecker? Mir doch egal! Aus: Spiegel online, 18.01.2005 [http://www.spiegel.de]; **S. 40** H. Wiederschein, Schatzkarte mit Gold, Schmuck, Münzen: Die spektakulärsten Schatzfunde in Deutschland. Aus: FOCUS online, 18.04.2013 [http://www.focus.de]; **S. 41** Himmelsscheibe von Nebra wird nationales Kulturgut. Aus: FOCUS online, 12.01.2012 [http://www.focus.de], Quelle: dpa; **S. 42** Inf. aus: Planet Wissen, 25.03.2010 [http://www.planet-wissen.de]; **S. 45** Inf. aus: Wikipedia [http://de.wikipedia.org]; **S. 48** Inf. aus: Geo kompakt 27 (06/2011); **S. 50** Gerüche und Erinnerungen: Wenn das Auge die Nase täuscht. Aus: Spiegel online, 03.06.2004 [http://www.spiegel.de]; **S. 53** H. Welzer, Wie das Gehirn Geschichte fälscht. Aus: Spiegel online, 12.05.2005 [http://www.spiegel.de]; **S. 55** Inf. aus: P.M. Magazin [http://www.pm-magazin.de]; **S. 59** Inf. aus: P.M. Magazin [http://www.pm-magazin.de]; **S. 64** I. Lehnen-Beyel, Lob der Lüge. Aus: Rheinische Post, 19.08.2003; **S. 66** Inf. aus: Die Welt, 13.05.2012 [http://www.welt.de]; **S. 68** M. Suter, Eine Führungskrise. Aus: M. Suter, Huber spannt aus. Copyright © 2005 Diogenes Verlag AG, Zürich; **S. 71** Inf. aus: Spiegel online, 14.07.2012 [http://www.spiegel.de]; **S. 72** T. Groll, „Der Perfektionist ist das perfekte Arbeitstier". Aus: Die Zeit online, 05.09.2009 [http://www.zeit.de]; **S. 73** H. Evers, Die amtliche Führungspersönlichkeit. Aus: H. Evers, Für Eile fehlt mir die Zeit. Copyright © 2011 Rowohlt Berlin Verlag GmbH, Berlin; **S. 75** A. C. Loll, Was Macht aus uns macht. Aus: Frankfurter Allgemeine Zeitung, 02.12.2010 [http://www.faz.de]. © Alle Rechte vorbehalten. Frankfurter Allgemeine Zeitung GmbH, Frankfurt. Zur Verfügung gestellt vom Frankfurter Allgemeine Archiv; **S. 80** F. Jiménez, Neid wird bei Familienfesten geboren. Aus: Die Welt, 26.12.2012 [http://www.welt.de]; **S. 90** Inf. aus: Erziehungskunst, 12/2011 [http://www.erziehungskunst.de] und Spiegel online, 29.09.2013 [http://www.spiegel.de]; **S. 91** Inf. aus: Die Welt, 31.08.2013 [http://www.welt.de]; **S. 91** Inf. aus: Spiegel online, 16.05.2013 [http://www.spiegel.de]; **S. 92** Inf. aus: Deutschlandradio Kultur, 22.02.2013 [www.dradio.de]; **S. 94** A. Fried, Da kann Einstein einpacken. Aus: A. Fried, Wildes Leben. Späte Einsichten und verblüffende Aussichten. © 2011 Wilhelm Heyne Verlag, München, in der Verlagsgruppe Random House GmbH; **S. 96** J. Zielke, Hochbegabte. Aus: Planet Wissen, 01.06.2009 [http://www.planet-wissen.de]; **S. 99** C. Gläser, Vom Studenten zum Meister in drei Jahren. Aus: Spiegel online, 11.05.2013 [http://www.spiegel.de], Quelle: dpa; **S. 102** Inf. aus: Die Welt online, 21.02.2014 [http://www.welt.de]; **S. 104** O. Domma, Die gefährliche Waffe. Aus: O. Domma, Der brave Schüler Ottokar. Berlin 2010, Eulenspiegel; **S. 106** J. G. Baurmann, German Strudel. Aus: Die Zeit, 30/18.07.2013; **S. 113** Inf. aus: ARD, Tagesschau, Schlusslichter, 24.01.2014 [http://www.tagesschau.de/archiv/schlusslichter]; **S. 115** W. Rohwedder, Die Bürste, die wach macht. Aus: ARD, Tagesschau, Schlusslichter, 27.05.2013 [http://www.tagesschau.de/archiv/schlusslichter]; **S. 116** Inf. aus: P.M. Magazin, 10/2012 [http://www.pm-magazin.de] und Geo kompakt 18 (03/2009); **S. 117** T. Röbke, Nicht im Sinne des Erfinders. Aus: Die Zeit, 44/24.10.2002; **S. 119** Inf. aus: http://www.worldwide.espacenet.com (EPA), Patent: DE102012000663 (A1) – 2013-07-11 (Erfinder: Roman Mayer); **S. 120** K. Viering, Fertig zum Entern. Auf spektrum.de (http://www.spektrum.de/alias/plastikmuell/fertig-zum-entern/1202476). Bearbeitete Fassung genehmigt von Spektrum der Wissenschaft Verlagsgesellschaft mbH, Heidelberg 2013; **S. 125** C. Mensch, „Mehrspurige Straßen brauchen wir nicht". Aus: Die Zeit online, 22.08.2013 [http://www.zeit.de]; **S. 127** Inf. aus: P.M. Perspektive, 02/2012; **S. 130** M. Tzschaschel, Kennen Sie Ihren inneren Arzt? Aus: P.M. Magazin, 06/2013; **S. 135** Inf. aus: Spiegel online, 19.03.2012 [http://www.spiegel.de]; **S. 136** E. Jandl, sentimental journey. Aus: E. Jandl, poetische Werke, hrsg. von K. Siblewski © 1997 Luchterhand Literaturverlag, München, in der Verlagsgruppe Random House GmbH; **S. 137** Inf. aus: Neue Zürcher Zeitung, 05.12.2012; **S. 140** Inf. aus: WDR, Quarks & Co., Sendung vom 20.08.2013 [http://www.wdr.de]; **S. 146** T. Vašek, Ist Talent nur ein Mythos? Aus: P.M. Perspektive, 02/2012; **S. 149** Inf. aus: Planet Wissen, 07.08.2013 [http://www.planet-wissen.de]; **S. 149** Inf. aus:

FOCUS online, 22.07.2012 und 07.08.2013 [http://www.focus.de]; **S. 151** D. Kienle, Wann funkt es? Aus: P.M. Perspektive, 02/2013; **S. 153** W. Schnurre, Die Dauer des Glücks. Aus: W. Schnurre, Der Spatz in der Hand. © 1971 by LangenMüller in der F.A. Herbig Verlagsbuchhandlung GmbH, München; **S. 154** W. Rohwedder, App durch die Mitte. Aus: ARD, Tagesschau, Schlusslichter, 27.08.2013 [http://www.tagesschau.de/archiv/schlusslichter]; **S. 156** Inf. aus: P.M. Magazin [http://www.pm-magazin.de]; **S. 156** B. Brecht, Morgens und abends zu lesen. Aus: B. Brecht, Werke. Große kommentierte Berliner und Frankfurter Ausgabe, Band 14: Gedichte 4. © Bertolt-Brecht-Erben/Suhrkamp Verlag 1993; **S. 157** T. Strünkelnberg, Verlockend klingende Immobilienlyrik. Aus: Kölner Stadtanzeiger, 09.02.2004 [http://www.ksta.de], Quelle: dpa; **S. 161** T. Aufmkolk, G. Trost, Bauhaus. Aus: Planet Wissen, 12.01.2010 [http://www.planet-wissen.de]; **S. 164** Inf. aus: P.M. Magazin [http://www.pm-gehirntrainer.de]; **S. 169** Inf. aus: WDR, 30.09.2013 [http://www.wdr.de]; **S. 173** Inf. aus: Wikipedia [http://de.wikipedia.org]; **S. 175** Moderne Kunst. Aus: K. Conrad, Das vierte Zeitalter und die moderne Kunst. Bern 1958, Huber; **S. 177** Inf. aus: news.de [http://www.news.de] und Tagesspiegel, 18.07.2013 [http://www.tagesspiegel.de]; **S. 180** Inf. aus: Die Welt, 23.09.2010 [http://www.welt.de]; **S. 182** D. Bengsch, Kreative arbeiten immer am Rand des Wahnsinns. Aus: Die Welt, 09.01.2012 [http://www.welt.de]; **S. 185** P. Hugues, Lesen für den kleinen Hunger. Aus dem Französischen übersetzt von E. Thielicke. Aus: Der Tagesspiegel, 23.02.2013; **S. 191** F. Jiménez, Tribale Zeichen. Aus: Die Welt, 11.05.2013; **S. 194** Inf. aus: Die Zeit online, 14.05.2012 [http://www.zeit.de]; **S. 198** Inf. aus: Planet Wissen, 28.04.2014 [http://www.planet-wissen.de]; **S. 200** Inf. aus: Wikipedia [http://de.wikipedia.org] und demokratie.geschichte-schweiz.ch [http://www.demokratie.geschichte.schweiz.ch]; **S. 201** Inf. aus: wissen.de, 11.07.2012 [http://www.wissen.de]; **S. 203** E. Weinert, Ferientag eines Unpolitischen. Aus: E. Weinert, Gesammelte Gedichte. Hrsg.: Akademie der Künste der DDR, unter Mitarbeit von L. Weinert, B. Kaiser, W. Schulz, Band 4: Gedichte 1930–1933 © Aufbau Verlag GmbH & Co. KG, Berlin 1973 (Dieses Werk erschien erstmals 1973 im Aufbau-Verlag; Aufbau ist eine Marke der Aufbau Verlag GmbH & Co. KG); **S. 206** K. Soltani, C. Teves, Korruption. Aus: Planet Wissen, 14.11.2011 [http://www.planet-wissen.de]; **S. 213** K. Daubek, Der Richter in uns. Aus: Die Zeit, 30/18.07.2013; **S. 215** Inf. aus: Die Zeit online, 28.05.2010 und 12.07.2013 [http://www.zeit.de]; **S. 217** Inf. aus: Planet Wissen, 29.11.2012 [http://www.planet-wissen.de].

Bildquellen

Andreas Buscha: S. 115 (2), S. 119, S. 121, S. 124, S. 150, S. 160 (2, 3, 4, 5), S. 173, Cover; **Diana Becker:** S. 185; **Falk Wargenau:** S. 52 (1); **Landesamt für Denkmalpflege und Archäologie Sachsen-Anhalt:** S. 41/Juraj Lipták; **Leopold Museum Wien:** S. 45/Egon Schiele, Bildnis Wally Neuzil 1912; **Pixelio:** S. 5 (1)/Andrea Damm, S. 5 (2)/andi-h, S. 6/Stephanie Hofschlaeger, S. 9/Ich-und-Du, S. 11/RainerSturm, S. 12 (1)/Stephanie Hofschlaeger, (2)/Dieter Schütz, S. 13/Aka, S. 14/Alexandra H., S. 32/Thorben Wengert, S. 33 (1)/Michael Loeper, S. 39/Stephanie Hofschlaeger, S. 54/Margit Ahrendts, S. 55/Rolf Handke, S. 55/Pariah083, S. 63 (1)/yogan-om, S. 66/raps, S. 67/Sybille Daden, S. 68/Harald Wanetschka, S. 74 (1)/Siegfried Bellach, (3)/Guenter Hamich, S. 77/Dr. Klaus-Uwe Gerhardt, S. 78/Wilhelmine Wulff, S. 89 (1)/Rita Köhler, S. 94/Anne Bermüller, S. 95/Stephanie Hofschlaeger, S. 99/Rike, S. 102/Siegfried Fries, S. 102/Mopicture.de, S. 105 (1)/Helene Souza, (2)/knipseline, S. 106/Thomas Siepmann, S. 115 (1)/Jan Tomack, S. 117/Stephanie Hofschlaeger, S. 122/birgitH, S. 126 (1)/Thomas Meinert, (2)/Rike, S. 130 (1)/Aka, S. 138/Stephanie Hofschlaeger, S. 145/Corinna Dumat, S. 146/birgitH, S. 147/Rainer Sturm, S. 153/Bredehorn, S. 160 (1)/Rolf Handke, S. 165/Dieter Schütz, S. 177/AM, S. 182/Silke Kaiser, S. 189/Silke Kaiser, S. 200/Andrea Damm, S. 209/Benjamin Klack, S. 212/GG-Berlin, S. 213/Stephanie Hofschlaeger, S. 214/Thomas Klauer, S. 215/Benjamin Klack; **Copyright (c) 2014 Schubert-Verlag und dessen Lizenzgeber. Alle Rechte vorbehalten:** S. 17, S. 18, S. 33 (2), S. 36, S. 38, S. 48, S. 49, S. 50, S. 52 (2), S. 63 (2), S. 69, S. 72, S. 74 (2, 4), S. 90, S. 92, S. 100, S. 118, S. 130 (2), S. 131, S. 134, S. 136, S. 137, S. 154, S. 158, S. 169, S. 174, S. 175 (1), S. 176, S. 178, S. 179, S. 181, S. 199, S. 208; **Wikimedia:** S. 7/Billy Hathorn, S. 42/Mark Voorendt, S. 89 (2)/AD. Braun & Cie Dornach, S. 118/Flominator, S. 161/Lelikron, S. 163/Olaf Meister, S. 187/Charles01, S. 191/Haa900, S. 192/Thor; **VG Bild-Kunst, Bonn 2014:** S. 175 (2)/Wassily Kandinsky, Trente 1937; **Zeichnungen:** Jean-Marc Deltorn

Trotz intensiver Bemühungen konnten nicht alle Rechteinhaber ausfindig gemacht werden. Für entsprechende Hinweise ist der Verlag dankbar.